ALFAGUARA

LAS TEJEDORAS DE DESTINOS

GENNIFER ALBIN

ALFAGUARA^{M.R.}
JUVENIL

www.librosalfaguarajuvenil.com

Título original: *Crewel*
D.R. © Del texto: Gennifer Albin, 2012
D.R. © De la traducción: Montserrat Nieto, 2013
D.R. © Del diseño de cubierta: Christian Fuenfhausen, 2012
D.R. © De la fotografía de cubierta: Mayer George Vladimirovich / Shutterstock
D.R. © De la edición española: Santillana Ediciones Generales, S.L., 2012

De esta edición:
    D.R. © Santillana Ediciones Generales, S.A. de C.V., 2013
    Av. Río Mixcoac 274, Col. Acacias
    C.P. 03240, México, D.F.

Alfaguara es un sello editorial de Prisa Ediciones.
Éstas son sus sedes:

ARGENTINA, BOLIVIA, CHILE, COLOMBIA, COSTA RICA, ECUADOR, EL SALVADOR,
ESPAÑA, ESTADOS UNIDOS, GUATEMALA, MÉXICO, PANAMÁ, PARAGUAY, PERÚ,
PUERTO RICO, REPÚBLICA DOMINICANA, URUGUAY y VENEZUELA.

Primera edición: abril de 2013

ISBN: 978-607-11-2682-5

Maquetación: Javier Barbado

Impreso en México

PRISA EDICIONES

LAS TEJEDORAS DE DESTINOS

GENNIFER ALBIN

Traducción de Montserrat Nieto

ALFAGUARA

Para Robin,
que me pidió que escribiera un libro,
y para Josh,
que lo convirtió en realidad

PRÓLOGO

Venían por la noche. Antes, las familias se enfrentaban a ellos y los vecinos acudían en su ayuda. Pero ahora que la paz ha sido instaurada, y que se ha demostrado la eficacia de los telares, las muchachas ansían que acudan en su busca. Siguen viniendo por la noche, pero ahora para evitar a la muchedumbre con manos ansiosas. Es una bendición tocar a una tejedora a su paso. Eso aseguran ellos.

Nadie sabe por qué algunas jóvenes poseen ese don. Por supuesto, existen teorías al respecto. Que se transmite genéticamente. O que las chicas con mentalidad abierta pueden ver a su alrededor el tejido de la vida, en todo momento. Incluso que es un don que solo reciben las que tienen un corazón puro. Yo lo tengo claro. Es una maldición.

Cuando mis padres se dieron cuenta de que tenía la destreza, comenzaron a instruirme. Me enseñaron a ser torpe, obligándome a dejar caer cosas hasta que tirar un recipiente o derramar una jarra con agua pareció algo natural. Luego practicamos con el tiempo, y me animaron a tomar con gesto hábil las sedosas hebras entre los dedos para luego retorcerlas y enredarlas hasta quedar deformadas e inútiles en mis manos. Esa parte resultó más complicada que la de tirar y derramar. Mis dedos ansiaban entretejer perfectamente los delicados filamentos con la materia. Cuando cumplí dieciséis años, momento en que debía realizar las pruebas obligatorias, la treta había resultado tan efectiva que las otras chicas murmuraban que no tardaría en ser rechazada.

Inútil.

Rara.

Ingenua.

Tal vez fueron sus burlas clavándose en mi espalda como diminutas dagas lo que envenenó mi determinación. O tal vez fue la manera en que el telar de prácticas me llamaba, rogándome que lo tocara. Pero hoy, en la última jornada de pruebas, al fin cometí un error: mis dedos se deslizaron hábilmente entre las bandas del tiempo.

Esta noche vendrán a buscarme.

UNO

Podría contar los días que faltan para que acabe el verano y el otoño se filtre en las hojas, pintándolas de amarillo y rojo. Sin embargo, en este instante, la luz moteada de media tarde ofrece un espléndido color esmeralda y siento el calor en la cara. Mientras el sol me empape, todo es posible. Cuando inevitablemente haya desaparecido —las estaciones están programadas para empezar y terminar con una calmada precisión— la vida seguirá su camino predeterminado. Como una máquina. Como yo.

Junto a la escuela de mi hermana, todo está tranquilo. Soy la única que aguarda la salida de las niñas. Cuando inicié mi ciclo de pruebas, Amie alzó su dedo meñique y me obligó a prometer que la esperaría cada día al terminar. Era una promesa complicada, teniendo en cuenta que podrían convocarme en cualquier momento y arrastrarme a las torres del coventri. Pero la mantengo, incluso hoy. Una niña necesita tener certezas, necesita saber lo que va a suceder. El último trozo de chocolate de la ración mensual; el metódico final en un programa de la Continua. Deseo que mi hermana pequeña pueda confiar en una vida agradable, aunque el calor del verano tenga ahora un sabor amargo.

Suena una campana y las niñas salen en una oleada de cuadros escoceses, con sus risas y gritos rompiendo la perfecta tranquilidad de la escena. Amie, que siempre ha tenido más amigas que yo, aparece dando brincos, rodeada por un grupo de chicas en las complicadas etapas de la preadolescencia. La saludo con la mano y ella corre hacia mí, me agarra y me arrastra en dirección a casa. Algo en su entusiasta saludo de cada tarde resta importancia al hecho de no tener mucha compañía de mi edad.

—¿Lo conseguiste? —pregunta con voz entrecortada, dando saltos delante de mí.

Vacilo un instante. Si alguien va a alegrarse de mi error, es Amie. Si le digo la verdad, gritará y aplaudirá. Me dará un abrazo y, tal vez durante un instante, podré absorber su felicidad, llenarme con ella y creer que todo va a salir bien.

—No —miento, y su rostro se nubla.

—No importa —afirma con gesto decidido—. Al menos así te quedarás en Romen. Conmigo.

Preferiría fingir que Amie está en lo cierto y perderme así en los chismes de una niña de doce años, en vez de enfrentarme a lo que me espera. Tengo toda una vida para ser tejedora, y solo una noche más para ser su hermana. Lanzo exclamaciones en los momentos adecuados y ella cree que la estoy escuchando. Imagino que mi atención la fortalece, la llena, de modo que cuando me haya marchado habrá acumulado suficiente para no tener que desperdiciar su vida buscándola.

Las clases en la escuela primaria de Amie terminan a la misma hora que el turno de día en la ciudad, así que mi madre está esperándonos cuando llegamos a casa. Se encuentra en la cocina y cuando entramos levanta la cabeza, buscando rápidamente mis ojos con la mirada. Respiro hondo, niego con un gesto y entonces relaja los hombros con alivio. Le permito que me estreche entre sus brazos tanto tiempo como quiera, y su abrazo me inunda de amor. Por eso no les digo la verdad. Porque deseo que el amor —no la conmoción, ni la inquietud— sea la huella indeleble que dejen en mí.

Mi madre alza una mano y me retira un mechón de pelo de la cara, pero no sonríe. Aunque crea que no he superado las pruebas, sabe que mi estancia aquí está llegando casi a su fin. Está pensando que, aunque no tengo que marcharme, no tardarán en asignarme un trabajo y poco después me casaré. ¿Para qué decirle que me perderá esta noche? Eso no importa ahora; este instante es lo que vale la pena.

Es una noche como otra cualquiera en nuestra mesa común y corriente y, aparte del guiso de carne demasiado cocido —la especialidad de mi madre y un manjar al que hay que encontrarle el gusto—, casi nada es diferente, al menos para mi familia. En el vestíbulo suena el tictac del reloj del abuelo, las cigarras interpretan su *crescendo* estival, un minivehículo baja con estruendo por la calle y fuera el cielo se desvanece en un oscuro crepúsculo que precede a la noche. Es un día como los cientos anteriores, aunque esta noche no abandonaré de puntillas la cama para acudir a la habitación de mis padres. El final de las pruebas también significa el final de mis años de instrucción.

Vivo con mi familia en una pequeña casa a las afueras de la ciudad de Romen, donde a mis padres les asignaron dos hijas y un hogar del tamaño adecuado. Mi madre me contó que solicitaron otro hijo cuando yo tenía ocho años —antes de descubrir mi condición—, pero tras la evaluación les fue denegado. El costo de manutención de cada individuo obliga a la Corporación a controlar la población. Me lo explicó con toda naturalidad una mañana, mientras recogía su pelo en elaborados rizos antes de ir a trabajar. Yo quería tener un hermano. Mi madre esperó a que fuera algo mayor para explicarme que, de todas formas, habría sido imposible debido a la segregación, pero el asunto no dejó de mortificarme. Empujando la comida alrededor del plato, me doy cuenta de lo sencillo que habría sido si yo hubiera sido un chico, o si mi hermana fuera un chico. Apuesto a que mis padres también deseaban hijos. De ese modo, no se habrían tenido que preocupar por que nos arrancaran de su lado.

—Adelice —dice mi madre en voz baja—, no estás comiendo nada. Las pruebas terminaron. Pensé que tendrías hambre.

Mi madre sabe exactamente cómo mostrar una actitud tranquila, aunque en ocasiones me pregunto si su cuidadoso maquillaje, aplicado capa a capa hasta conseguir un rostro sedoso, unas mejillas sonrosadas y unos labios carnosos, no será una táctica para ayudarla a mantener el equilibrio. Da la sensación de que no le supone ningún esfuerzo —el maquillaje, su pelo rojizo en un perfecto recogido y el traje de secretaria—. Su imagen refleja justo lo que se espera de una mujer: belleza, elegancia, obediencia. No supe que poseía otra faceta hasta que tuve once años, cuando mi padre y ella comenzaron a entrenar mis dedos para la inutilidad.

—Estoy bien —mi respuesta suena apagada y poco convincente, y desearía llevar un perfecto maquillaje para esconderme tras él. Las jóvenes deben permanecer puras y naturales (en cuerpo y apariencia) hasta que han sido oficialmente eximidas de las pruebas. Los estándares de pureza aseguran que las muchachas con habilidad para tejer no la pierdan a consecuencia de la promiscuidad. Algunas de mis compañeras de clase están tan guapas al natural como mi madre —delicadas y bellas—. Yo soy *demasiado* pálida. Mi piel parece descolorida en contraste con mi pelo rubio rojizo. Si al menos tuviera el cabello rojo intenso como mi madre, o de un suave tono dorado como mi hermana Amie, pero el color del mío es tan apagado como el de las monedas sucias.

—Tu madre preparó una cena especial —señala mi padre. Su voz es amable, pero la insinuación es clara: estoy desperdiciando la comida. Al contemplar las papas y los pedazos demasiado secos de ternera guisada, me siento culpable. Esta cena probablemente ha consumido los víveres de dos noches, y aún falta el pastel.

Es una gran pastel glaseada comprada en una pastelería. Mi madre siempre ha preparado pequeños pasteles para nuestros cumpleaños, pero ninguno como esta elaborada pastel blanca con flores de azúcar y betún en forma de encaje. Sé que su precio equivale a los víveres de media semana. Lo más seguro es que se lo vayan comiendo de desayuno a lo largo de la semana mientras esperan el siguiente pago. Los delicados adornos blancos que bordean la pastel me provocan retortijones en el estómago. No estoy acostumbrada a comer dulces, y no tengo hambre. Apenas puedo tragar unos cuantos pedazos de la carne demasiado cocida.

—Este es exactamente el pastel que quiero para mi cumpleaños —exclama mi hermana. Ella nunca ha tenido nada parecido a una pastel de pastelería. Cuando Amie llegó a casa de la escuela y vio esta, mi madre le prometió que le compraría una igual para su siguiente cumpleaños. Es algo importante para una niña que solo ha recibido pasteles caseros durante toda su vida, aunque lo que mi madre pretende obviamente es suavizar el inicio del periodo de instrucción.

—Tendrá que ser un poco más pequeño —le recuerda mi madre—, y no probarás ni un pedacito de este si no terminas primero la cena.

No puedo evitar sonreír al contemplar cómo Amie abre mucho los ojos y empieza a llenarse la boca de comida, tragando deprisa. Mi madre la llama «comilona». Ojalá yo pudiera comer como ella cuando estoy entusiasmada, o nerviosa, o triste, pero los nervios me quitan el apetito, y el hecho de que esta sea la última cena que voy a compartir con mi familia me ha formado un nudo en el estómago.

—¿Compraste este pastel para Adelice? —pregunta Amie entre bocado y bocado, dejando a la vista trozos de comida masticada.

—Come con la boca cerrada —la reprende mi padre, aunque las comisuras de su boca se curvan ligeramente hacia arriba.

—Sí, Adelice merecía algo especial hoy —la voz de mi madre suena tranquila, pero al hablar su rostro se ilumina y una leve sonrisa juguetea en sus labios—. Pensé que deberíamos celebrarlo.

—La semana pasada, la hermana de Marfa Crossix regresó a casa llorando tras las pruebas, y todavía no ha salido de su habitación —continúa Amie después de tragar un trozo de carne—. Marfa dice que es como si se hubiera muerto alguien. Todos están muy tristes. Sus padres le están preparando ya las citas de cortejo para animarla. Va a reunirse con casi todos los chicos de Romen con un perfil de matrimonio activo.

Amie se ríe, pero el resto de la mesa permanece en silencio. Contemplo los adornos del betún, tratando de imaginar el delicado molde que utilizó el pastelero. Amie no percibe la resistencia callada de mis padres hacia las normas de educación y matrimonio impuestas por la Corporación, pero es que ellos tampoco han sido completamente sinceros con ella. Tengo edad suficiente para comprender por qué no quieren que me convierta en una hilandera, aunque siempre hayan tenido mucho cuidado con sus palabras.

Mi padre se aclara la garganta y mira a mi madre para buscar su apoyo.

—Algunas chicas quieren ir al coventri. La hermana de Marfa debe de sentirse decepcionada.

—Yo también lo estaría — Amie dice, entrecortadamente metiéndose un tenedor lleno de papas en la boca—. En la escuela nos enseñaron fotos. Las tejedoras son tan guapas, y tienen de todo.

—Supongo que sí —murmura mi madre, mientras corta pequeños trozos de carne con lentos y precisos movimientos del cuchillo.

—Estoy deseando hacer las pruebas —Amie suspira en tono soñador y mi madre frunce el ceño. Amie está tan ensimismada que no se da cuenta.

—Esas chicas son unas privilegiadas, pero si Adelice fuera convocada, no la volveríamos a ver —responde mi madre con prudencia.

El primer paso de mis padres ha sido tratar de sembrar la duda en la mente de Amie, aunque su tendencia a parlotear con cualquiera que la escucha complica el hablar con ella de asuntos importantes. A mí no me importa oírla relatar los dramas de sus compañeras de clase o los programas que ha visto en la Continua. Es mi momento de descanso antes de pasar toda una noche practicando y ensayando qué decir —y qué no decir—. La única sensación de normalidad que experimento es cuando me acurruco junto a mi hermana antes de que se quede dormida.

Pero un pastel solo equivale a la felicidad de una noche. Mis padres tienen un largo camino por delante preparando a Amie para que falle en sus pruebas. Nunca ha mostrado ni una pizca de habilidad para tejer, pero la instruirán. Me pregunto si todavía estará deseosa de acudir a ellas cuando llegue su turno en cuatro años.

—Marfa dice que cuando sea hilandera, conseguirá que su foto aparezca en todas las portadas del *Boletín* para que sus padres no se preocupen. Yo también lo haría —su rostro aparece solemne, como si realmente hubiera meditado sobre el asunto.

Mi madre sonríe, pero no responde. Amie se queda embelesada ante las deslumbrantes fotografías de nuestro boletín diario, como la mayoría de las chicas que no han pasado todavía las pruebas, pero en realidad no comprende lo que las hilanderas hacen. Por supuesto, sabe que arreglan y embellecen el tejido que compone nuestro mundo. Todas las niñas aprenden eso en los primeros años de escuela. Pero algún día mis padres le explicarán cuál es el verdadero papel de las tejedoras —que no importa lo buenas que sean sus intenciones, ya que con el poder absoluto aparece la corrupción—. Y la Corporación tiene poder absoluto sobre nosotros y sobre las hilanderas. Sin embargo, ellas también nos alimentan y nos protegen. Escucho a mis padres, aunque realmente yo tampoco lo entiendo. ¿Puede ser tan terrible pasar la vida proporcionando alimento y seguridad a los demás? Lo único que tengo claro es que lo que está a punto de suceder les romperá el corazón, y que una vez que me haya ido jamás tendré la posibilidad de decirles que estoy bien. Supongo que tendré que hacer como Marfa Crossix: lograr que mi fotografía aparezca en la portada del *Boletín*.

La cena continúa en silencio, y todos los ojos se dirigen hacia el esponjoso centro blanco que ocupa la mesa. Nuestra pequeña mesa de roble resulta perfecta para cuatro y permite que nos pasemos los tazones y bandejas de unos a otros, pero esta noche mi madre sirve la comida porque no hay espacio para nada, excepto para la pastel. Envidio el brillo de alegría que reflejan los ojos de Amie cuando lo mira, quizá imaginando su sabor o construyendo en su mente el grandioso pastel de su decimotercer cumpleaños. Mis padres, por el contrario, muestran un alivio callado: lo más próximo a una celebración que se pueden permitir.

—Siento que fracasaras, Ad —dice Amie, alzando la mirada hacia mí. Sus ojos regresan rápidamente a la pastel, y descubro anhelo en ellos.

—Adelice no ha fracasado —contesta mi padre.

—Pero no la eligieron.

—Nosotros no queríamos que la eligieran —añade mi madre.

—¿Tú querías que te eligieran, Ad? —la pregunta de Amie es sincera e inocente.

Sacudo la cabeza apenas.

—Pero ¿por qué no? —insiste Amie.

—¿A ti te gustaría llevar esa vida? —pregunta mi madre en voz baja.

—¿Por qué están en contra de las tejedoras? No entiendo qué estamos celebrando —los ojos de Amie permanecen fijos en el pastel. Nunca había hablando de forma tan rotunda.

—Nosotros no estamos en contra de la hermandad de hilanderas —responde mi madre rápidamente.

—Ni de la Corporación —añade mi padre.

—Ni de la Corporación —repite mi madre, asintiendo con la cabeza—. Pero si pasaras las pruebas, nunca podrías regresar aquí.

Aquí: una pequeña casa con dos dormitorios en el barrio de las niñas donde he permanecido a salvo de la influencia de los chicos de mi edad. Mi hogar, que oculta libros en huecos abiertos en las paredes junto a reliquias de familia legadas de madre a hija durante casi cien años. El radio ha sido siempre lo que más me ha gustado, aunque no funcione. Mi madre cuenta que en él se podía escuchar música y relatos y que retransmitía las noticias, como hace ahora la Continua pero sin la parte visual. Una vez quise saber por qué lo conservábamos si era inútil, y ella respondió que recordar el pasado nunca es inútil.

—Pero la vida de una tejedora es emocionante —argumenta Amie—. Van a fiestas y se ponen vestidos bonitos. Las hilanderas son independientes.

Su última palabra permanece en el aire, y mis padres intercambian una mirada preocupada. ¿Independientes? No tener a nadie concediendo permisos para tener hijos, ni estar sujeto a unas rutinas de maquillaje, ni soportar trabajos impuestos. Eso sería verdadera independencia.

—Si tú crees que son independientes... —comienza mi madre en voz baja, pero mi padre carraspea.

—Ellas comen pastel —suspira Amie, desplomándose sobre la mesa.

Mi padre contempla el rostro lastimero de Amie, inclina la cabeza hacia atrás y se ríe. Un instante después, mi madre, normalmente estoica, lo imita. Incluso yo siento una risilla ascendiendo por mi garganta. Amie se esfuerza por parecer triste, pero su ceño fruncido se contorsiona hasta que se transforma en una sonrisa pícara.

—Tus vales de maquillaje deberían llegar la próxima semana, Adelice —comenta mi madre dirigiéndose a mí—. Te enseñaré a aplicarte cada cosa.

—Quiera Arras que sea capaz de maquillarme. ¿No es el trabajo más importante de una chica? —la broma ha abandonado mis labios antes de sopesar mis palabras. Tengo la costumbre de soltar comentarios jocosos cuando estoy nerviosa, pero, a juzgar por la expresión de advertencia en el rostro de mi madre, no le parece muy divertido.

—Yo revisaré de inmediato con esas citas de noviazgo —dice mi padre con un guiño, relajando la tensión entre mi madre y yo.

Su comentario me hace gracia, a pesar del terror que invade mi cuerpo. Mis padres no están tan impacientes por que me case y me marche de casa como las familias de la mayoría de las chicas, aunque se me exija estar casada a los dieciocho años. Sin embargo, la broma no me levanta el ánimo mucho tiempo. En este instante la idea del matrimonio, algo inevitable que se me había presentado siempre como demasiado surrealista, está fuera de consideración. Las hilanderas no se casan.

—Y yo te ayudaré a elegir los colores del maquillaje en la cooperativa, ¿verdad? —me recuerda Amie. Lleva estudiando catálogos y manuales de estilo desde que sabe leer. Mi madre no nos suele llevar a la cooperativa de la ciudad porque no está segregada, y cuando lo hace es para comprar cosas para la casa, no algo emocionante como cosméticos.

—He oído decir que en el próximo día de asignación aumentarán los puestos de profesor para las instituciones —continúa mi padre, de nuevo serio.

Yo siempre he querido ser profesora. Secretaria, enfermera, operaria en una fábrica —ninguno de los demás trabajos reservados a las mujeres deja espacio alguno a la creatividad—. Incluso con un programa académico meticulosamente controlado, la enseñanza ofrece más posibilidades de expresarse que mecanografiar informes para hombres de negocios.

—Oye, Ad, tú serías una profesora estupenda —exclama Amie de repente—. Hagas lo que hagas, no te quedes encerrada en una oficina. Nosotras acabamos de terminar el curso de taquigrafía y ha sido aburridísimo. Además, ¡tienes que preparar café durante todo el día! ¿Verdad, mamá?

Amie la mira en busca de confirmación y mi madre asiente rápidamente con la cabeza. Mi hermana está demasiado ajena a todo para distinguir la expresión dolorida que se atisba en el rostro de nuestra madre, pero yo no.

—Yo hago mucho café —dice mi madre.

Noto la garganta irritada de aguantar las lágrimas, y como diga algo...

—Estoy segura de que te asignarán un puesto de profesora —afirma mi madre deseosa de cambiar de tema, y me da una palmadita en el brazo. Debo tener aspecto nervioso. Intento imaginar lo que sentiría en este instante si faltara solo una semana para el día de asignación, pero me resulta imposible. La idea era que acudiera a las pruebas durante un mes y terminara siendo rechazada, para luego ocupar el puesto que se me asignara. Era la primera vez que estaba delante de un telar, una de esas grandes máquinas automáticas que muestran el tejido de Arras. De hecho, era la primera vez que todas las candidatas veíamos un telar. Solo tenía que fingir que no veía la trama, como las demás chicas, y responder a las preguntas del supervisor con las mentiras ensayadas. Si no hubiera metido la pata, habría sido descartada y luego me habrían asignado un trabajo en base a mis mejores calificaciones en la escuela. Durante años, he aprendido diligentemente taquigrafía, economía doméstica y almacenamiento de datos, pero jamás tendré la oportunidad de utilizar ninguno de esos conocimientos.

—Necesitamos una profesora nueva —Amie interrumpe mis pensamientos—. La señora Swander se ha ido.

—¿Está esperando un bebé? —pregunta mi madre con aire de complicidad. Sus ojos se apagan un poco mientras habla.

—No —Amie niega con la cabeza—. El director Diffet nos dijo que había tenido un accidente.

—¿Un accidente? —repite mi padre con el ceño fruncido.

—Sí —confirma Amie, abriendo de repente los ojos de par en par—. Nunca había conocido a nadie que tuviera un accidente —su voz transmite al mismo tiempo sobrecogimiento y solemnidad. Ninguno de nosotros conoce a nadie que haya sufrido un accidente, porque en Arras no existen los accidentes.

—¿Les contó el director Diffet lo que le había sucedido? —pregunta mi madre tan bajito que apenas puedo escucharla en el silencioso salón.

—No, pero nos dijo que no nos preocupáramos porque los accidentes son muy escasos y la Corporación tendrá especial cuidado e investigará y todo eso. ¿Estará bien? —pregunta Amie en un tono que refleja absoluta confianza. No importa lo que mi padre conteste, ella lo creerá. Me encantaría retroceder en el tiempo y sentir la tranquilidad de saber que mis padres tienen todas las respuestas, de saber que estoy a salvo.

Mi padre, con una sonrisa forzada y los labios apretados, asiente con la cabeza. Mi madre me mira a los ojos.

—¿Te parece sospechoso?— mi madre se inclina hacia mi padre para que Amie no escuche su conversación. No habría sido necesario, porque está de nuevo embelesada con el pastel.

—¿Un accidente? Por supuesto.

—No — mi madre sacude la cabeza—, que el director se lo contara.

—Debe de haber sido algo grave —susurra mi padre.

—¿Algo que el Departamento de Manipulación no haya podido ocultar?

—En la estación no hemos oído nada.

—Las chicas tampoco hicieron ningún comentario hoy.

Ojalá tuviera alguna información que compartir porque me siento excluida. Fuera del comedor, la noche ha engullido la calle tranquila. Puedo distinguir el perfil sombreado del roble en el jardín, pero nada más. No queda mucho tiempo, y lo estamos malgastando preocupándonos por el accidente de la señora Swander.

—¡Deberíamos comernos el pastel! —la sugerencia brota de repente de mi boca.

Mi madre se sobresalta, pero inspecciona rápidamente los platos y está de acuerdo.

Mi padre lo corta con un viejo cuchillo de pan, embadurnando la hoja con el glaseado y convirtiendo las flores de color rojo intenso en pálidos pegotes rosados. Amie se recuesta sobre la mesa, completamente absorta en la ceremonia, mientras mi madre va distribuyendo los pedazos que le alcanza mi padre. Me llevo el primer trozo a la boca, pero mi madre me detiene.

—Adelice, que tu camino sea bendecido. Estamos orgullosos de ti —se le quiebra la voz y me doy cuenta de cuánto significa este momento para ella. Ha estado esperando toda mi vida que llegara esta noche: la de mi liberación de las pruebas. Apenas puedo mirarla a los ojos. Nos hace una seña para que comamos mientras seca una lágrima descarriada que deja una mancha negra de rímel en su mejilla.

Tomo un bocado y lo aplasto contra el paladar. El glaseado es tan dulce que se me pega a la garganta y noto un cosquilleo en la nariz. Necesito beber medio vaso de agua para tragarlo. A mi lado, Amie devora su porción, sin embargo mi madre no le pide que coma despacio. Ahora que yo pasé las pruebas, le ha llegado el turno a Amie. Mis padres planean empezar mañana con su preparación.

—Chicas... —empieza mi madre, pero nunca sabré lo que pretendía decirnos.

Suena un fuerte golpe en la puerta y escuchamos muchas, muchas botas en el porche. Dejo caer el tenedor y siento cómo la sangre abandona mi rostro y desciende hasta mis pies, aplastándome contra la silla.

—Adelice —murmura mi padre, pero no pregunta nada, porque ya lo sabe.

—¡No hay tiempo, Benn! —grita mi madre, resquebrajando su base de maquillaje perfectamente aplicada, pero recupera el control igual de rápido y agarra a Amie del brazo.

Un leve zumbido invade el aire y una voz retumba de repente en la habitación:

—Adelice Lewys ha sido convocada para servir a la Corporación de las Doce. ¡Bendiciones a las tejedoras y a Arras!

Nuestros vecinos no tardarán en salir a la calle; en Romen nadie se perdería una ceremonia de recogida. No hay ningún sitio donde escapar; aquí todo el mundo me conoce. Me levanto para abrir la puerta al escuadrón que viene a buscarme, pero mi padre me empuja hacia la escalera.

—¡Papi! —hay miedo en la voz de Amie.

Alargo un brazo y, a tientas, encuentro su mano y la aprieto con fuerza. Mi padre nos conduce hacia el sótano y bajo dando traspiés detrás de mi hermana. Ignoro por completo cuál es su plan. Lo único que hay ahí abajo es una bodega fría, húmeda y con escasas provisiones. Mi madre se apresura hacia la pared del sótano y empieza a retirar un montón de ladrillos hasta descubrir, un instante después, un estrecho túnel.

Amie y yo permanecemos de pie, observándola; sus ojos aterrorizados reflejan el miedo paralizante que yo siento. Delante de nosotras, la escena se mueve y se desdibuja. No comprendo lo que hacen, aunque lo esté viendo. La única constante —lo único real en este momento— es la frágil mano de Amie agarrada a la mía. Me aferro a esa mano para que sigamos vivas, Amie y yo. Me sostiene de tal modo que cuando mi madre la arranca de mi lado, lanzo un grito, segura de que me desvaneceré en el aire.

—¡Ad! —exclama Amie, lanzando los brazos hacia mí a través de los de mi madre.

Es su miedo lo que me empuja de regreso a este instante.

—No pasa nada, Amie. Vete con mami —le aseguro.

Las manos de mi madre titubean un instante cuando escucha mis palabras. Soy incapaz de recordar cuándo fue la última vez que la llamé *mami*. Desde que tengo conciencia me he sentido demasiado mayor para ello. Las lágrimas que ha estado conteniendo bañan su rostro, y entonces suelta a Amie. Mi hermana se lanza a mis brazos y yo aspiro la fragancia de su pelo lavado con jabón, consciente de lo rápido que palpita su pequeño corazón contra mi vientre. Mi madre nos envuelve con sus brazos y yo me empapo con la fuerza de su cálido abrazo. Pero se acaba demasiado rápido y desaparecen, dejando un beso en mi frente.

—¡Adelice, por aquí! —mi padre me empuja hacia otro agujero mientras Amie y mi madre desaparecen en el pasadizo, pero antes de entrar me agarra la muñeca y presiona un metal frío cerca de la vena. Un segundo después el calor me abrasa la delicada piel. Cuando me suelta el brazo, me llevo la muñeca a la boca y trato de apaciguar el ardor soplando.

—Pero... —busco en su cara una explicación a la marca que me acaba de hacer y, al bajar de nuevo la mirada, veo la pálida silueta de un reloj de arena grabada en mi muñeca. Apenas resulta visible sobre mi piel clara.

—Debería haberlo hecho hace mucho tiempo, pero... —contiene la emoción que invade su voz y aprieta la mandíbula—. Te ayudará a recordar quién eres. Ahora tienes que marcharte, cariño.

Miro el túnel que avanza hacia ninguna parte.

—¿Adónde conduce? —no puedo evitar el pánico en la voz. En Arras no existe ningún lugar donde esconderse y esto es traición.

Encima de nosotros, se produce una estampida de pesadas botas por el suelo de madera.

—Márchate —suplica.

Están en el comedor.

—¡Hay comida en la mesa! No pueden estar muy lejos.

—Registren el resto de la casa y acordonen la calle.

Ahora las pisadas se escuchan en la cocina.

—Papá... —lo rodeo con los brazos, insegura de si me seguirá o desaparecerá por otro túnel.

—Sabía que no podríamos ocultar lo especial que eres —murmura sobre mi pelo. La puerta del sótano se abre de golpe.

Antes de que pueda decirle que lamento haberles fallado, o que lo quiero, las botas retumban en la escalera. Me arrastro hacia el interior del agujero y mi padre vuelve a colocar los ladrillos a mi espalda, dejándome a oscuras. Siento una opresión en el pecho y entonces él se detiene. Aún queda una larga rendija de luz que entra en el túnel desde el sótano. Soy incapaz de moverme.

Los ladrillos se derrumban sobre el suelo de cemento y la luz inunda de nuevo el pasadizo. Ahogo el grito que lucha por escapar de mi garganta y avanzo por la tierra, alejándome del creciente resplandor. Debo seguir adelante. Mientras gateo por el suelo frío, trato de olvidar a mi padre, y a mi madre y Amie en el otro túnel.

Sigue adelante.

Digo esta frase una y otra vez, temerosa de quedarme de nuevo paralizada si dejo de repetirla. De algún modo continúo avanzando, sumergiéndome más y más en la oscuridad, hasta que una fría garra de acero me aferra la pierna. Lanzo un alarido al notar que se clava en mi piel y comienza a arrastrarme —hacia la luz y los hombres con botas, hacia la Corporación—. Araño la tierra apisonada del túnel, pero la garra es más fuerte que yo y cada desesperado intento de escapar hacia la oscuridad hunde más profundamente el metal en mi pantorrilla.

Es imposible luchar contra ellos.

Dos

Conforme me arrastran fuera del túnel, alguien me clava una aguja en la pierna herida. Me revuelvo mientras el líquido abrasador se extiende por mi pantorrilla, pero de repente estoy tranquila. Uno de los agentes me ayuda a ponerme en pie en el húmedo sótano, y le sonrío. Nunca me había sentido tan feliz.

—Arreglen eso —ladra un oficial alto que desciende por la escalera del sótano. No es como los demás, que visten el típico uniforme de soldado. Es mayor y muy atractivo. Su mandíbula está esculpida con demasiada suavidad para ser natural y el ligero tono grisáceo que salpica su cabello bien peinado revela su edad. La nariz, los ojos y los dientes son perfectos, así que podría asegurar que se ha beneficiado de los arreglos de renovación. Tiene el tipo de rostro que emplean en la Continua para retransmitir las noticias.

Parpadeo con ojos soñadores mientras un médico me limpia la herida abierta por la garra. Varias mujeres descienden apresuradamente detrás del oficial y comienzan a lavarme la cara y a peinarme. Resulta tan agradable que me dan ganas de quedarme dormida. Lo único que me mantiene despierta es el cemento frío y arenoso bajo mis pies desnudos. He perdido los zapatos durante el forcejeo.

—Le pusiste demasiado —refunfuña el oficial—. Ordené que estuviera lista para la emisión de la Continua, no que la dejaran inconsciente.

—Lo siento, pero es que se resistía —le explica uno de los agentes. Noto un tono burlón en su voz.

—Arréglalo.

Un instante después otra aguja se clava en mi brazo y dejo de sonreír. Todavía me siento tranquila, pero la euforia se ha desvanecido.

—¿Adelice Lewys? —pregunta el oficial, y yo asiento con la cabeza—. ¿Comprendes lo que está sucediendo?

Trato de responder con una afirmación, pero soy incapaz de emitir ningún sonido, así que muevo de nuevo la cabeza.

—En el piso de arriba hay un equipo de la Continua y están la mayoría de tus vecinos. Preferiría que no tuviéramos que arrastrarte como un hilo flojo, pero si vuelves a intentar algo parecido, ordenaré que te mediquen. ¿Me entiendes? —señala al doctor que ha terminado de curarme la herida.

Logro articular:

—Sí.

—Buena chica. Nos ocuparemos de esto más tarde —añade, indicando con un gesto hacia el túnel—. Tu misión es sonreír y parecer emocionada de que te hayan seleccionado. ¿Podrás hacerlo?

Lo miro fijamente.

El oficial suspira y ladea la cabeza para activar el microscópico chip comunicador que lleva implantado en el oído izquierdo. Es un aparato que sirve para contactar automáticamente con cualquier otro usuario de esa tecnología o con un panel comunicador de pared. Había visto hombres en la ciudad charlando a través de ellos; sin embargo, el trabajo de mecánico de mi padre no le permitía disfrutar del privilegio de llevar uno. Un instante después asisto a la conversación unidireccional del hombre.

—Hannox, ¿los tienes? No, mantenla vigilada —volviéndose hacia mí, señala el hueco por el que desaparecieron mi madre y Amie—. Vamos a imaginar que mi colega tiene bajo su custodia a alguien a quien quieres mucho y que tu representación ante los equipos de la Continua decide si ella vive o muere. ¿Puedes mostrarte emocionada ahora?

Simulo la sonrisa más amplia que puedo y la dirijo hacia él.

—No está mal, Adelice —pero de repente frunce el ceño y aparta al equipo que me está arreglando—. ¿Son idiotas? Esto es una ceremonia de recogida. ¡No puede ir maquillada!

Aparto la mirada mientras él continúa reprendiendo a las esteticistas y busco rastros de mi padre. No le veo por ninguna parte, y al recorrer el muro con los ojos no distingo ninguna grieta que pudiera ocultar un pasadizo. Por supuesto, hasta hace veinte minutos ni siquiera conocía la existencia de los dos primeros túneles.

—¿Estamos listos? —pregunta el oficial al médico.

—Concédele un minuto más.

—Estoy bien —afirmo con una sonrisa, practicando para el equipo de la Continua. Pero tan pronto como pronuncio estas palabras, mi estómago se contrae con fuerza y envía la cena de nuevo hacia mi garganta. Doblo el cuerpo y vomito carne guisada y nata espumosa.

—Fantástico —brama el oficial—. ¿Ni siquiera puedo disponer de un equipo competente?

—Ahora estará bien —asegura el médico, retrocediendo unos pasos.

El oficial lo fulmina con la mirada, se da la vuelta y me conduce hacia la escalera. En el último escalón, me agarra el brazo y se inclina hacia mí.

—Actúa con naturalidad. Su vida depende de ello.

No me atrevo a preguntarle si se refiere a mi madre o a mi hermana; su respuesta solo me confirmaría cuál de ellas ha muerto. Subo la escalera con paso vacilante y parpadeo con fuerza ante la intensa iluminación del primer piso. Todas las bombillas están encendidas y la cocina y el comedor, revueltos. Al atravesar el salón de camino a la puerta principal, resbalo sobre algo oscuro y pegajoso. Uno de los agentes me sujeta del brazo cuando me tambaleo, y entonces miro al suelo. Es casi negro y gotea de una bolsa grande y rígida, formando charcos.

Me derrumbo sobre el hombre que hay detrás de mí.

—Ahora no hay tiempo para eso, cariño —susurra entre dientes—. Tienes una representación que hacer o vamos a necesitar más bolsas como esa.

Soy incapaz de despegar los ojos de la bolsa, así que me empuja. Intento decirle que tengo los pies manchados de sangre, pero está ladrando nuevas órdenes a su equipo.

—Alto —ordena un guardia en la puerta.

El oficial se adelanta, me escruta con la mirada, suspira y sale al porche envuelto en un aplauso atronador. Me vuelvo y fijo la mirada en la gran bolsa negra, pero un guardia se acerca a la mesa y bloquea mi visión. Me doy cuenta de que se está comiendo la pastel.

—Oye —grito, y todos me miran con sorpresa—. ¡Eso son los víveres de media semana! Déjalo para mi familia.

El agente dirige rápidamente los ojos hacia su compañero y noto algo en sus rostros —lástima—, pero deja el pastel.

—¡Bendiciones, Romen! Soy Cormac Patton y... —el oficial maleducado habla a la multitud desde el porche. Suenan más aplausos y él espera un instante a que se apaguen.

—Siempre tiene tiempo para los aplausos —comenta con sequedad una esteticista.

—Bendiciones, Arras. Soy Cormac Patton —su compañera le imita en voz baja y ambas ríen hasta que un guardia las manda callar.

Cormac Patton. Embajador del coventri en la Corporación de las Doce y principal chico guapo de la Continua. ¿Cómo no lo había reconocido? Realmente me deben de haber drogado. O tal vez es que no estoy acostumbrada a encontrar personajes famosos deambulando por mi sótano. Incluso a mi madre le gusta, aunque no le veo el atractivo. Es cierto que siempre va vestido con un esmoquin negro y que es muy guapo, pero debe de tener al menos cuarenta años. O tal vez más, porque no recuerdo ningún momento de mi vida en que no pareciera rondar esa edad.

No puedo concebir que ahora esté en el porche de mi casa.

—Tenemos el privilegio de convocar a Adelice Lewys —brama Cormac. Un agente me empuja hacia fuera, junto a él—. Que Arras florezca gracias a sus manos.

La multitud corea la bendición y el rubor inunda mis mejillas. Despliego una gran sonrisa y ansío que permanezca pegada a mi rostro.

—Saluda —me ordena Cormac con los dientes apretados y una sonrisa que no se altera al darme la orden.

Saludo tímidamente y continúo sonriendo a la multitud. Instantes después, unos agentes nos rodean y nos escoltan hasta el megavehículo que nos espera. La gente se agolpa y lo único que veo son manos. Los agentes mantienen alejada a la mayoría de las personas y me encojo ante la muchedumbre. Por todas partes hay dedos que tratan de tocarme, agarrando un pedazo de mi falda o acariciándome el pelo. Empiezo a jadear y Cormac frunce el ceño a mi lado. Las drogas no deben de ser tan potentes como él creía. Recuerdo su amenaza y me esfuerzo en parecer entusiasmada.

Es un megavehículo más grande que cualquiera de los minivehículos que haya en Romen. Había visto alguno como este en la Continua. Los minivehículos son coches para viajar a diario a la ciudad, sin embargo los megavehículos disponen de chófer. Fijo la mirada en el auto; solo tengo que llegar hasta él y esta farsa pública habrá terminado. Un agente me conduce hasta la puerta lateral trasera y me ayuda a entrar. Cuando la puerta me separa de la multitud entusiasmada, me cambia la expresión.

—Qué alivio —refunfuña Cormac mientras se desliza a mi lado—. Al menos, tú eres la última que tenemos que recoger.

—¿Un día difícil? —pregunto con aspereza.

—No, pero no podría soportar arrastrar tu peso muerto de un lado a otro mucho más tiempo —responde bruscamente mientras se sirve un líquido ambarino en un vaso. No me ofrece nada.

Permanezco en silencio. Peso muerto. La imagen de la bolsa para cadáveres abandonada en el suelo del salón atraviesa mi mente y me escuecen los ojos, inundados de lágrimas calientes que amenazan con derramarse.

Miro por la ventanilla para que no me vea llorar. Los cristales están tintados y la muchedumbre ya no puede contemplarnos, aunque la gente sigue arremolinada a nuestro alrededor. Los vecinos charlan animadamente, señalando hacia nuestra casa. Algunas cabezas se ladean para comunicar la noticia a personas lejanas a través de sus chips comunicadores. Hacía diez años que no se producía una recogida en Romen. Mañana apareceré en la emisión matinal de la Continua en Romen. Me pregunto qué dirán sobre mis padres. Sobre mi hermana.

Cormac está apurando las últimas gotas de su coctel cuando inclina la cabeza para recibir una llamada.

—Diga —gruñe. Permanece callado, sin embargo el desinterés no tarda en transformarse en ligero fastidio—. Límpialo —dice—. No, límpialo todo.

Recupera la postura de la cabeza para desconectar la llamada y me mira.

—Eres una chica con suerte.

Me encojo de hombros, sin querer traicionar lo que estoy sintiendo en este momento. No sé lo que significa *limpiar* y, por el modo en que ha gruñido la orden, tampoco estoy segura de querer saberlo.

—No sabes qué tanto —afirma—. ¿Cómo está tú pierna?

Miro hacia los profundos cortes que me hizo la garra y descubro que han desaparecido.

—Bien, imagino —trato de evitar la sorpresa en mi voz, pero no puedo.

—Arreglo de renovación —me informa—. Uno de los numerosos privilegios de los que disfrutarás como hilandera.

No respondo y él toma nuevamente la botella de cristal para servirse otra copa. Mis ojos regresan a la ventanilla. Estamos a punto de dejar atrás Romen y me resulta difícil creer que nunca volveré aquí. La imagen se va distorsionando y se me caen los párpados; las drogas que me administraron antes me están provocando sueño. Pero justo antes de que mis ojos se cierren, la calle desaparece brillante detrás de nosotros, desvaneciéndose en la nada.

Al llegar a la estación Nilus, un agente me sacude para despertarme y me alarga un par de zapatos. Otro me escolta hasta el baño y permanece de guardia. Después, me trasladan a un pequeño tocador privado y me dan un sencillo vestido blanco para que me cambie. Se llevan todas las prendas que traía puestas antes. Me visto tan despacio como puedo, mientras intento atravesar la bruma que nubla mi mente.

No puedo postergar demasiado mi salida. La estación Nilus se encuentra en la capital del Sector Oeste y desde ella se transponen viajeros a las otras tres capitales de Arras. Está fuertemente patrullada. Solo los principales hombres de negocios pueden desplazarse entre los cuatro sectores, así que alguien como mi padre no lo tendría permitido. Nunca había salido de los límites de Romen, por lo que debería sentirme entusiasmada, sin embargo lo único que noto es una leve punzada en la cabeza. Cormac está recostado en un sillón color turquesa fuera del tocador.

—¿Habías estado antes en una estación de transposición, Adelice? —pregunta Cormac cuando salgo al vestíbulo de la estación, tratando de entablar una conversación mientras se levanta para recibirme.

Sacudo la cabeza. No estoy dispuesta a actuar como si fuéramos amigos.

—Lo imaginaba. Actualmente es bastante excepcional que ciertos ciudadanos consigan pases fronterizos —sonríe, y por primera vez distingo una arruga en su piel impecable. Por «ciertos ciudadanos» se refiere a las mujeres y los trabajadores del área de servicios.

Cormac marca la pauta, mientras yo camino a su lado por la periferia de la estación. Hay una pequeña cabina donde se limpia calzado, un guardarropa y un café. Me indica con un gesto que lo acompañe al restaurante y un camarero nos conduce al entresuelo de la segunda planta. Desde aquí, podemos contemplar a los viajeros que esperan la llegada de su hora de transposición en el gran vestíbulo de mármol. Aunque hay mucha gente, los ruidos característicos de los viajes —sonido de zapatos, conversaciones a través de chips comunicadores, crujido de *Boletines*— llenan el espacio. El barullo es casi ensordecedor.

—Señorita, necesito ver su Tarjeta Preferente —dice el camarero, observándome con actitud despectiva.

Miro mi sencillo vestido y me doy cuenta de que ni siquiera llevo la identificación de ciudadano, pero Cormac responde antes de que yo pueda disculparme.

—Es mi huésped. ¿Necesita ver mi TP? —sus palabras son más un desafío que una pregunta.

El camarero dirige los ojos hacia él y su sonrisa altanera se desvanece.

—Embajador Patton, discúlpeme. No lo había reconocido. Solo había visto a la chica.

Algo en su manera de decir *chica* me hace sentir sucia.

—No hace falta que se disculpe. Me imagino que no vienen muchas muchachas por aquí —Cormac se ríe y el camarero lo imita.

—No nos habían informado que pasaría por aquí un escuadrón de recogida, de lo contrario habríamos estado preparados —asegura el joven.

—Ha sido una recogida de última hora, así que nos ha resultado imposible hacer las habituales llamadas de aviso.

—Entonces es una... —me observa con admiración.

—Es una candidata. Trátala igual que si fuera una hilandera —hay cierto tono de advertencia en la voz de Cormac, y el joven asiente solemnemente con la cabeza.

El camarero atiende todas mis necesidades, aunque no me permiten elegir la comida. Y por si una persona rondando a mi alrededor no resultara suficiente fastidio, todos los hombres del local me están observando. Es la mirada descarada de los clientes lo que me lleva a un sorprendente descubrimiento. Al mirar de nuevo a los ajetreados viajeros, distingo el perfil de los trajes y los sombreros de fieltro. La única mujer que hay en la estación, aparte de mí, recoge abrigos en el guardarropa que vi antes. Parece que aquí solo pueden comer hombres. Yo sabía que la transposición estaba reservada a los principales hombres de negocios, pero nunca me había dado cuenta de que incluso la estación estaba segregada. Restriego mis manos sobre el dobladillo del vestido, y me doy cuenta del calor que hace.

—Vaya grupo de degenerados —dice Cormac, riendo entre dientes—. En realidad, hoy en día no se ven muchas mujeres lejos de su mesa de trabajo. Y menos sin sus maridos.

Tardo un instante en darme cuenta de que se está refiriendo a mí. Yo soy la mujer en cuestión.

—Te recomiendo que comas. Me imagino que no te quedará mucho en el estómago después de la cagada de ese estúpido médico. Sería lógico pensar que saben cuánto líquido hay que inyectar a una muchacha de cincuenta kilos, pero siempre utilizan o demasiado o muy poco. De todas formas, tuviste suerte; la estación Nilus dispone de un magnífico café —inclina la cabeza hacia la puerta de la cocina—. Tal vez pase algún tiempo hasta que puedas comer otra vez.

—No tengo mucha hambre —respondo. La chuleta de cordero sigue intacta en el plato delante de mí. La comida de Cormac permanece igualmente olvidada, a pesar de su recomendación, aunque solo porque está concentrado en un whisky.

Cormac se reclina sobre la mesa y me mira.

—Me lo imaginaba. No obstante, acepta mi consejo y come algo.

Pienso en la mesa del salón de mi casa, en el pastel blanco sobre ella y el charco de sangre negra bajo sus patas, y sacudo la cabeza. Lo único que ansío son respuestas.

—Come, y te diré lo que quieres saber.

Tomo un par de bocados, sabiendo que seré incapaz de comer si me responde primero, pero tan pronto como trago vuelvo a fijar mi atención en él.

—¿Están muertos? —pronuncio estas palabras con voz inexpresiva, e instantáneamente sé que he perdido la esperanza.

—Tu padre sí —afirma Cormac en voz baja. Su rostro no muestra remordimiento. Es un simple hecho.

Bajo los ojos y respiro hondo.

—¿Y mi madre y mi hermana?

—Tu hermana está bajo custodia, pero sobre tu madre no he recibido noticias.

—Entonces, ¿se escapó? —añado con ansiedad, preguntándome cómo lograron atrapar a Amie. A pesar de la noticia sobre mi padre, me invade una ligera esperanza.

—Por el momento. Estarás más disgustada luego, cuando el Valpron haya perdido su efecto.

—Tal vez sea más fuerte de lo que imaginas —lo desafío, aunque soy consciente del aturdimiento de todo mi cuerpo.

—Eso sería una sorpresa. El Valpron es un agente calmante —Cormac entrecierra los ojos y suelta el tenedor—. De todas maneras, ¿cuál era tu plan?

—¿Qué plan?

—No seas estúpida, Adelice —gruñe—. Encontraron cuatro túneles bajo tu casa que conducían a distintos lugares del barrio. ¿Adónde pensabas ir?

—No tengo ni idea. No sabía nada de esos túneles —es la verdad. Sería incapaz de mentir en estos momentos, aunque quisiera. Sin embargo, nunca habría imaginado lo lejos que mis padres estaban dispuestos a llegar para mantenerme alejada de la Corporación. ¿Cuánto tiempo hacía que habían excavado esos cuatro túneles y cómo lo habían logrado? Por cómo me observa Cormac, parece pensar que sé más de lo que digo.

Cormac resopla, pero continúa comiendo. O mejor dicho, bebiendo.

—Por supuesto que no lo sabías. Igual que no pretendiste fallar en las pruebas.

Levanto los ojos rápidamente hacia los suyos, preguntándome cuánto sabrá de ese asunto, pero no digo nada.

—He visto el video de vigilancia de tus pruebas. El instante en el que empezaste a tejer fue un accidente —continúa.

—No tenía ni idea de lo que estaba haciendo —aseguro, y es cierto. Nunca había utilizado un telar y ver expuesto ante mí el tejido de la vida, las materias primas que componen el espacio que me rodea, me puso nerviosa. Nos evaluaron e interrogaron y practicamos tareas sencillas, como tejer una tela real, pero ninguna de mis compañeras de clase tuvo mucho éxito. Se requería cierto talento que ellas no parecían poseer, y que yo había pasado toda mi infancia aprendiendo a ignorar.

—Lo dudo —responde Cormac, mientras suelta el vaso—. Sé que fue un accidente porque el telar no estaba encendido. Una muchacha capaz de tejer el tiempo sin un telar es algo poco habitual. Solo una muy especial puede hacerlo. Estuvimos a punto de recogerte allí mismo.

Me gustaría esconderme debajo de la mesa. Sabía que me había descubierto, pero no cuánto había revelado. Esto es culpa mía.

—Bien. No digas nada. No existe manera alguna de que tu madre haya escapado —añade con frialdad—. Tuvimos que limpiar la zona después de que el equipo de la Continua se marchara.

—¿Limpiarla? —pienso de nuevo en la conversación que escuché por casualidad en el megavehículo. Fue breve y Cormac estaba furioso, pero el resto permanece sumido en una bruma. Cuando retrocedo aún más en el tiempo, todo lo sucedido regresa a mi mente en oleadas de imágenes. La cena con mi familia. Una pastel blanca. Tierra fría y oscura.

—Adoro tu inocencia. Es simplemente... deliciosa —Cormac sonríe y esta vez veo diminutas arrugas en torno a sus ojos—. La zona ha sido limpiada y retejida. No valía la pena tratar de explicar por qué había desaparecido una familia entera, sobre todo después del último accidente.

—La profesora de mi hermana —murmuro.

—La señora Swander —confirma él—. Un verdadero desastre, pero no lo suficientemente significativo como para justificar una limpieza total.

Trato de comprender lo que está diciendo. La Corporación distribuye los alimentos, asigna trabajos y casas y supervisa la adición de nuevos bebés a la población. Pero Arras no ha sufrido ningún accidente ni delito en años. Al menos, que yo sepa.

—Espera, ¿estás diciendo que borrarron los recuerdos de todos los habitantes de Romen?

—No exactamente —responde, apurando el whisky—. Los hemos arreglado un poco. Cuando la gente intente pensar en tu familia, la recordará de manera un tanto borrosa. Ahora tu historial indica que eras hija única y que tus padres recibieron autorización para mudarse más cerca del coventri; por si alguien se toma la molestia de indagar sobre ti, aunque nadie lo hará.

—Han hecho que desaparezca todo —susurro.

—Es fácil arreglar por la noche gracias al toque de queda —afirma, tomando un trozo de filete—. Seguramente te parecerá horroroso, pero no hay necesidad de provocar un ataque de pánico generalizado.

—Quieres decir —me inclino hacia delante y hablo en voz baja— que no es necesario que la gente sepa que han asesinado a sus vecinos.

La sonrisa perversa desaparece de su rostro.

—Algún día entenderás, Adelice, que todo lo que hago garantiza la seguridad de la población. Limpiar todo un pueblo no es algo que me tome a la ligera, y tampoco resulta sencillo. La mayoría de las tejedoras carecen del talento necesario para ello. Sería prudente que recordaras que tú has sido la causa de mi orden.

—Pensé que Arras no tenía que preocuparse por la seguridad. ¿No es para eso para lo que necesitan a chicas como yo? —le desafío, agarrando con fuerza el cuchillo para untar mantequilla que hay junto a mi plato.

—Como dije antes, tu ignorancia es verdaderamente deliciosa —aunque ya no parece divertirse, al contrario. Sus ojos negros centellean con furia contenida—. Las hilanderas garantizan la seguridad, pero siguiendo mis órdenes. Y no se trata solo de fiestas y trabajo en el telar; la Corporación exige lealtad. Nunca lo olvides.

El tono de su voz me advierte que no siga insistiendo, así que relajo la mano y el cuchillo repiquetea al caer sobre la mesa.

—Espero que hayas comido suficiente —espeta, levantándose de su asiento. Parece que dos bocados han sido suficiente para mitigar su apetito.

Lo sigo. No tengo otra opción.

Hace algunos años, una niña de nuestro barrio fue catalogada de individuo con conducta desviada. Es algo muy poco habitual, ya que la población de Arras vive bajo una política de absoluta intolerancia hacia el mal comportamiento. Sin embargo, mi padre me contó que, en ocasiones, había niños que eran acusados de mala conducta y se los llevaban. Me dijo que algunos regresaban, pero que la mayoría no. La niña volvió, pero estaba siempre en las nubes, alejada de la realidad del resto de nosotros. Así reaccionarán mis vecinos cuando piensen en mí. Es como si yo no existiera y, al pensarlo, ni los medicamentos que todavía adormecen mi cuerpo logran atenuar el cosquilleo de dolor que me recorre hasta las puntas de los dedos.

La comida resultó ser una cortesía, ya que no tenemos hora reservada para la transposición. No la necesitamos. Me encuentro dividida entre sentirme culpable por su amabilidad y preguntarme los motivos de su invitación. Sigo a Cormac mientras avanza junto a la hilera de hombres que esperan en cubierta sus salidas programadas. Algunos refunfuñan a nuestro paso, pero los demás los mandan callar.

—Necesito dos plazas —dice Cormac al hombre del mostrador, exhibiendo su TP.

No tengo ninguna duda de que el hombre sabe quién es, pero toma la tarjeta y la examina un instante antes de teclear un código en el panel comunicador que hay incrustado en la pared detrás de él. Al instante, una mujer joven vestida con un traje ceñido color azul cielo aparece por el pasillo que hay tras el escritorio y nos conduce al otro lado del mostrador.

—Embajador Patton, ¿desea un refresco para la transposición? —la chica rebosa entusiasmo y pintalabios rosa.

—He comido, gracias —responde él, guiñando un ojo.

A mí no me pregunta.

El compartimento de transposición de Cormac se encuentra antes que el mío y asumo que desaparecerá por la puerta sin dirigirme una sola palabra, sin embargo se da la vuelta y me mira receloso una última vez.

—Adelice, te aconsejo que descanses un poco durante la transposición.

Mantengo los ojos fijos en el fondo del pasillo. Está actuando como mi padre, diciéndome cuándo comer y cuándo dormir. Pero, en primer lugar, él es la causa de que necesite un padre suplente.

—No mereces ser tratada de la manera en que van a hacerlo —su voz suena preocupada. El Valpron debe de estar perdiendo su efecto porque apenas puedo contener las ganas de escupirle; no necesito su amabilidad—. No tienes ni idea de lo que te espera —añade, leyendo mi gesto. Suspira y abre la puerta de la estancia—. Confío en que aprendas a escuchar antes de que sea demasiado tarde.

No me molesto en responderle. No quiero su arrogante consejo. Le miro fijamente hasta que la puerta se cierra tras él. Mi guía me conduce hasta el siguiente compartimento y entra detrás de mí.

—Veo que es tu primera transposición —comenta con total naturalidad mientras me conduce hacia la única silla de la estan-

cia, colocada en el centro sobre una pequeña plataforma—.
Es posible que sientas unas ligeras náuseas o ganas de vomitar.

Me siento con torpeza y contemplo la sobria habitación.

—Permíteme —me rodea con el brazo y abrocha una correa en torno a mi cintura.

—¿Para qué es esto?

—Durante el proceso de transposición es necesario mantener tus movimientos confinados a un mínimo espacio. Normalmente se puede leer, comer o beber —me explica mientras despliega una pequeña bandeja que sale del brazo de la silla—, pero no es posible levantarse.

Bajo la mirada hacia las correas y arqueo una ceja.

—Lo siento —alza unos ojos intensamente maquillados y noto que sus palabras son sinceras—. No tengo autorización para darte nada.

—No importa —respondo encogiéndome de hombros—. Tengo la impresión de que no es habitual ver chicas por aquí.

La muchacha ajusta las correas y comprueba la hebilla antes de retroceder. Vacila un instante y consulta el reloj de cuenta atrás en la pared: quedan dos minutos para que comience la transposición.

—Así es —se detiene y mira en torno a la habitación—. Aunque tal vez debería callarme.

—¿Cómo dices? —definitivamente los efectos de la medicación han desaparecido, porque ahora mismo estoy conteniendo el pánico.

—Muy pocas mujeres son transpuestas: solo tejedoras y esposas de ministros. Pero a ellas se les proporciona todo lo que piden —susurra.

—No entiendo —admito lentamente.

Se inclina hacia delante y simula ajustar la bandeja.

—Ellas vienen muy bien vestidas y se supone que les debemos facilitar boletines y catálogos de moda para que los hojeen. Pero tú...

La miro fijamente, tratando de comprender lo que me está diciendo.

—Mis órdenes fueron abrocharte la correa e inmovilizarte.

—¿Inmovilizarme?

—Sí —suspira, y me da una palmadita comprensiva—. Lo siento.

Manipula algo a mi espalda y, un segundo después, un enorme casco tejido con gruesas cadenas de acero desciende sobre mi cabeza. Lanzo un grito, pero el sonido queda amortiguado. La chica aprieta mi mano y me calmo un poco. Luego aparecen otros cierres metálicos que aferran mis muñecas.

—Tu transposición solo durará una hora —me tranquiliza, aunque apenas puedo escucharla a través del metal retorcido—. Buena suerte, Adelice.

Ojalá le hubiera preguntado su nombre.

El casco me tapa gran parte de la estancia, pero puedo ver a través de las rendijas. Es una habitación sencilla con los muros totalmente blancos, excepto por el reloj que señala la cuenta atrás en un rincón.

Las náuseas son lo primero que noto. El suelo desaparece bajo mis pies y mi estómago se contrae, pero no caigo. El casco mantiene mi cabeza totalmente erguida y el cuello recto, así que no vomito, aunque tengo ganas. Con los ojos cerrados, respiro de forma acompasada, tratando de controlar el mareo. Cuando los abro y miro a través de los cables de acero, la habitación ha desaparecido a mi alrededor y estoy rodeada por brillantes haces de luz. La imagen me tranquiliza y me concentro en los luminosos filamentos que forman el compartimento de transposición. Los haces brillantes serpentean por la sala y a continuación unos largos hilos grises se entretejen con ellos, intercalándose con la luz hasta formar un llamativo tejido dorado y plateado. En algún lugar hay una muchacha que está sustituyendo la trama del compartimento de transposición por la de una estancia en un coventri, trasladándome de este modo de un lugar a otro. Estoy recorriendo cientos de kilómetros sin mover un músculo. Es un proceso delicado, razón por la cual está reservado a los habitantes más destacados de Arras. La Continua emitió un documental especial sobre el procedimiento hace unos años.

La luz desaparece gradualmente, poco a poco —demasiado poco a poco—van apareciendo fragmentos de muros grises a mi alrededor y el resplandeciente cañamazo de la transposición se convierte en una sala de concreto. Pasa una eternidad hasta que los rayos desaparecen, pero cuando los últimos parpadean sobre el muro, siento con alegría que el casco se eleva de mi cabeza.

A mi alrededor hay un grupo de agentes con vestimenta solemne. El que me ha retirado el casco vacila ante las esposas que inmovilizan mis brazos. Me duelen de tenerlos oprimidos durante el viaje, y estoy a punto de decírselo cuando un joven rubio con un traje caro se adelanta y alza la mano. Tiene la cabeza ladeada, y me doy cuenta de que está hablando por un chip comunicador. A pesar de su obvia juventud, parece estar al mando. Es el tipo de chico que llamaría la atención de mis compañeras de clase en el *Boletín* diario y provocaría risitas mientras su fotografía pasara de una a otra. Pero a pesar de encontrarme tan cerca de él, solo siento curiosidad.

—Sédenla.

—¿Señor? —pregunta el agente con sorpresa.

—Ella quiere que la sedemos —ordena el muchacho rubio—. ¿Quieres preguntarle por qué?

El agente niega con la cabeza. Mientras el médico se acerca a toda prisa con una jeringuilla, veo una mirada de disculpa en los ojos intensamente azules del chico.

TRES

Cuando yo tenía ocho años, la chica que vivía en la casa de al lado, Beth, encontró un nido caído en el límite entre su jardín y el nuestro. A mí no me permitían acceder a su jardín, y ella nunca entró en el mío. Beth mantenía esa separación en todas nuestras relaciones, estableciendo una frontera infranqueable entre nosotras en casa, en la escuela y en los espacios comunes donde jugábamos con las demás niñas del vecindario. Beth se aseguraba de que las otras chicas tampoco hablaran conmigo, así que me encerré en mí misma. Su acoso me volvió tímida en su presencia —siempre retrocediendo en vez de avanzar—, así que contemplé cómo golpeaba el nido con un palo a lo largo del límite del jardín. Permanecí callada hasta que vi unas motitas azules mientras el nido rodaba.

—Detente —le di esta orden tan bajito que Beth no debería haberla escuchado, pero nuestra calle estaba tan silenciosa como siempre, así que levantó la cabeza y me miró, con el palo quieto.

—¿Qué dijiste? —preguntó con un tono de voz que pretendía recordarme mi lugar, no obtener una respuesta.

Me aferré a lo que quiera que despertara aquel destello azul y repetí mi exigencia más alto.

Beth se acercó más al borde, pero no lo traspasó. En vez de eso, levantó el nido con el palo y lo lanzó a mi jardín.

—Ahí lo tienes —se burló—. Toma tu precioso nido. De todos modos, la mamá pájaro ya no va a volver. No quieren los huevos después de que alguien los ha tocado.

El odio bulló en mi interior, pero permanecí en mi lado, observando cómo regresaba a su casa sin decir una palabra más. Ella me miró una sola vez mientras abría la puerta de su casa, con los ojos llenos de desprecio. Contemplé el nido durante largo rato: dos huevos asomaban entre la hierba, junto a él. Al mirarlos, pensé en mi hermana y en mí: dos hermanas gorrión. Recogí algunas hojas caídas para cubrirme las manos desnudas antes de meter los huevos en el nido y lo coloqué de nuevo en el árbol de nuestro jardín. Pero aquel pequeño gesto no logró apaciguar la dolorosa rabia que crecía en mi pecho.

Mientras observaba el nido, cada vez más frustrada por mi incapacidad para proteger las diminutas vidas de su interior, las hebras de la trama aparecieron brillantes a mi alrededor. El árbol y el nido se difuminaron como un delicado tapiz ante mis ojos, convirtiéndose en hilos que me pedían que los tocara, así que alargué las manos y deslicé los dedos a su alrededor. Aunque ya era consciente de la existencia de la tela de la vida tejida a nuestro alrededor, por primera vez distinguí las franjas doradas que se deslizaban a través de ella de forma horizontal, y cómo los hilos de colores se entretejían con ellas para crear los objetos que me rodeaban. Mientras observaba todo, las franjas doradas de luz titilaron ligeramente y me di cuenta de que se movían muy despacio hacia adelante, alejándose del instante que había frente a mí. No eran simples fibras del tapiz de Arras, sino líneas temporales. Tímidamente, alargué la mano hacia uno de los hilos dorados. Animada por su textura sedosa, lo agarré y tiré de él con fuerza, tratando de obligar a la franja del tiempo a retroceder hasta el momento en que la mamá pájaro estaba protegiendo a sus preciosas crías. Pero se resistió. No importaba lo que yo hiciera, ella continuaba su avance hacia delante. No había vuelta atrás.

La mamá pájaro nunca regresó. Yo revisaba los pequeños huevos azules cada mañana, hasta que un día mi padre me relevó de mi vigilancia y el nido desapareció. Yo no había tocado aquellos huevos, pero me imagino que la mamá pájaro no supo dónde buscarlos; por eso no volvió.

Todo está oscuro. Hay humedad y con las palmas de las manos noto que el suelo de mi celda es alternativamente suave y rugoso, aunque con una constante: está frío por todas partes. Las sospechas de mis padres sobre la Corporación estaban bien fundadas. Me pregunto si mi madre sabrá dónde me encuentro. La imagino merodeando alrededor de nuestra casa, buscándome en su propio nido vacío.

Si es que sigue viva. Mi corazón se agita ante esta nueva emoción. La noto como un gran nudo en la garganta al recordar la bolsa para cadáveres goteando sobre el suelo. Y ahora tienen a Amie. La idea de que esté a su merced me revuelve el estómago. Durante los años en que mis padres estuvieron instruyéndome, nunca comprendí por qué lo hacían. Me dijeron que no querían perderme. Mi padre hablaba de los peligros del poder absoluto, pero en términos vagos y evasivos, y mi madre lo mandaba callar siempre que su discurso se tornaba demasiado apasionado. La Corporación nos proporcionó comida y arreglos meteorológicos y sanitarios perfectamente controlados. Y ahora tengo que asumir que esa gente —el gobierno humano en mi mente— tiene a Amie. Cualquiera que sean mis delitos, esos oficiales no deberían culparla a ella. Sin embargo, no puedo ignorar lo equivocada que estaba respecto a la Corporación y a mis padres. Y es culpa mía que la hayan atrapado. Fueron mis manos las que me delataron en las pruebas. Las arrastro sobre las rugosas losas de piedra hasta que tengo las puntas de los dedos agrietadas y ensangrentadas.

Los hechos son inexorables. Mis padres me habían enseñado a ocultar mi don. Lo único que debía hacer era fingir durante un mes, mientras realizaba las pruebas de la Corporación, y habría quedado eximida del servicio. Y si no hubiera sido tan egoísta, si no hubiera estado tan asustada de decepcionar a mis padres en la noche de mi recogida, nada de esto habría sucedido. Sin embargo, no estoy segura de cómo podría haber sido todo distinto. Incluso si les hubiera confesado que había cometido un error durante la prueba, ¿habríamos escapado? Repaso con cuidado las memorias de mi infancia en busca de pistas y recuerdo que mis padres eran fuertes, pero que se mantenían aislados del resto de la comunidad. Se querían de verdad. Mi padre dejaba por la casa notitas de amor para mi madre, y cuando yo tropezaba con alguna de ellas, me resultaba al mismo tiempo espantoso y extrañamente tranquilizador. Él la trataba con un respeto que pocos de los hombres adultos con los que yo tropezaba en Romen mostraban hacia las mujeres y las niñas. Pensé que esa era la razón por la que no querían que me convirtiera en hilandera, porque rompería nuestra familia —y la familia era lo único que teníamos—. Pero bajo el barniz de felicidad de mi casa, hubo siempre secretos, en especial mi instrucción, de la que Amie no sabía nada. Me aseguraron que no lo entendería, y al explicármelo, su tono de voz era el mismo que empleaban cuando hablaban entre ellos sobre mi «condición».

En la oscuridad, no puedo obviar lo único que por fin comprendo. Que no quise reconocer la traición en sus actos. Que ignoré la implicación de sus palabras y escuché lo que necesitaba escuchar para sentirme segura, no lo que en realidad me estaban diciendo. Y ahora he perdido la oportunidad de conocer a mis padres. Lo único que puedo hacer es reunir los fragmentos que dejaron en mi memoria.

Nadie viene a verme. No tengo comida ni agua. Y no hay luz. Este no puede ser el trato que dan a las hilanderas. Me deben estar castigando por la traición de mi familia. En la escuela nos hablaron de los coventris y nos mostraron fotografías de sus formidables complejos con torres, en uno de los cuales creo estar ahora. Pero los muros y contrafuertes de aquellas construcciones albergaban suntuosas habitaciones con obras de arte y cuartos de baño. En esta celda no hay ni siquiera un inodoro. Me veo obligada a hacer mis necesidades en un rincón. Al principio, el olor a humedad de la piedra ocultaba el hedor, pero ni siquiera la mugre de la celda ha podido taparlo indefinidamente y ahora la peste acre de la bilis me irrita la nariz. En la oscuridad, los olores se vuelven más intensos y me queman la garganta.

Me tumbo en el suelo y trato de imaginar el lugar en el que me encuentro. Pienso que hay una ventana en la habitación y que a través de ella penetra la luz del sol. Cormac me dijo que me llevaban al Complejo Oeste, que alberga el mayor coventri de tejedoras de Arras y está ubicado a orillas del mar Infinito, así que si mirara hacia el exterior, vería pinos y tal vez el océano. Aunque Romen, mi ciudad natal, se halla a solo unas horas del mar, nunca había traspasado sus límites. La población de cada ciudad está estrictamente controlada para asegurar que el tejido de la zona no sufra daños a consecuencia de excesivos cambios en su estructura. Por eso las fronteras de cada ciudad se vigilan con tanto celo, por nuestra seguridad.

En cada uno de los cuatro sectores, a orillas del mar Infinito, hay uno de estos complejos especiales, que son los responsables de mantener Arras en funcionamiento. En la escuela nos enseñaron un mapa muy básico que solo esbozaba los sectores y sus capitales. Cuatro triángulos perfectos de terreno rodeados por un océano sin fin y sus coventris totalmente simétricos, como los brazos de una cruz. Pero eso era todo. La Corporación no quería incitar a los estudiantes a intentar viajar fuera de sus ciudades de origen. Nos explicaron que si viajaba demasiada gente al mismo tiempo, podría debilitarse la integridad estructural de Arras. Así que todos los desplazamientos tenían que ser aprobados con anterioridad a través de los canales correspondientes o no resultaría seguro; las hilanderas, sin embargo, disfrutan de privilegios fronterizos especiales, lo que las convierte en personas casi tan importantes como los hombres de negocios y los políticos. Era lo único que me atraía de convertirme en tejedora —ver el mundo—, pero la idea de no regresar jamás a mi casa pesaba más que la posibilidad de viajar.

Aunque según veo, ser una hilandera no implica muchos privilegios más. Soy incapaz de imaginar que hay una ventana en la celda. Porque no hay sol. Ni un reloj. Ni zumbido de insectos. Ignoro cuánto tiempo llevo aquí. Estoy empezando a preguntarme si estaré muerta. Decido dormirme y no despertar. Si esto es la vida después de la muerte, no debería soñar. Pero no tengo tanta suerte: las pesadillas interrumpen mi sueño sin cesar. Permanezco tumbada, con los ojos doloridos de tanto intentar adaptarlos a la oscuridad, sin lograrlo, y mi mente protesta ante la injusticia.

De pronto, la puerta se abre y entra luz, cegándome hasta que logro distinguir los oscuros contornos de la diminuta estancia.

—¿Adelice?

¿Es ese mi nombre? No lo recuerdo.

—¡Adelice! —la voz suena menos tímida esta vez, pero sin dejar de ser chillona—. Llévala a la clínica y rehidrátala. Quiero verla en el salón en una hora —ordena la voz chillona a alguien a quien no me digno a mirar. La persona sin voz se acerca a mí, golpeando las piedras con sus botas, y me carga con indiferencia sobre su hombro.

—Vaya peste. Nunca pensé que de alguien tan diminuto pudiera salir algo tan asqueroso —se ríe. Tal vez más tarde se tome una copa para celebrar su ingenio—. Al menos pesas poco.

Me planteo recordarle que privar de comida a una persona influye en su peso, pero no quiero alentar su pobre sentido del humor. Y estoy demasiado débil para pensar en algo ingenioso con que defenderme.

—¿Tienes siquiera edad suficiente para convertirte en candidata?

No respondo.

—Sé que te encontraron durante las pruebas —continúa.

Empiezo a contar cada uno de sus enmarañados rizos. Son tan oscuros que parecen casi negros, pero al fijarme mejor me doy cuenta de que su pelo es en realidad castaño. No es como los hombres de la ciudad, que se pulen, arreglan y cincelan hasta que sus mandíbulas quedan angulosas y suaves, sin rastro de barba. Incluso mi padre se cepillaba las uñas y se afeitaba cada noche. Huele a lúpulo, a sudor y a esfuerzo. Debe de realizar más trabajo físico que la mayoría de los hombres de Arras, porque me carga como si nada. Noto la firmeza de los músculos de sus brazos y su pecho a través de mi fino vestido.

—No tienes mucho que decir, ¿eh?— se burla—. Bueno, mejor. Será un cambio agradable no tener otra mocosa con demasiados privilegios dándonos órdenes. Ojalá todas fueran mudas como tú.

—Supongo que incluso una chica muda —gruño— tiene más privilegios que la escoria que tiene que cargar su apestoso cuerpo escaleras arriba.

Me deja caer, pero no siento dolor al golpear contra el suelo duro, lo que demuestra el tiempo que he pasado encerrada. Estoy tan acostumbrada a la piedra que me siento y alzo la vista hacia él. Me sorprende descubrir que mis ojos se han adaptado lo suficiente como para distinguir el odio que refleja su rostro. Está tan sucio como su olor insinúa: tiene una capa de mugre repartida casi teatralmente por la cara y el cuello, aunque debajo de ella, hay una persona muy atractiva. Sus ojos azul cobalto, resaltados por la suciedad, irradian una luz que contrasta con la roña. Algo se retuerce en mi estómago y me quedo de nuevo sin habla.

—Puedes caminar por ti misma. Te estaba haciendo un favor —gruñe—. Pensé que tal vez serías diferente. Pero no te preocupes, encajarás perfectamente con las demás.

Trago saliva y me levanto con dificultad. Estoy a punto de perder el equilibrio, pero soy demasiado orgullosa para disculparme o pedir ayuda al extraño joven. Además, ahora que lo he mirado con atención, no puedo negar que me siento rara ante la idea de que me toque otra vez. En mi ciudad, las chicas no hablan con los chicos, y por supuesto no les permiten que las lleven a cuestas. La mayoría de los padres, incluidos los míos, no suelen llevar a sus hijas a la ciudad para evitar cualquier contacto con el sexo opuesto antes de pasar las pruebas. Sin embargo, imagino que el impulso eléctrico que recorre mi piel donde sus brazos y sus manos la rozaron no ha sido provocado por el recato que la escuela trató de inculcarme durante años. Quiero decir algo ingenioso, pero las palabras no acuden a mi boca, así que me concentro en tratar de andar. Algo definitivamente más complicado de lo que solía ser.

—Puedes denunciarme cuando te hayan inscrito. Tal vez arranquen mi hebra por maltratar a una nueva candidata —su tono es cruel y me sorprende lo mucho que me duele. Yo lo había considerado igual que el resto de mis captores, y ahora él me está equiparando a la Corporación.

Avanza a paso rápido y apenas puedo mantener su ritmo. Siento piquetes en los pies, como agujas que ascienden rápidamente por mis piernas, pero lo sigo y al fin lo alcanzo. Me echa un vistazo, claramente sorprendido de verme caminar a su lado.

—Seguramente estás ansiosa por poner tus manos sobre unos estupendos cosméticos —me reprocha, y siento la tentación de llamarlo escoria de nuevo.

—Las tejedoras cuentan con las mejores esteticistas —continúa—. Es uno de sus privilegios. Y las nuevas candidatas, pobrecitas, están todas deseosas de que las pongan guapas. Debe de ser una carga tremenda esperar dieciséis años para pintarse los labios.

Detesto que me traten como si fuera una estúpida chica de ciudad ansiosa por maquillarse, rizarse el pelo y entrar en el mundo laboral. He visto fotografías de hilanderas maquilladas hasta parecer plástico moldeado, pero no voy a hablar con él de eso. Puede pensar lo que quiera; de todas formas, es un don nadie. Repito mentalmente estas últimas palabras —es un don nadie—, pero soy incapaz de creérmelas.

—Aunque a ti te metieron en una celda —añade, dejando claro que no necesita que yo participe en la conversación—, lo que significa que intentaste escapar —nos miramos a los ojos por primera vez y el azul brillante de los suyos parece adquirir cierta calidez—. Imagino que tendrás algo de fuego en tu interior, niña.

Ya he escuchado suficiente.

—¿Siempre llamas *niña* a las mujeres que son algo más jóvenes que tú?

—Solo a las que parecen *niñas* —responde, enfatizando deliberadamente el término ofensivo.

—Ah, bueno. ¿Y cuántos años tienes tú? ¿Dieciocho? —comento; ¿tal vez había pensado que la mugre ocultaba su edad?

Se golpea la frente sucia.

—Aquí arriba soy más maduro que la mayoría de los hombres que me doblan la edad.

No le pregunto por qué. No quiero mostrar demasiada familiaridad con él. No vale la pena. Seguimos caminando, pero sus ojos no se despegan de mí. Debe de haber realizado este trayecto nuchas veces porque no necesita mirar hacia delante para saber hacia adónde se dirige.

—Deja que te lleve —suena resignado, pero hay una nota de amabilidad en su ofrecimiento.

—Estoy bien —respondo con demasiada aspereza, tratando de ocultar el rubor que asciende hacia mi cuello al pensar en sus brazos rodeándome de nuevo.

Resopla y deja de mirarme fijamente.

—¿Así que huiste?

Mantengo los ojos en la puerta situada al fondo del pasillo de piedra.

—Déjame adivinar, ¿piensas que voy a delatarte? —me agarra del brazo para detener nuestro avance y se inclina para evitar que el eco amplifique su voz—. Si escapaste, no importa el porqué. Da igual si lo admites. Estás señalada y te mantendrán vigilada. Así que sigue mi consejo y hazte la tonta.

Sus ojos titilan como el extremo de una llama, acentuando su advertencia, y noto que está siendo sincero.

—¿Por qué te preocupas?

—Porque te matarán —responde sin dudarlo—. Hoy en día es difícil encontrar una chica con el cerebro suficiente para escapar.

—Entonces, podrían matarte a ti también por hablarme de este modo —susurro con desesperación, con miedo, con todo lo que he sentido en la celda. Parece reaccionar a la emoción de mi voz, como si yo hubiera transformado en palabras la tensión tácita que invade el aire. Durante un breve instante, se acerca más a mí y espero sus siguientes palabras, conteniendo la respiración.

Se encoge de hombros.

—Si tú me delatas, pero no lo harás.

Trato de ocultar mi decepción, pero tiene razón. No lo delataré, aunque no estoy segura de si es por llamarme inteligente o porque tengo la sensación de que compartimos un secreto. Ninguno de nosotros es lo que aparenta ser.

Abre la puerta y descubre una escalera yerma con brillantes paredes blancas que no combina con la vieja y enmohecida sección de celdas. Mi guía hace un gesto exagerado con el brazo, pero cuando cruzo el umbral, susurra, tan bajito que apenas lo escucho:

—Además, aquí hay cosas peores que la muerte.

Los murmullos de desaprobación de las esteticistas del coventri están empezando a agobiarme. El muchacho me dejó en lo alto de la escalera y una chica me condujo hasta una ducha. El agua estaba dolorosamente fría, lo que reforzó mi creencia de que no volveré a entrar en calor a menos que empiece a colaborar. Así que aquí estoy, sentada, con los ojos caídos, callada, dócil por completo a sus designios. No está mal. Me dieron un vestido blanco aterciopelado y, a pesar de mi ferviente deseo de odiar todo esto, que te cepillen y enjabonen el pelo resulta relajante. Tal vez se deba tan solo a que he extrañado el contacto humano.

Una mujer me corta el pelo con furia, mientras otra extiende crema por mi cara. Me depilan las cejas en forma de estilizados arcos y las perfilan para realzarlas. Luego me aplican un maquillaje lechoso sobre el rostro y lo fijan con polvos. Recuerdo a mi madre seguir cuidadosamente el mismo proceso, explicándome paso por paso lo que era cada producto y deteniéndose para asegurarme que necesitaría muy pocos cosméticos cuando llegara el momento —según ella tengo una piel perfecta—. Se avergonzaría al ver cómo me pintan la cara y la imagino franqueando la puerta a toda velocidad para salvarme de los polvos y las ásperas sombras de color y los afilados lápices de ojos que lastiman.

—Está horriblemente demacrada —comenta la mujer de las tijeras, repartiendo con un cepillo grandes pegotes de gel sobre mi pelo todavía húmedo.

—¿Ha estado en las celdas...? —la voz de su compañera se desliza en forma de pregunta. Alzo los ojos para ver la expresión que seguramente está poniendo (insinuante y altanera), pero encuentro un sereno molde de escayola. El tono de su voz es lo único que traiciona su curiosidad, sin embargo no es mi interés por lo que está diciendo lo que me mantiene absorta en su rostro, sino su belleza, comparable solo a la de la mujer que me está cortando el pelo. Una piel tan pura como la miel fresca y unos profundos ojos negros perfilados y exageradamente almendrados. La otra tiene la piel plateada y el pelo fino y rubio, trenzado delicadamente en torno a su cabeza. Sus labios son tan rojos como la sangre. Aparto los ojos e imagino lo que estarán pensando de mi pelo cobrizo sin brillo y mi piel pálida. No las vuelvo a mirar mientras me arreglan y transforman. Tampoco hablo. Cuando terminan, continúan con su charla frívola, sin dirigirse a mí, y no estoy segura si es porque estoy por debajo o por encima de ellas. Se marchan y me dejan en la silla, y es entonces cuando me atrevo a mirarme en los espejos que forran las paredes a mi alrededor. Mis reflejos se enfrentan a mí desde todos lados, algunos mirando hacia atrás y otros volviéndose como un extraño. Con este sencillo vestido, me parezco a mi madre —mayor y más hermosa—. Parezco una mujer.

Avanzo unos pasos hasta tocar el fresco cristal. Nunca he pasado demasiado tiempo delante de un espejo, pero resulta un consuelo estar aquí en este momento. Cientos de imágenes de mí misma me devuelven la mirada, demostrando mi existencia. Le doy vueltas a mi nombre en la cabeza y trato de conectarlo a esa mujer con una melena escarlata cayéndole sobre el vestido blanco y unos ojos esmeralda realzados por oscuras líneas doradas sobre un rostro suave y esculpido. Esa extraña. Yo misma. Adelice.

Mientras me observo, incapaz de apartar la mirada, el extremo de uno de los espejos se resquebraja limpiamente y, sorprendida, retrocedo sin saber cómo lo rompí. La grieta se agranda hasta dejar al descubierto una puerta en el espejo. Una mujer la franquea y el espejo se sella a su espalda. Viste un traje entallado y su pelo color azabache está recogido con maestría en un moño. El maquillaje no deja traslucir su edad, sin embargo los ángulos de sus pómulos y el arco de las cejas realzando unos luminosos ojos color violeta, claramente artificiales, hacen que parezca mayor. Aunque es su modo de actuar —el halo de control y autoridad que refleja su refinado rostro y su elegante traje— lo que me indica que no se trata de una hilandera común y corriente.

En un primer momento no dice nada, sino que me recorre con la mirada; me pregunto si estará permitido dirigir la palabra a una tejedora. Pienso en el muchacho que me llevó a cuestas en la celda. *Hazte la tonta.* No puedo imaginarme callada y con la lengua seca en la boca día tras día.

—Enhorabuena por tu logro —susurra. Aunque la estancia está vacía, tengo que esforzarme para oírla. Contengo el aliento, temerosa de que una simple inspiración o espiración tape su débil voz—. No son muchas las que llegan hasta aquí, Adelice. Deberías sentirte orgullosa —su sonrisa no llega hasta sus ojos falsos—. Me llamo Maela y me encargo de recibir y preparar a las candidatas. Hemos estado inscribiendo a las otras chicas. La orientación comienza mañana. Estuviste a punto de perdértela.

—Lo siento —murmuro al tiempo que la vergüenza me invade, obligándome a bajar los ojos hacia mis pies desnudos.

—Siéntate —ordena Maela, señalando la silla de maquillaje—. La vida de una hilandera está repleta de honores. Eres capaz de hacer lo que pocos pueden. Tienes poder —su voz susurrante suena febril—. Pero, Adelice —ronronea en mi oído—, no debes presuponer que tienes el control.

Mi corazón parece un tambor de batalla y late atropelladamente. La enviaron para desmoronarme o, al menos, para iniciar el proceso, pero no va a lograrlo. Deslizo el pulgar sobre la cicatriz del reloj de arena de mi muñeca y recuerdo las últimas palabras de mi padre. No permitiré que Maela me asuste. Su recuerdo grabado a fuego en mi piel envía una oleada de odio renovado a todo mi ser. Me atraviesa el pecho y se desliza por los brazos, y tengo que contener el impulso de atacar a esta astuta mujer.

Maela se coloca detrás de mí y me acaricia el pelo. Respiro suavemente —tomo aire, suelto aire—, consciente de cada respiración. Mientras ella sonríe, mostrando unos dientes perfectos entre sus labios pintados, observo a esas dos extrañas en el espejo.

—Nosotras estamos por encima de los habitantes de Arras —ahora habla con voz firme y tono distendido mientras sacude de mis hombros mechones de pelo cortado—. Pero tú perteneces a la Corporación.

Pertenecer. Trago saliva al escuchar esa palabra e intento empujar su amargor garganta abajo.

—Lo tendrás todo —se inclina hacia mí y coloca la barbilla sobre mi hombro, tomando mi extraño rostro con su mano fría y resbaladiza—. Serás hermosa y joven —aprieta mi cara y deja escapar una risita acampanada, como si fuéramos viejas amigas o hermanas haciéndonos confidencias—. Oh, Adelice, la vida que te espera...

Maela lanza un suspiro, se incorpora y observa nuestros reflejos en el espejo. Con un rápido movimiento levanta una vara larga y delgada; me estremezco. Ella se ríe otra vez y enciende un cerillo. Un instante después, la brasa de su cigarro parpadea en mil reflejos.

—Casi estoy celosa —afirma.

—Me siento muy honrada —logro articular.

Su sonrisa se amplía mientras le sigo el juego.

—Por supuesto que sí. Solo alguien extremadamente estúpido no desearía esta vida.

Empieza a dar vueltas, pero no parece una loca, sino alguien más impresionante incluso, más controlador.

—Aquí, eres hermosa, Adelice. Aquí, tienes la oportunidad de algo distinto a atender las ridículas demandas de los hombres. Aquí —añade Maela con cuidado—, eres más que una secretaria.

Por la forma en que contempla mi rostro, sé que se está burlando de mi madre, pero mantengo la mirada fija en ella.

—Aunque hay una cosa que debes recordar —susurra, y el hedor del cigarro impregna mi nariz—. No hay forma de escapar de aquí, Adelice Lewys.

Ahora siento que el maquillaje me oculta, y reconozco a mi madre en mi reflejo.

No permitas que descubra tu preocupación. No reveles nada.

—No hay ningún escondite —su dulce susurro se parece extrañamente a un siseo—. Ni siquiera existe la muerte. Así que elige qué bando prefieres.

Miro hacia atrás. Escucho las últimas palabras del muchacho y me pregunto qué puede haber peor que la muerte. Pero conozco la respuesta: piedra fría y oscuridad ardiente.

—Por supuesto —mi respuesta es simple, pero no quiero arriesgarme a añadir nada más.

La sonrisa de Maela se transforma en una mueca ufana; estoy segura de que es la única emoción auténtica que ha mostrado hasta ahora.

—Perfecto, entonces —me da una palmadita en el hombro y un poco de ceniza cae sobre mi vestido—. Tu habitación te está esperando.

—Maela —digo con voz tímida, pero firme—, ¿sabes lo que le ha sucedido a mi madre y a mi hermana? —necesito preguntárselo, aunque siento pánico de descubrirle mi debilidad. Trato de parecer fuerte.

—Me lo puedo imaginar —responde, pero en vez de decirme lo que piensa, me abandona a mis desesperadas fantasías y solicita a su ayudante que se una a nosotras. Me sorprende descubrir que se trata de un muchacho, aunque supongo que en este lugar las chicas estarán ocupadas con asuntos más importantes. La contemplo mientras susurra órdenes al chico, lanzándome miradas maliciosas por encima del hombro.

Su ayudante personal me escolta hasta mis nuevas dependencias. Los yermos pasillos del complejo van cambiando poco a poco a medida que accedemos a la zona residencial. En primer lugar, el hormigón deja paso a la madera pulida. Luego, las paredes blancas se colorean: bermellón, granate. Pasamos junto a divanes de terciopelo y pilares de mármol y entramos en un ascensor con puerta de bronce. Se parece al ayuntamiento de Romen. Noto un escalofrío al recordar las grotescas figuras encaramadas en las esquinas exteriores de la cámara de registros; monstruos labrados en piedra, hermosos y terroríficos, que lanzaban miradas lascivas a los ciudadanos.

Todo palpita con una intensa energía, y aun así hay ausencia de vida real. El ascensor sube en silencio y mi guía no pronuncia ni una palabra mientras ascendemos más y más por la torre. Estoy detrás de él y observo cómo su pelo dorado brilla y ondea sobre sus hombros. No es el típico estilo aprobado por la Corporación, pero supongo que será un privilegio por ser el chico de los recados de una tejedora tan poderosa.

Mi habitación se encuentra al final de un pasillo, tras una puerta lacada color ciruela, en el decimoquinto piso. Es un hermoso departamento decorado con esculturas en madera pintadas en tonos crema y dorado. En el extremo más alejado, una hoguera arde en una chimenea de ladrillo y hierro forjado. Sobre ella cuelga el retrato de una mujer que, extrañamente, se parece a mi nuevo yo. Las alfombras que cubren el suelo de la amplia estancia lucen intrincados diseños y hay almohadas de seda en colores esmeralda, granate y champán repartidas alrededor de pequeñas mesas de caoba.

—Me encargaré de que te traigan algo de comer. Te perdiste la cena —me informa mi guía. Me observa mientras recorro la habitación y cuando me doy la vuelta, sonríe de manera burlona.

—Gra... gra... gracias —pastelmudeo.

—Imagino que será algo mejor que la celda —comenta, y me giro para mirarlo con más atención: es el mismo muchacho que dio la orden de sedarme en el compartimento de transposición. Es más alto que yo y el traje se le adapta lo suficiente a los hombros corpulentos y los brazos rígidos como para mostrar que posee la fuerza necesaria para ser un guardaespaldas. Pero, a pesar de su robusto cuerpo, tiene un rostro hermoso y enmarcado por un delicado cabello. Es el mismo pelo que aparece en los confusos recuerdos de la noche de mi recogida.

—Tú... —no termino la frase, como acusándolo.

—Siento lo del otro día —la sonrisa fanfarrona desaparece de su rostro—. Las órdenes son órdenes. Si te sirve de consuelo, saliste bastante bien parada. Me llamo Erik.

Contemplo con frialdad la mano que me tiende a modo de saludo. *Claro, seamos amigos. Solo me dejaste abandonada en un lugar frío y sin nada que comer.*

Este pensamiento me provoca retortijones de hambre en el estómago al recordarme que no he comido nada desde los escasos bocados del café de Nilus.

—En realidad, no me alivia.

Erik se ríe y sacude la cabeza, demostrándome que es un absoluto imbécil.

—Me aseguraré de que te envíen suficiente comida. Iniciarás tu preparación por la mañana.

Me encantaría rechazar la comida y esta extravagante habitación con sus lujosos muebles. Me encantaría arrastrarme dentro de un agujero y morir de hambre lentamente, pero si lo hago, no estaré en posición de proteger a Amie o de descubrir dónde se encuentra mi madre, así que opto por darle la espalda a Erik. La puerta se cierra con llave tras él y me quedo sola en este mundo nuevo y extraño.

Cuatro

Cuando llega el amanecer estoy descansando sobre suave satén y algodón. Mi cama, un amplio colchón que cubre por completo una de las paredes, está colocada junto a unos enormes ventanales que miran hacia el mar Infinito. Me imagino sumergiendo los dedos en el agua y me pregunto si estará fría, si la sal picará en la piel, mientras el sol asciende y tiñe el agua con tonos rosados y naranjas.

Nunca había estado tan cómoda en toda mi vida. A mis pies descansa una bandeja con manjares a medio comer. Mi madre era una cocinera aceptable, y hacía lo que podía con las raciones de comida disponibles en nuestra ciudad, pero anoche cené pato en salsa de mantequilla, arroz con azafrán y albaricoques y *torta di cioccolato*. Sé los nombres de los platos porque venían escritos en una pequeña tarjeta, bajo la bandeja de plata grabada en la que estaban colocados.

Afuera, en un extremo del paisaje, se forma una tormenta que estropea la mañana de color rosado. Se teje dentro del conjunto como un mero espectáculo o para beneficio de los cultivos locales. Las nubes empiezan a crecer y se hinchan con la lluvia que se avecina. Mientras lo contemplo, la textura del te-

jido se vuelve visible y distingo cómo los añadidos de la lluvia y
los rayos van serpenteando lentamente a través del cielo. Alargo la mano para abrir la ventana y me sorprende que mis dedos toquen directamente las fibras, atrayendo la tormenta hacia mí. No hay cristal entre el tejido exterior y yo. Pero ¿cómo puede ser? Intento comprender por qué soy capaz de expandir la tormenta desde los confines de mi estancia. A menos que no esté mirando a través de una ventana. Al observarlo más detenidamente, descubro que el tejido de la ventana y el del paisaje exterior son artificiales y se encuentran superpuestos sobre la verdadera trama de la habitación, como un cuadro pintado sobre una obra maestra. Con un poco de esfuerzo puedo apreciar todavía el tejido original de la estancia, sin embargo la capa artificial es una simple imitación del producto genuino. Lo sé porque las bandas doradas que deberían estar ahí permanecen estáticas. El tiempo no avanza en esta ventana, porque no es un fragmento auténtico de Arras. Debe de ser algún tipo de programa creado para parecer una ventana real con un paisaje real. Mientras pienso en esta posibilidad, pierdo la noción de lo que estoy haciendo con las manos. La tormenta va hinchando las nubes hasta que aparecen repletas de humedad. Parece tan genuino que tengo la sensación de que las hebras de la lluvia humedecen mis dedos. Noto las manos pesadas por el material que he tejido con los dedos, así que suelto la trama, sorprendida al descubrir la cantidad que se ha acumulado en mi regazo. Todo se desvanece cuando los truenos retumban y estallan tras los vidrios falsos. Comienza a llover, como un dique que se hubiera roto en el cielo. Ojalá pudiera tejer lágrimas en mis ojos para atenuar el dolor constante que

siento en el pecho. Pero es imposible, así que contemplo la lluvia que he liberado para que caiga desde las nubes hinchadas.

Hasta que se aclara la garganta, ni siquiera me doy cuenta de que me está observando, con los ojos muy abiertos y llenos de curiosidad. Giro con torpeza. No es mucho mayor que yo, pero luce el estilo típico de las hilanderas: el pelo, rizado y color miel, recogido en lo alto de la cabeza y un traje negro perfectamente entallado abrazando su esbelta figura. Parece más amable que la mayoría de las mujeres que he conocido hasta ahora en este lugar, y su maquillaje está aplicado para realzar sus atractivos rasgos, no para llamar la atención de forma innecesaria. Todo en ella parece asequible y acogedor. Y aquí estoy yo, tumbada con el maquillaje de anoche corrido y un montón de platos a medio comer a mis pies.

Alza una mano para indicarme que no me levante.

—No pretendía asustarte. Pensé que estarías dormida. Estoy aquí para ser tu mentora. Llámame Enora.

—¿Debería estar en algún sitio? —las palabras salen de mi boca en un discurso atropellado que ni siquiera yo puedo entender—. ¡Voy a vestirme!

Sin embargo, mi última palabra me detiene en seco. Aún llevo puesto el vestido de ayer y no dispongo de ninguna otra prenda. He pasado toda la noche en la cama, contemplando las olas, y ni siquiera sé si tengo un armario.

—Adelice —Enora pronuncia mi nombre con tono enérgico, pero amable—. Toma asiento y relájate. El desayuno no tardará en llegar. He venido para comentar contigo todos los pormenores.

Me quedo clavada en el sitio, aún avergonzada por mi absoluta ignorancia.

—Incluida tu ropa —asegura, como si supiera exactamente lo que estoy pensando.

Obedezco y me siento sobre un gran cojín en el centro de la habitación. Instantes después aparecen varias bandejas repletas de comida que nos envuelven con aromas salados y a mantequilla. El sirviente distribuye los platos en las pequeñas mesas salpicadas por el amplio espacio que rodea la chimenea. Mi huésped sonríe y toma asiento en una de las escasas sillas de la habitación, al tiempo que el sirviente aviva las brasas de la chimenea y atiza el fuego.

—Debes tener un millón de preguntas —empieza Enora con calidez.

Asiento con la cabeza, consciente del persistente rugido de mi estómago. Nervios y hambre, una mala combinación.

—Tienes hambre —es obvio que ha percibido el ligero temblor de mis manos—. Tú come, yo hablaré. Puedes formular tus preguntas cuando hayas terminado.

Hay algo indulgente y genuino en Enora. Tengo la sensación de que se puede confiar en ella, al contrario que en Maela. Me siento lo suficientemente cómoda para empezar a comer, poco a poco y con tanta educación como puedo.

—Seré tu mentora mientras aprendes a hilar. Soy una tejedora designada por la Corporación y ayudo a la maestra de crewel. Mi misión es responder tus preguntas, proporcionarte consejo y ofrecerte apoyo moral. Tus primeros años en el coventri pueden requerir cierta... transición —percibo el cuidado con el que elige esta palabra, pero al contrario que la otra tejedora, cuyo discurso azucarado ocultaba veneno, las intenciones de esta mujer resultan claras. Está tratando de que no me asuste.

—¿Qué es una maestra de crewel? —la pregunta abandona mi boca antes de que haya tragado y, a pesar de su amable sonrisa, siento vergüenza de mi grosero comportamiento.

—Te lo explicaré después. Tenemos asuntos más urgentes que tratar.

Como si estuviera preparado, se abre la puerta de mi apartamento y aparecen varias muchachas vestidas de forma sencilla empujando unos grandes percheros con ruedas y telas de colores vivos.

—Gracias —Enora alarga una pequeña tarjeta y una de las muchachas la recoge rápidamente con una reverencia. Se marchan tan deprisa como llegaron.

—Tus esteticistas enviaron tus medidas a la fábrica de tejidos anoche y este es el principio de tu ropero —comenta, revisando rápidamente las perchas y sacando un vestido verde brillante y un traje negro. La escucho murmurar algo como «precioso».

—Sé que debemos seguir un código de vestimenta, pero ¿hay alguna razón para que tenga que engalanarme tanto? —pregunto, mientras descuelga del perchero un vestido de noche en satén.

—¿No son maravillosos? —exclama, dándome la espalda.

—Sí —y es cierto—. Pero ¿dónde voy a ponerme esto? —levanto un ceñido vestido gris. Siempre he entendido que las mujeres trabajadoras tengan que vestir de forma elegante para sus jefes (mi madre se ponía trajes con botones de oro y solapas planchadas a diario para acudir a la oficina), pero no puedo imaginarme tejer con un vestido de noche.

—Es uno de los privilegios. Todas las chicas acuden a diversas cenas organizadas por la Corporación y luego, por supuesto, están los reportajes para el *Boletín*. Tendrás ocasión de ponértelos, aunque para el trabajo diario no hay que llevar nada tan extravagante —asegura Enora—. En ocasiones, la Corporación convoca a chicas con mucho talento, pero que carecen de la delicadeza necesaria para trabajar en los telares. Sería una pena ponerlas a trabajar como personal de servicio o en la cocina, así que se convierten en nuestras costureras.

—¿Y qué pasa si no quiero vestir ropa como esta? —trato de evitar un tono desafiante en la voz, pero se me escapa.

Enora me mira, sin parpadear, antes de preguntarme:

—¿Desperdiciarías el talento de estas chicas?

—¿Y por qué no las envían a casa? —siento deseos de tragarme mi pregunta cuando dirige sus ojos rápidamente hacia mí, para luego volverlos hacia el perchero.

—Nadie regresa a casa —responde sin alterarse, pero percibo cierto tono en su voz y le tiemblan los dedos mientras revisa mi nuevo vestuario.

—Supongo que ya lo sabía.

—No te preocupes por eso —añade con alegría, en un intento evidente de aliviar la tensión—. Debes saber que cualquier cosa que me cuentes permanecerá entre nosotras.

Sus palabras suenan justo a lo que se suele decir cuando eres un espía, pero mi instinto desea creerla, así que asiento con la cabeza.

—Bien —Enora se acerca para sentarse en un cojín junto al mío y baja la voz—. Adelice, lo que te he visto hacer, tejer sin telar, ¿lo habías hecho antes?

Tardo un momento en darme cuenta de que se refiere a la tormenta.

—Sí. Pero no muy a menudo.

—¿Y no necesitas ningún instrumento? —insiste, bajando la voz hasta convertirla en un leve susurro.

—No —me siento confusa, pero también cuchicheo—. Siempre he podido hacerlo así. Pero las ventanas no son reales...

Ella asiente con gesto cómplice.

—Por supuesto que no. El vidrio se rompe, y la Corporación quiere que las hilanderas estén seguras. Es básicamente una gran pantalla creada para parecer una ventana. Hay un programa especial codificado para emitir vistas panorámicas por todo el complejo. No hay ninguna ventana de verdad. Aquí, casi todos los muros son gigantescas pantallas programadas con imágenes concretas. Vemos cambiar las estaciones y todo eso. La mayoría de las chicas nunca se da cuenta de que se trata de un programa.

—Parece tan real, pero me preguntaba por qué podía tocarlo —murmuro.

En sus ojos color chocolate aparece cierto temor.

—Necesito que confíes en mí. Jamás debes contarle a nadie que eres capaz de hacer eso. Cuando tejas, utiliza siempre un telar; trata de no hacerlo sin él, aunque estés sola.

Levanto las cejas. Sus palabras me recuerdan al muchacho de la prisión y a su advertencia de hacerme la tonta. Estos amables consejos de misteriosos extraños me están manteniendo viva. Medito si debería confesarle mi desliz en las pruebas y mi sospecha de que Cormac ya lo sabe, pero no sé si será buena idea.

—Entonces, ¿son como pantallas de video? —pregunto.

—Algo así, pero con una tecnología más avanzada que las disponibles para uso doméstico. Las imágenes son más realistas.

Tiene razón. Pensé que era una ventana real hasta que la toqué y descubrí que era tan fácil de manipular. No obstante, algo me preocupa en la manera en que alteré la tormenta.

—Si alguien más fuera capaz de tocar el tejido, ¿podría alterarlo?

—Yo nunca había visto a nadie hacerlo —admite—. Aquí todas las hilanderas trabajan sobre un telar. Por eso no puedes contarle a nadie lo que te he visto hacer. ¿Lo entiendes?

No comprendo de qué modo mi habilidad para tejer podría resultarme peligrosa ahora que estoy encerrada en el coventri, pero asiento con la cabeza para asegurarle que guardaré el secreto.

—Chica lista —susurra. Se alza de nuevo sobre sus tacones para retomar el trabajo—. Tus estilistas llegarán en torno a las siete y media. Por favor, asegúrate de estar bañada para entonces. Ese no es su trabajo. Si necesitas que alguien te ayude, te asignaré un sirviente.

—¿Para bañarme? —repito extrañada—. ¿Por si no sé hacerlo? Mi incredulidad recibe como respuesta una breve risita.

—Algunas hilanderas prefieren que otra persona...

—¿Haga el trabajo sucio?

—Algo así —Enora sonríe abiertamente y entonces siento cómo la confianza arraiga en mi interior. A pesar de mis esfuerzos por mantenerme cautelosa y distante, me gusta Enora. Tal vez sea así como consigan desmoronarme, proporcionándome una amiga—. Valery es tu esteticista principal —continúa—. Es amable y no te maquillará de forma ridícula.

Contemplo el delicado rostro y el pelo de Enora.

—¿Es ella tu estilista?

—Lo fue... —vacila, como si el tema le resultara doloroso, o tal vez fuera simplemente tabú—. La fase de preparación dura un mes —me explica.

—¿Se necesita tanto tiempo? —pregunto, desmenuzando pastelitos para extraer los frutos secos y frutas deshidratadas.

—Algunas chicas sí —responde, encogiéndose de hombros—. Otras reciben el visto bueno mucho más rápido, pero todo el mundo dispone de un mes como mínimo para demostrar su valía.

—¿Y si no lo consigo?

Enora se muerde un labio y finge inspeccionar los zapatos alineados junto a los carritos con mi nuevo vestuario.

—¿Me enviarán a confeccionar ropa para las demás tejedoras? —pregunto con un tono de voz demasiado esperanzado.

—Sí, algunas chicas son designadas para esa tarea, pero otras se convierten en sirvientas aquí, en el coventri.

—Tienen que hacer literalmente el trabajo sucio —murmuro. Ahora me queda más clara la jerarquía y comprendo la importancia de encajar en el lugar adecuado.

—Algunas veces sucede. A muchas candidatas les resulta excesivo el estrés que guarda la labor de tejer. Carecen de la concentración y la precisión imprescindibles en una hilandera.

Detesto admitirlo, pero tiene sentido. No quieren tener a alguien con manos temblorosas manipulando la trama. Es tan delicada que podría resultar desastroso.

—Pero ¿cómo aprendemos?

—¿A tejer? —pregunta Enora.

—Sí —me muerdo un labio—. ¿Qué sucede si cometo un error?

—Bueno, yo no me preocuparía en exceso por tu habilidad, pero se vigilará tu trabajo. Las hilanderas siguen patrones fijos creados por la maestra de crewel. Una vez que has pasado cierto tiempo en las diversas secciones de prácticas y aprendido los distintos patrones, el trabajo es bastante simple. Pasará algún tiempo antes de que avances al nivel donde se arranca y altera.

—¿Arrancar? —la palabra me araña la lengua. No estoy segura de querer saber lo que significa.

—No es tan terrible como suena —asegura Enora, aunque con voz poco convincente—. Se trata simplemente de retirar los hilos débiles o quebradizos.

—¿Por «hilos» te refieres a personas?

Se produce un breve silencio antes de que ella conteste:

—Sí.

—Entonces, cuando arrancas un hilo, ¿estás matando a alguien? —recuerdo a mi madre llorando en el hospital, junto a la habitación de mi abuela, después de que una severa enfermera nos obligara a salir un momento; nunca volvimos a verla.

—Es mucho más humano que lo que sucedía antes —continúa Enora, con sus cálidos ojos color chocolate ligeramente empañados—. En el pasado, la gente veía morir a sus seres queridos, y luego enterraba sus cuerpos.

—¿Qué le sucede a las personas cuando son arrancadas de la trama? —murmuro, recordando la frágil mano de mi abuela apretando con fuerza la mía antes de que nos enviaran al pasillo.

—Para serte sincera, no lo sé —confiesa—. Lo siento, pero no corresponde a mi departamento.

Por el tono de su voz resulta obvio que da esta conversación por terminada.

—Has mencionado a la maestra de crewel en dos ocasiones —comento, cambiando de tema y deseando que esté dispuesta a responder algunas preguntas más—. ¿Qué es lo que hace exactamente?

Enora sonríe y algo en la manera en que sus ojos se calman me indica que esta va a ser una respuesta ensayada.

—La maestra de crewel ayuda a la Corporación a recolectar materias primas para el tejido de Arras, y también guía nuestro trabajo.

—Entonces, ¿trabajaré a sus órdenes? —por un instante, deseo preguntarle si Maela es la maestra de crewel, aunque si fuera así, preferiría no saberlo.

—No —contesta Enora con voz dura—. Su trabajo es delicado y necesita mucho tiempo. Ella no suele relacionarse con nadie, excepto con los oficiales y las hilanderas de alto rango. Tienes mucho que aprender todavía sobre cómo funcionan las cosas aquí, Adelice.

En cierto modo no me sorprende, pero me callo el comentario que desearía hacer.

—Lo siento, tengo un montón de preguntas —opto por decir. Quiero caerle bien. Necesito aliados aquí dentro, aunque su contestación airada ha dejado un sabor amargo en mi boca.

—No puedo culparte. Tu transición ha sido un tanto complicada —se traba al decir *transición* y me doy cuenta de lo inadecuado que suena ese término. Con el estómago lleno y un buen fuego, ha sido sencillo olvidar mi encierro inicial, sin embargo la incertidumbre vuelve a subir por mi columna vertebral y a bajar por mis brazos, provocándome escalofríos en todos los nervios. Me odio por olvidar lo que me hicieron (lo que le hicieron a mi familia) después de dos comidas calientes y una noche de lujos.

Enora obvia sus últimas palabras y me indica con la mano que me levante. Instantes después, está repasando conjuntos de forma nerviosa, uno tras otro, murmurando y suspirando con desaprobación. Veo prendas de seda y satén, y cada una me parece más escasa de tela que la anterior. En casa nunca me permitieron vestir nada tan atrevido. No habría sido apropiado enseñar los brazos, por no decir mi escaso busto. Espoleada por la culpa y el pánico a cualquier cosa sin mangas, empiezo a apretarme los nudillos hasta hacerlos crujir. Enora se da cuenta y me acompaña hasta el baño. Mi madre solía hacer lo mismo —distraerme cuando estaba disgustada—. Ahora que los efectos del Valpron se han desvanecido por completo, siento un dolor punzante cada vez que pienso en mi familia. Y al librarme de la atenazadora sensación de hambre, se ha vuelto más intenso. Casi insoportable.

—Enora —susurro, mientras ella desliza la mano sobre el escáner de encendido—, ¿sabes qué le ha sucedido a mi familia?

Enora contesta sacudiendo ligeramente la cabeza, pero veo comprensión en sus ojos.

—Veré qué puedo averiguar, pero ahora debes concentrarte en tu orientación.

El baño es tan descomunal y decadente como el dormitorio. En un extremo, espera una pequeña zona con una amenazante silla de esteticista. Imagino las horas que pasaré en ella mientras me maquillan. El resto de la estancia está alicatado en mármol y porcelana. En el centro hay una enorme bañera con pequeños escalones de mármol y bancos labrados a su alrededor. No me resultaría difícil nadar dentro de ella. Está llena y me pregunto cómo la habrán preparado sin que yo me diera cuenta, como muchas otras cosas en el coventri. No estoy segura de querer saber la respuesta. No hay grifos ni chorros de agua cerca, pero sumerjo el dedo gordo con cuidado y descubro que está caliente. La idea de sentir el calor inundando mi piel resulta muy tentadora. Estoy casi segura de que vendería mi alma por un baño después de las noches pasadas en la celda.

—Tu perfil indicaba que te gustaba el agua, así que se creó esto especialmente para ti —Enora señala la lujosa bañera— y se te asignó una vista marítima.

—Habría sido suficiente con una ducha —murmuro.

—Podríamos solicitar que lo cambiaran... —comenta con una sonrisa juguetona en los labios. Yo sacudo rápidamente la cabeza, recordando la estrecha y vieja bañera en el único baño de mi familia.

—No importa —aseguro.

—Eso imaginaba —ríe entre dientes y toma mi brazo para conducirme hasta la silla situada al fondo—. Valery ya está aquí para arreglarte.

Suspiro y me desplomo en la silla, resignada a mi destino. Valery es casi tan hermosa como Enora o Maela, pero sus rasgos son de origen oriental, con los ojos elegantemente rasgados en torno a unos iris color castaño. Incluso con tacones, es mucho más baja que el resto de nosotras. Empiezo a comprender por qué las tejedoras se arreglan con tanto cuidado: no podrían permitir que ninguna mujer inferior a ellas fuera más hermosa. Al contemplar la cantidad de instrumentos colocados en el carrito que hay a mi lado, no puedo evitar preguntarme cuánto tiempo dedicarán a perseguir la perfección.

Después de una hora de perfilado, rizado y pulverizado, Enora me trae su elección final para la vestimenta de hoy: un traje verde eléctrico con mangas abullonadas que se va estrechando hasta las rodillas. Es al mismo tiempo sobrio y llamativo. Me deslizo dentro de él y cuando Enora me acerca un zapato agarro el poste de la cama.

—Me equivoqué de pie —digo, devolviéndoselo—. Primero el izquierdo, por favor.

Me lo pasa, alzando una ceja.

—¿Una superstición? Nunca lo había oído antes.

—No es una superstición —niego sacudiendo la cabeza—. Mi abuela me decía siempre que debía calzarme primero el pie izquierdo, porque tengo la pierna izquierda más fuerte que la derecha. De este modo es más sencillo mantenerse sobre un tacón —me pongo el zapato y demuestro mi perfecto equilibrio.

—¿También eres zurda? —pregunta.

—Sí, igual que mi abuela —su recuerdo me arrastra; es una tristeza antigua, más parecida a un fantasma que a un dolor, aunque aquí la noto con mayor intensidad que en los últimos años. Es diferente a la intensa y aterradora pena que siento por mi familia.

Enora me alarga el otro zapato y Valery me conduce hacia el espejo. La imagen no me resulta tan chocante como ayer, pero esa chica con el pelo brillante y los ojos luminosos no soy yo. Estoy simplemente vestida con la piel de otra persona.

Valery y Enora permanecen detrás de mí, como padres orgullosos. Mi nueva mentora coloca suavemente una mano sobre mi hombro.

—Estás espectacular, Adelice.

—Esa no soy yo —respondo, mientras veo cómo la extraña mueve sus labios color escarlata.

—Ahora sí —susurra Enora con firmeza. En su voz reconozco el mismo tono que yo utilizo con Amie cuando sé lo que es mejor para ella, incluso cuando se trata de algo que detesta como las coles de Bruselas. Me pregunto si alguien la estará cuidando. Siento cómo el pánico asciende desde el estómago hacia la garganta, pero mi reflejo no se altera.

Una vez lista, Enora me acompaña a mi primera clase de instrucción. Trato de memorizar el camino —cuál es el aspecto de mi pasillo, qué piso seleccionar en el ascensor— ante la remota posibilidad de que en algún momento me permitan moverme por el complejo a solas. No atravesamos los mismos pasillos yermos que utilizamos ayer, y Enora me guía hasta un hermoso jardín rodeado por las altas murallas con torres del coventri. La luz del sol cae directamente sobre nosotras, creando un espacio brillante en el centro de la fortaleza de hormigón. Las palmeras protegen del sol unos pequeños pinos espinosos. Los animales corretean a mis pies. Es el lugar más salvaje —aunque domesticado— que he visto jamás. Justo cuando estoy segura de que son pantallas como las de mi habitación que muestran imágenes preprogramadas, lo veo y un escalofrío me encoge el corazón.

Ahí está, en cuclillas junto a una carretilla y limpiándose la frente con un trapo, el chico de la celda. ¿Un jardinero, un escolta? ¿Qué otros trabajos realiza y por qué? Alza la vista cuando pasamos y entonces se fija con más atención; siento la tensión que invade el espacio que nos separa —la intensidad es casi palpable—. Contempla mi vibrante traje entallado y mi nuevo rostro. Por un instante parece desconcertado, pero luego su rostro refleja algo más sombrío. No es enfado ni odio. Ni siquiera es lujuria.

Es decepción.

Cinco

Enora pasa junto al joven y me empuja hacia otra puerta en el extremo opuesto del jardín. Reprimo el impulso de volverme hacia él. ¿Para qué? ¿Para disculparme? ¿Para justificarme? ¿Qué esperaba? ¿Que incendiara el complejo y escapara, hambrienta y con frío?

—Adelice —la voz de Enora interrumpe mis pensamientos.

—¿Sí?

—Trata de prestar más atención durante el curso de orientación —comenta con un suspiro, conduciéndome hacia el interior del ala opuesta del complejo.

—Es que... —no encuentro las palabras adecuadas para expresar mis confusos sentimientos hacia el muchacho del jardín—. ¿Por qué hay chicos aquí?

—Hay numerosas tareas que no podemos realizar nosotras mismas —responde con total naturalidad.

Asiento ligeramente con la cabeza, pero no puedo ocultar que no me lo trago.

—Las hilanderas tienen un trabajo importante que hacer —añade Enora, bajando la voz—. Los hombres mantienen todo esto en funcionamiento y... —su voz se apaga y me doy cuenta de que está haciendo una elección.

—¿Y? —la animo.

—Nos ofrecen seguridad —termina.

—¿Estamos en peligro? —pregunto con sorpresa.

—¿Nosotras? No —me asegura con una ligera amargura en la voz—. A la Corporación no parece gustarle la idea de un complejo gestionado enteramente por mujeres.

Enora no mentía al afirmar que respondería mis preguntas, pero estoy desconcertada por la confianza que me está demostrando. Teniendo en cuenta que conoce mi mayor secreto, supongo que tiene sentido.

—Hoy estarás con el resto de candidatas. Trata de hacer amigas —dice, volviendo a la tarea que tenemos entre manos.

—Es como regresar al primer día de escuela —murmuro, mientras contemplo el grupo de mujeres reunidas en torno a una gran mesa de roble.

—Sí —afirma; luego toma mis hombros con sus diminutas manos y dirige mis ojos hacia los suyos—, pero con estas chicas vivirás el resto de tu vida.

Trago saliva. No parece que haya pasado tanto tiempo desde que abandoné la escuela, pero los rostros de mis compañeras de clase empiezan a desvanecerse de mi mente. Fue un largo concurso de belleza en el que cada chica se esforzaba por mantener los estándares de pureza que se esperaban de las candidatas al tiempo que hacía todo lo que estaba en sus manos para eclipsar a las demás. Cada semana, alguien descubría algo parecido a un cosmético, aunque sin llegar a serlo. A mí nunca se me ha dado bien hablar de manera efusiva, ni acicalarme. ¿Pellizcarme las mejillas? No, gracias. El maquillaje y los tratamientos de belleza podrían considerarse una recompensa por el buen comportamiento al crecer, y algo necesario cuando finalmente se accede al mundo menos segregado del trabajo, pero aquí parecen una broma incluso mayor que los estándares de pureza. Como si nos sintiéramos felices de consumirnos tras puertas cerradas con llave con tal de estar hermosas.

Al acercarme a las demás, trato de mantener una expresión neutra. Estamos aglomeradas en un pasillo sin decoración alguna, esperando a que se abra la puerta situada frente a nosotras. Pero las otras chicas, después de separarse en varios grupos más pequeños, conversan animadas entre ellas. Es un grupo variopinto: hay una muchacha ágil con el pelo muy negro y delicadamente trenzado; otra con la piel color café y el cabello corto y ondulado pegado al cráneo; chicas con melena color platino y blusas entalladas. Me pregunto si estarán entusiasmadas o nerviosas. Si habrán vendido sus almas por grandes bañeras y chimeneas. Si harían cualquier cosa que les pidiera la Corporación.

Dos agentes jóvenes nos conducen hasta un amplio espacio abierto repleto de hileras de sillas cuidadosamente colocadas en dirección a una pared blanca. Entramos en fila y ocupamos nuestros asientos. Las otras chicas se sientan juntas, riendo con nerviosismo y cuchicheando. Veo cómo una muchacha rubia alarga la mano y le acaricia el pelo a la chica que está a su lado. Muestran gran familiaridad entre ellas. A estas chicas no las han encerrado en una celda, y obviamente llevan cierto tiempo juntas. Me he perdido muchas cosas en los últimos días.

La chica de pelo negro se deja caer en la silla que hay junto a la mía. Percibo el intenso aroma a coco que desprende. De cerca, su piel es oscura y unas largas piernas sobresalen de su falda de tubo. Debe de ser unos quince centímetros más alta que yo —sin tacones—. No puedo evitar sentirme algo celosa de su exótica belleza y de lo relajada que parece en su nuevo papel. Para mi sorpresa, se da la vuelta y me habla.

—Nos dividieron en dos grupos. Tú estás en el mío.

—¿Parezco perdida? —pregunto con una sonrisa avergonzada.

—No, abrumada —responde—. Es fácil saber que eres nueva, porque la mayoría de nosotras compartimos habitación.

Bajo la voz para ajustarla a la suya:

—¿Comparten habitación?

—No todo el mundo recibe una individual —sonríe, exhibiendo una dentadura sorprendentemente blanca tras sus labios color chocolate.

—Lo siento, parece que me llevas ventaja —siento curiosidad por saber cómo se ha enterado esta chica de mi situación—. Soy Adelice.

—Lo sé —responde—. Mi nombre es Pryana. Mi madre es doncella en un pequeño hotel para hombres de negocios y ella me enseñó que si quieres enterarte de los chismes más interesantes, lo mejor es hacerte amiga de tus sirvientas. Y ahora mismo, los chismes más interesantes se refieren a ti.

Pienso en las chicas y chicos que me sirven la comida, que atizan el fuego, que me traen la ropa y me siento elitista y presuntuosa. Estoy segura de que es así como me ven, como una candidata codiciosa y hambrienta de poder. Nunca se me había ocurrido que pudieran ser fuentes de información. O que estuvieran vigilándome.

—Lo recordaré.

—Pero ten cuidado —añade Pryana, bajando más aún la voz para que nuestra conversación pase desapercibida entre el barullo de cuchicheos—. En tu nivel, prestan más atención a quién te sirve. Y con tu historial...

—¿Mi nivel?

—Chica, ¿piensas que todas vivimos a cuerpo de rey? No me malinterpretes, yo estoy encantada con mi situación actual, pero todo el mundo en el coventri se está preguntando qué ha llevado a una simple candidata hasta la torre alta.

—Está claro que necesito hacerme amiga de alguna sirvienta —murmuro. Mi mente da vueltas a esta nueva información. Tengo una idea bastante exacta de por qué estoy recibiendo un trato especial, y no tiene nada que ver con el favoritismo.

Pryana me lanza una mirada escéptica, poco convencida de que sea tan ingenua como intento aparentar. Si quiere insistir en el asunto, pierde su oportunidad, porque un brillante despliegue de colores ilumina la pared blanca que hay frente a nosotras. Los bordes se van difuminando y poco a poco aparece la silueta de una mujer. El video es holográfico, lo que le da un aspecto tridimensional, como si la mujer estuviera en la estancia con nosotras y no fuera una mera grabación.

—Bienvenidas a la fase de instrucción —dice el holograma con una sonrisa—. Ser convocada para servir a la Corporación de las Doce es un honor y el honor llega acompañado de privilegios. El Coventri Oeste quiere asegurarse de que la transición hacia su nueva vida como tejedoras sea tranquila y agradable. Durante el periodo de instrucción se le asignará una mentora a cada una de ustedes. Ella responderá a sus preguntas y las orientará sobre la conducta y la vestimenta más adecuadas.

Recorro los pasillos con la mirada. Las demás chicas tienen los ojos fijos en el video. Pryana llama mi atención y sonríe.

—Arras depende de muchachas como ustedes —continúa la actriz de la imagen—. La Corporación es una compleja organización encargada del cuidado de todo nuestro mundo, y ustedes son una pieza esencial de nuestra oligarquía. Durante la instrucción serán observadas mientras realizan diversas tareas diseñadas para evaluar su habilidad, precisión y dedicación a la hora de preservar la integridad de Arras. Su trabajo será cuidadosamente supervisado mientras aprenden cómo interpretar los patrones concretos de nuestro mundo, y su comportamiento será vigilado por el personal de seguridad y el sistema de audiovigilancia para garantizar la seguridad de todos los integrantes del complejo. Esta valiosa información se les facilita confidencialmente por su lealtad a la Corporación de las Doce. Todas ustedes fueron traídas hasta aquí porque mostraron potencial para convertirse en hilanderas, sin embargo su ubicación y tarea dentro del coventri se decidirán en base a las observaciones que realice el tribunal designado especialmente para ello.

Algunas chicas murmuran con sorpresa al escuchar esta noticia. No deben de haberles asignado mentoras todavía. Casi siento pena de que algunas de ellas hayan dejado atrás todo lo que conocen y aman para convertirse en sirvientas. Casi.

—Tegan por seguro que, una vez que han sido convocadas por la Corporación, cuentan con un puesto dentro del Coventri Oeste. Aquí existen oportunidades para las habilidades de todas las chicas y, al margen de la sección a la que finalmente sean destinadas dentro del Departamento de Manipulación, disfrutarán de muchos de los privilegios asignados a las hilanderas. Debido a la naturaleza confidencial de su instrucción, es imposible que regresen a la vida civil, pero a partir de hoy todas ustedes dispondrán de un hogar y un trabajo aquí.

—¿Qué significa eso exactamente? —sisea Pryana a mi lado.

—Significa —me inclino para que solo me escuche ella— que algunas de nosotras podríamos acabar frotando los suelos de la cocina.

Abre los ojos de par en par y sacude la cabeza con incredulidad.

—¿Le has preguntado alguna vez a tu sirvienta cómo consiguió el trabajo para limpiarte el baño? —pregunto.

—Lo haré.

No puedo imaginar a nadie lo suficientemente encantador para persuadir a una antigua candidata de revelar que fue rechazada. Una cosa es comentar de forma maliciosa las desgracias ajenas, pero admitir la propia resulta más duro.

—Las tareas les serán asignadas de acuerdo a su nivel de destreza, aunque siempre existen oportunidades de ascenso para las hilanderas leales de la Corporación —continúa el holograma de la mujer. En la pantalla, tras ella, aparece una enorme máquina. Es un telar, como el que tuve delante de mí en las pruebas, solo que mayor. Los engranajes y ruedas se conectan entre sí en silencio, unidos a una serie de intrincados tubos plateados. Mientras la mujer habla, unos brillantes filamentos de varios colores, incluido el dorado, se entrelazan en el telar. Sé por experiencia que el dorado representa el tiempo. Cuando logro concentrarme con suficiente intensidad para ver la trama a mi alrededor, veo que estos filamentos avanzan en horizontal, formando bandas. El resto de las hebras se entretejen con esas bandas, creando una apretada y vistosa tela.

Hasta este momento, solo había visto telares durante las pruebas, y además pasé tanto tiempo acallando mi compulsión de tocar el tejido que no había percibido su sutileza. Ahora resplandece lleno de vida. Mientras lo observo, la imagen de la pantalla cambia. Los engranajes del telar se mueven, acercando un fragmento de la tela que hay en el telar. En primer lugar, las fibras sugieren la vista aérea de un barrio. Luego se enfoca más de cerca hasta revelar la imagen de una calle. Y por último, la trama muestra a una familia sentada en su casa. El video regresa de nuevo a la imagen del complejo tejido que nos enseñaron en primer lugar.

—Las tejedoras trabajan mano a mano con los hombres que supervisan la Corporación de las Doce. En el complejo del Coventri Oeste, su trabajo se centrará en tejidos básicos, de mantenimiento y bordado crewel. Nuestro complejo es responsable de los alimentos y la meteorología, y las tejedoras más avanzadas se encargan de asuntos específicos de nuestro sector. Todas ustedes fueron destinadas a esta instalación en base a sus pruebas de aptitud. Si desarrollaran habilidades en otras áreas, la Corporación podría tramitar un cambio de asignación en cualquier momento. Los cuatro coventris trabajan en equipo para mantener la integridad física del tejido de Arras y asegurar que nuestro mundo permanezca unido de forma segura y próspera. La ubicación de cada coventri ha sido cuidadosamente elegida para proporcionar un control óptimo sobre el tejido, y aunque en cada uno se han asignado tareas específicas a las mujeres que trabajan en sus telares, todos son igualmente importantes. Las hilanderas avanzadas pueden realizar trabajo de crewel, un tipo de manipulación para hacer añadidos a Arras y controlar elementos imprescindibles para nuestra supervivencia.

—La paz y la prosperidad de Arras se consiguen a través de su trabajo en los telares. Seguir rigurosamente los patrones para asegurar que las ciudades funcionen sin problemas y revisar el tejido en busca de evidencias de deterioro nos permite atajar comportamientos y circunstancias peligrosos antes de que puedan afectar a la seguridad de nuestros ciudadanos. Se han desarrollado técnicas especiales para limpiar y renovar los hilos dañados por tendencias aberrantes. Trabajamos en estrecha colaboración con las escuelas de todo el mundo para cortar de raíz las conductas desviadas a una edad temprana. Esto asegura una población sin delitos ni accidentes. Confiamos en ustedes para informar inmediatamente de cualquier irregularidad encontrada en el tejido.

Así que esto es a lo que se refería Cormac cuando se rio de mí en el café. Arras no es tan pacífico como la Continua y los oficiales quieren hacernos creer, al menos no de forma natural. Cualquiera que sea ese procedimiento para limpiar las hebras, estoy segura de que es lo que utilizaron en Romen después de mi desastrosa recogida. ¿Se sentirían los ciudadanos tan seguros si supieran que el comportamiento desviado existe, pero que simplemente es borrado de sus memorias? ¿O que las hebras de sus hijos pueden limpiarse en cualquier momento si un profesor lo solicita? Por primera vez, me alegro de no ser una profesora obligada a tomar esa decisión imposible. Y adquiere sentido la jaula dorada con ventanas falsas y hormigón en la que nos mantienen encerradas. No podemos regresar a casa sabiendo todo esto.

El video pasa del mensaje holográfico a una proyección de imágenes de todo Arras que aleja mi atención de esta revelación. Mantengo la mirada fija en las imágenes, pero para mi decepción, las ciudades que aparecen presentan el mismo aspecto que Romen: enormes torres de hormigón con miles de ventanas que se alzan en el centro de la ciudad y pequeñas casas y almacenes que salpican el perímetro en espirales perfectas. La vegetación es lo único que parece variar en los paisajes. En Romen, había césped, olmos enormes, arbustos y flores amarillas y blancas cuidadosamente distribuidas. Pero estas ciudades tienen palmeras, pinos, helechos y una hierba alta y amarilla, unas plantas que solo había visto en pantallas en la escuela. Las diferencias son mínimas, aunque contemplar todo Arras delante de mí resulta emocionante.

—Bienvenidas al Coventri Oeste y que sus manos sean bendecidas —concluye la voz de la mujer.

La imagen final corresponde a un imponente complejo que vi docenas de veces en la escuela. Es donde me encuentro en este momento: el Coventri Oeste. Algunas chicas gritan de alegría, sin embargo yo siento el peso del hormigón y los ladrillos aplastándome. No hay nada emocionante en el complejo. Está amurallado. Tiene aspecto de fábrica. Es lo que representa —la promesa de poder y privilegio— lo que emociona a las demás. Pero yo solo veo que carece de ventanas y que se alza como una jaula infinita hacia el cielo sin nubes. Es imposible escapar de aquí.

—No tienes buena cara —me susurra Pryana mientras el video va desvaneciéndose—. ¿Te mareaste con las imágenes?

Niego con la cabeza, realmente agradecida por su preocupación.

—Estoy bien. Es solo que han sido unos días muy largos.

—Bueno, por mi parte estoy lista para trabajar en esos telares. Lo he estado deseando desde las pruebas —afirma con los ojos color café chispeantes ante la perspectiva.

—¿Todavía no los has probado? —pregunto bastante sorprendida.

—No —me confirma Pryana—. Hasta ahora todo ha sido tomarnos medidas, darnos clases de protocolo y ver videos en pequeños grupos. Déjame pensar. Nos recordaron al menos cien veces la importancia de la castidad para conservar nuestras habilidades.

—Aquí tampoco hay muchas posibilidades de tener una aventura —me río al ver su expresión de fastidio.

—¿Estás bromeando? —pregunta con los ojos muy abiertos—. ¿Es que no lo has visto?

Señala hacia la puerta; recorro el lugar con la mirada hasta que veo a Erik, esperando para conducirnos a nuestra siguiente sesión. Enora no se encuentra a la vista, aunque supongo que la mayoría de las hilanderas estarán trabajando.

—¿Él? —pregunto con indiferencia.

—Vamos, es guapísimo —exclama—. Si la mitad de los agentes fueran la mitad de atractivos que él, tendrían que ponerme ese estúpido video sobre los estándares de pureza a diario.

Debo admitir que tiene razón. Hoy lleva su impresionante melena rubia peinada hacia atrás, y roza suavemente los hombros de su traje oscuro con raya diplomática. Me pregunto si serían sus habilidades o su aspecto lo que le valió el puesto de ayudante de Maela. Sin embargo, la mirada descarada de Pryana resulta un tanto excesiva. No puedo evitar contemplar las reacciones de las chicas cuando Erik entra en la sala. Algunas alzan la vista tímidamente, otras se yerguen en la silla y sacan pecho, pero todas están pendientes de él. Supongo que no es tan sorprendente, teniendo en cuenta la segregación. Erik, o cualquiera de los numerosos agentes, es el primer contacto que la mayoría de nosotras ha tenido con chicos de más o menos nuestra edad. Espero no encogerme igual que algunas de ellas, como si estuviera avergonzada de mi propia feminidad. Aunque tal vez eso explique mis comentarios mordaces cuando estoy cerca de ellos, o la forma en que el extraño muchacho aceleró mi corazón cuando me sacó de la celda.

—Sí, es lindo —acepto, tratando de ser amable—. Aunque tiene el pelo horriblemente largo. Me sorprende que lo dejen traelo así.

—Estoy segura de que no van a tener ningún problema contigo con eso de los estándares de pureza —se burla Pryana—. Además, he oído que el pelo largo es habitual en los pueblos costeros como Saxun. Mira, ¡nos vamos!

La mayoría de las chicas se encuentran ya en el pasillo; Erik encabeza el grupo, mientras otros agentes avanzan detrás de nosotras.

—Señoritas, hoy las acompañaré en un recorrido por el complejo. Como deben saber, soy el ayudante de Maela, la tejedora encargada de la instrucción, pero sus obligaciones requieren que hoy permanezca en el telar. Visitaremos los talleres y departamentos del Coventri Oeste —dice Erik en voz alta para que todo el grupo lo escuche—. Para su tranquilidad, he recibido una preparación adecuada para servirles de guía.

—Vaya —murmura Pryana—, nada de telares, pero al menos pasaremos el día con él.

En vez de asentir, le agarro el brazo y la arrastro hasta la cabeza del grupo. No me voy a perder ni un minuto de este recorrido. Erik alza una ceja mientras me abro camino a empujones hacia la parte delantera, pero no dice nada.

—Chica —susurra Pryana—, te está mirando.

—Claro, porque atropellé a medio grupo para llegar hasta aquí —contesto también en un susurro.

—Respecto a eso... me gusta tu estilo.

Le regalo una sonrisa de agradecimiento y luego devuelvo mi atención a Erik, que ha continuado con su perorata. Al final del vestíbulo se abren tres pasillos y él nos conduce hacia el que se encuentra más a la izquierda.

—La mayoría de ustedes trabajarán en los puestos del nivel de entrada —comenta mientras abre una puerta hacia una gran estancia. En el interior, hay filas de pequeños telares perfectamente alineados, cada uno ocupado por una tejedora que se afana en trabajar en su fragmento de Arras. En la pared del fondo, un par de ventanas permiten que entre la luz, pero el ambiente del taller abarrotado resulta claustrofóbico.

—Podrían proporcionarnos más luz —dice Pryana.

—Sobre todo porque esas ventanas no son reales —susurro. Con el rabillo del ojo, veo que Erik frunce el ceño.

—¿Que no son ventanas reales? —repite Pryana.

Por su sorpresa y la expresión enfadada de Erik, me doy cuenta de que yo no debería saber que las paredes y ventanas del complejo son pantallas programadas. Los animales enjaulados suelen sentirse alegres siempre que ignoren que están encerrados.

—Sí, las ventanas de mi habitación son enormes —miento—. Podrían poner ventanas más grandes en los talleres.

Pryana se tranquiliza, dispuesta a creer mi explicación, pero Erik inclina la cabeza y me mira fijamente antes de hacer una seña al grupo para que siga adelante.

—En el nivel de entrada, se ocuparán del racionamiento, tejiendo los alimentos procedentes de las poblaciones agrícolas en todas las ciudades de Arras. También se les podría asignar la búsqueda de hilos flojos o cualquier otro signo de deterioro —nos explica mientras pasamos junto a salas y salas como la primera. Debe de haber cientos de hilanderas dedicadas a estas tareas básicas.

—Desde aquí —continúa, dirigiéndonos hacia un nuevo pasillo—, podrían ascender a los talleres dedicados a la meteorología, donde se asegura que caiga la cantidad justa de precipitaciones en cada sector. En otros, realizarían extracciones y alteraciones estándar como las transposiciones.

Los talleres dedicados a la meteorología son más espaciosos y en cada uno de ellos solo trabaja una docena de chicas más o menos. Los telares que ocupan son más grandes y ninguna parece darse cuenta de que las nuevas las están contemplando. O tal vez les da igual.

—Creo que preferiría trabajar aquí —me dice Pryana.

Estoy de acuerdo con ella. No sé si podría soportar el ambiente viciado de los primeros talleres o las tareas de ínfima importancia que se encargan a las hilanderas del nivel de entrada.

—Las hilanderas que muestren un mayor talento trabajarán en la siguiente ala —comenta Erik a la multitud.

Salimos del pasillo tras él y accedemos a una estancia circular. La pesada puerta de estos talleres se encuentra vigilada y requiere una acreditación de seguridad.

—Por desgracia, el trabajo que se realiza en estos estudios es tan delicado que no podemos arriesgarnos a interrumpir a las hilanderas que trabajan en ellos —dice Erik.

Las chicas que me rodean refunfuñan y sisean, pero Erik alza una mano para indicar que desea terminar su discurso.

—Comprendo que resulte decepcionante, pero también es necesario. En los talleres superiores se encuentra el Departamento de Emergencias, el cual garantiza que no se produzca ningún accidente en el Sector Oeste. También albergan el Departamento Oeste de Orígenes. En él, las hilanderas supervisan la distribución de bebés en Arras.

—¿Cómo dices? —pregunta Pryana en voz alta. Algunas chicas a nuestro alrededor ríen entre dientes—. ¿Que hay bebés ahí arriba?

Erik niega con la cabeza y veo una sonrisa insinuándose en sus labios.

—No —la tranquiliza—. El proceso de traer una nueva vida a Arras es muy meticuloso. Una vez que las clínicas locales de la Corporación han aprobado un embarazo, el Departamento de Orígenes del sector correspondiente trabaja en colaboración con los doctores y hospitales de la zona para insertar suavemente la nueva vida en Arras. Para llevarlo a cabo, las tejedoras programan los nacimientos, de modo que la nueva hebra pueda ser entretejida al tiempo que el médico y el equipo quirúrgico controlan el parto. En el coventri es un trámite rutinario, pero requiere delicadeza.

—A mí me gustaría entregar bebés —dice una chica bajita con el pelo castaño claro—. ¿No sería bonito?

Asiento automáticamente con la cabeza, aunque no dejo de pensar en mi madre y en la cicatriz que estropeaba su perfecta figura, atravesándole el vientre. Mis padres se aseguraron de explicarme cómo se fabricaban los bebés, insistiendo en que no era justo esperar que yo cumpliera los estándares de pureza sin saber de lo que debía alejarme, sin embargo nunca me contaron cómo venían los niños al mundo. Ahora comprendo por qué era imposible que tuviera otro hijo sin permiso. Y todos aquellos años suplicándole un hermano y contestando de forma airada cuando me decía que era imposible. ¿Por qué no sería más clara respecto a las expectativas y las normas? Tal vez de ese modo habría sabido cómo escapar del escuadrón de recogida, en vez de esperar sentada a que llegaran.

—¿Qué más hay ahí arriba? —pregunta Pryana a Erik, acercándose mucho a él.

La veo aventurarse lejos de la seguridad del grupo. Se siente cómoda, totalmente invencible dentro de su ajustado traje de chaqueta que deja al descubierto sus largas piernas color ámbar. No puedo evitar maravillarme ante la confianza que destila y, si soy sincera, me siento un poco celosa también. No obstante, Erik apenas le presta atención, lo que significa que, o es muy bueno en su trabajo, o es acertada mi sospecha de que es algo más que el ayudante personal de Maela.

—Todo lo demás es información clasificada —responde, alejándose de Pryana y haciendo señas para indicarnos que es hora de irnos.

—Tal vez no le gusten las chicas —murmura Pryana mientras regresa a mi lado.

—Está entrenado para mantenernos a raya —comento—. Dudo que tardaran mucho en echarlo si todas las hilanderas que entran nuevas fueran incapaces de mantener los estándares de pureza por su culpa.

—Probablemente tengas razón —responde con un suspiro—. A pesar de todo, no puedo dejar de mirarlo.

Continuamos nuestro recorrido y debo luchar entre mi deseo de preguntarle a Pryana sobre todo lo que me he perdido y el intento de no precipitarme. Menos mal que ella parece impaciente por contarme todos los chismes.

—En Cypress hubo diez recogidas —me cuenta mientras caminamos con el grupo—. Creo que fue una especie de récord.

Noto orgullo en su voz.

—¿Y las encontraron a todas en las pruebas? —le pregunto, pensando si las chicas de Romen están especialmente exentas de talento.

—Por supuesto —responde Pryana—. La mayoría está ahí delante.

Señala a las chicas que avanzaban en la cola del grupo original y ahora lo lideran. Tienen el mismo pelo negro brillante y la misma piel tostada que ella.

—¿Alguna es tu amiga? —le pregunto.

Pryana sacude la cabeza con indignación.

—No, las chicas de Cypress solo se preocupan por conseguir citas de cortejo. Las ciudades del norte son así. He oído que en el este son más ambiciosas.

Por un instante me pregunto qué dirán de los que procedemos del oeste, pero no digo nada. Me interesa más saber por qué Pryana desea estar aquí.

—¿Y qué me cuentas de ti? —comento—. Tu familia, ¿se alegró cuando te convocaron?

—Claro —responde, mirándome como si yo estuviera loca—. Mi madre es sirvienta. Siempre había soñado con que yo ascendiera, y mi hermana pequeña está deseando que la convoquen en unos años.

Siento una punzada en el corazón al pensar que Pryana quizá vea a su hermana en algún tiempo. Tras la resistencia de mis padres, lo más probable es que la Corporación se asegure de que Amie nunca acabe aquí, aunque sea convocada. Me siento más que ligeramente celosa por la facilidad con que Pryana se está adaptando a su nueva vida.

Para mi sorpresa, cuando llegamos a la entrada de esta ala del complejo, nos detenemos. Erik intercambia unos susurros con otro guardia y desaparece en una habitación próxima. En vez de avanzar con nosotras, el guardia nos indica con una seña que esperemos. Momentos después, aparecen más guardias y se me forma un nudo en el estómago. Nos piden que regresemos al pasillo y luego nos encaminan hacia una larga escalera de caracol. Ascendemos por la torre como las trágicas princesas en los libros de cuentos heredados de la familia que mis padres ocultaban en agujeros.

La escalera conduce hasta una grandiosa estancia de piedra con las paredes salpicadas de ventanas con extrañas formas y demasiado pequeñas para colarse por ellas, pero con un tamaño suficiente para ver a través —el tipo de estancia en la que se oculta a una chica—. Por todas partes hay grandes telares de acero como los del video, pero estos están inertes y vacíos. Se hallan conectados entre sí por diversos engranajes y ruedas y por las paredes se extienden tubos que se curvan en torno a las grandes bestias metálicas. Repartidos de manera uniforme por la habitación hay pequeños taburetes acolchados. Me pregunto si habrán dejado salir antes a las tejedoras que trabajan aquí para que podamos utilizar sus máquinas.

Las otras chicas señalan los telares y susurran, con los ojos muy abiertos, y me siento de nuevo aislada.

Maela, con un aspecto tan impresionante como el que lucía en la habitación de los espejos, entra majestuosamente en la estancia, seguida por Erik y otro guardaespaldas. El otro guardia lleva el pelo casi rapado, pero ambos presentan una perfecta musculatura y resultan sorprendentes y sin duda peligrosos. Maela se eleva frente a nosotras, con su vestido color carmesí como una mancha de sangre sobre el fondo negro de los trajes masculinos. Quiere intimidarnos, pero me yergo y alzo ligeramente la mandíbula para demostrarle que no está funcionando.

—Buenas tardes —dice entre dientes, haciendo una floritura con los brazos—. Hoy comienzan su viaje para convertirse en tejedoras, y van a pasar su primera prueba. Evaluará su habilidad natural para interpretar el tejido y el control que tienen sobre ella. También proporcionará un beneficio inconmensurable a las ciudades que tienen ante ustedes.

Algunas chicas aplauden el anuncio, sin embargo yo mantengo la mirada fija en ella.

—Tenemos una sorpresa para ustedes. Lo habitual es que no tuvieron acceso a un telar de verdad hasta que su destreza hubiera sido confirmada y perfeccionada, pero este año existe la posibilidad de realizar algo de poda preventiva. Sé lo emocionadas que estarán ante tal oportunidad —dirige los ojos hacia mí mientras habla—, pero como se explicó en el video de presentación, no todas ustedes se convertirán en tejedoras.

El grupo se agita con inquietud a mi alrededor y el alegre murmullo que lo recorría hace una hora se ha transformado en pánico callado.

—Tengan por seguro que cuando fueron invitadas...

Me río antes de poder evitarlo.

—Adelice, ¿hay algo que te haga gracia? —pregunta Maela bruscamente, y todas las cabezas se giran para mirarme.

—Me recordaste algo que sucedió hace un tiempo —sonrío, obligándome a mantener mis ojos fijos en los suyos—. Pero, por favor, continúa.

Si las miradas mataran.

—Como iba diciendo... —Maela no se distrae, sin embargo creo que yo he llamado la atención de forma innecesaria—. Todas permanecerán al servicio del coventri. Muchas de las que fueron descartadas para las tareas de hilado o bordado crewel están bastante contentas trabajando en nuestra fábrica de tejidos o en otros puestos necesarios.

Como doncellas y sirvientas.

—Aquí siempre habrá un sitio para ustedes —Maela nos ofrece una meticulosa sonrisa.

Muchas de las chicas parecen calmarse, aunque da la sensación de que algunas están sopesando lo que acaban de escuchar.

—Uno de los aspectos más importantes del trabajo de hilandera es la retirada de hebras flojas. Cada persona, objeto y espacio de Arras dispone de su propia hebra o, en el caso de un lugar, un fragmento de tejido. Nosotras nos ocupamos del mantenimiento de Arras redistribuyendo, añadiendo y extrayendo estas hebras y fragmentos del conjunto. Si una hebra está floja, pone en peligro a las que la rodean. El tejido es maleable, lo que concede cierta flexibilidad a las ciudades, y a nuestro trabajo, por supuesto. En pocas palabras, algunas hebras son más elásticas que otras. Debemos ser cuidadosas para restaurar y sustituir lo que sea necesario, aunque en ocasiones también es preciso extraer.

Está hablándome directamente a mí.

—La existencia de demasiadas hebras flojas pone en peligro secciones grandes y, como podrán imaginar, eso supone un riesgo para todo el mundo.

Aparta la mirada para buscar el asenso de su silenciosa audiencia.

Las demás candidatas asienten con seriedad. Yo no. A mi lado, Pryana me golpea el brazo como instándome a imitar al resto y mostrar mi acuerdo.

Nadie hace preguntas. Mueven la cabeza con sincronizada conformidad, como si *por qué* nos están pidiendo que hagamos estas cosas fuera algo trivial. Lo único que cuenta es obedecer las órdenes de la Corporación, porque ellos dicen que son importantes. ¿Es que no sienten ninguna curiosidad por el movimiento continuo de las bandas de tiempo? ¿No quieren saber cómo nos ayudan las máquinas a trabajar? Soy la alumna menos apreciada por Maela, así que mi situación no es la más adecuada para formular estas preguntas, y a nadie más parece importarle.

—Hoy, cada una de ustedes realizará su primera extracción —nos dice Maela.

—¿Te refieres a arrancar? —pregunta Pryana. Durante un breve instante Maela tensa visiblemente los músculos de la mandíbula, pero se mantiene serena.

Creo que Pryana me gusta lo suficiente para hacerme su amiga, como me aconsejó Enora.

—Sí, algunas personas lo definen de ese modo. Yo encuentro el término ordinario —responde Maela con suavidad, aunque con la mandíbula todavía tensa.

A mí me parece ordinario todo el proceso, pero me muerdo la lengua para no atraer su cólera o la atención de sus embelesadas discípulas.

Maela hace una seña con la cabeza a Erik, que se dirige hacia la pared del fondo y pulsa una serie de botones. Las chicas lo contemplan, e incluso Pryana muestra una expresión glotona al verlo moverse. Tan pronto como Erik introduce el código, unos tapices brillantes y casi transparentes aparecen en los extraños telares de acero que salpican la habitación. La aparición del tejido es lo único que consigue apartar de Erik los ojos de las chicas. Muchas exclaman sorprendidas, y una incluso retrocede como si la visión la asustara. Para las muchachas que solo hayan tocado un telar de prácticas en las pruebas, contemplar Arras delante de ellas debe de resultar abrumador. Incluso a mí, que siempre he sido capaz de visualizar la trama, verlo así, dispuesto para nuestro uso, me provoca un nudo en el estómago.

—¿Se puede ver el tejido sin un telar? —la pregunta ha abandonado mi garganta antes de poder contenerla, pero necesito saber hasta dónde llega mi rareza.

Erik me observa con curiosidad, pero Maela me mira enojada por la interrupción.

—No, eso es ridículo. El tejido es el tiempo y la materia que ocupamos en este mismo instante. Por supuesto que no se puede ver sin telar —responde bruscamente.

Excepto que, *por supuesto,* yo puedo. Pero aparentemente ella no es capaz de hacerlo, y a juzgar por la expresión en los rostros de las demás, ninguna de ellas puede. Soy la única con esa habilidad.

—Esto —continúa Maela, señalando un amplio y elaborado fragmento tejido con alegres tonos verdes, rosas y rojos— son ustedes.

Las chicas se arremolinan más cerca y se empujan para contemplar la brillante tela.

—Somos preciosas —comenta sobrecogida una muchacha menuda.

—Por supuesto que lo son —susurra Maela—. El resto de los fragmentos pertenece a diversas ciudades del Sector Oeste. Los telares nos permiten seleccionar y visualizar el tejido real de Arras. Cada día, las hilanderas recorren las zonas de tejido que están bajo nuestra responsabilidad, localizan las hebras frágiles y tramitan las solicitudes de extracción que recibimos a través de las autoridades correspondientes.

Nos muestra cómo ajustar el telar para conseguir una imagen más detallada del tejido. Ante nuestros ojos, el fragmento de Arras que aparece en el telar se transforma de un remolino de colores y luz a la delicada imagen de una casa.

—¿Se puede solicitar una extracción?

—Sí, claro. Los ciudadanos pueden hacerlo a título personal, así como los agentes responsables de la ley. El personal hospitalario presenta las solicitudes de extracción de los individuos con mala salud y los ancianos.

Recuerdo a mi abuela y me pregunto quién enviaría la solicitud de su extracción —desde luego, ni ella ni mi madre—. No estaba tan débil. Me escuecen los ojos al pensar que algún doctor decidiera que había llegado su hora.

—En estos telares aparecen las zonas que requieren mantenimiento. Recorreremos cada uno de ellos y tendrán la oportunidad de identificar los puntos débiles y extraerlos. Aunque los telares nos permiten acercar o alejar la pieza lo que sea necesario, e incluso localizar hebras muy específicas, se necesita cierta habilidad para encontrar la debilidad sin emplear los amplificadores y localizadores.

Me muevo incómoda sobre los tacones y me doy cuenta de que otras candidatas hacen lo mismo. Es pedirnos demasiado, teniendo en cuenta lo novatas que somos.

—No deben asustarse —comenta Maela de modo tranquilizador, consciente del temor a su alrededor—. Simplemente tienen que utilizar los dedos para interpretar el tejido. Observen.

Maela se acerca al telar más próximo y desliza un dedo largo y fino por la superficie, de izquierda a derecha, bajando por las pasadas del tejido hasta que su mano se detiene. Cierra los ojos un instante y deja que su mano descanse en ese punto.

—Esta —afirma, y el grupo se queda totalmente quieto— es más delgada que el resto. Está desgastada y vieja. Puedo sentir la presión que está ejerciendo sobre las hebras cercanas. Están realizando un esfuerzo mayor del que les corresponde para mantener el conjunto unido.

Nadie respira mientras Maela toma un largo instrumento plateado del carrito situado junto al telar.

—No hay más que introducir este extremo —explica mientras inserta cuidadosamente el gancho entre las hebras y con un rápido movimiento rasga la pieza. Del extremo cuelga un hilo brillante que nos tiende para que lo inspeccionemos—. Sencillo.

Siento un vuelco en el estómago. ¿Qué se sentirá al ser extraído? El hilo aún existe, pero ¿dónde está ahora esa persona?

—¿Quién está lista para intentarlo? —pregunta Maela.

Una docena de chicas se adelantan, se arremolinan, ansiosas de demostrar su valía.

Pryana me mira, y reconozco el terror reflejado en sus ojos almendrados. Al menos no soy la única asqueada por esta prueba.

Una tras otra, las chicas se acercan y realizan su intento. Una está a punto de arrancar un fragmento entero, pero Maela la detiene con rapidez. Me pregunto si su error la condenará a trabajar toda su vida como una esclava a merced del coventri. Poco después, solo quedamos Pryana y yo. Percibo su incomodidad, así que doy un paso adelante, no solo para concederle un instante más para serenarse, sino para acabar cuanto antes con esto.

Maela me conduce hacia una nueva pieza. El tejido es más elaborado que el de los demás fragmentos que hemos visto hasta ahora: miles de hebras brillantes se enlazan y entretejen en un arcoíris de luz. Algunas chicas lo miran con aprensión. Es mucho más complicado que el resto, pero eso no es lo que me asusta.

—Veamos de lo que eres capaz —dice Maela en tono alentador.

Alargo la mano y coloco las puntas de los dedos delicadamente sobre la pieza. La sensación es horrorosa. Ya había tocado secciones del tejido antes, pero nunca fragmentos que contuvieran personas. Una corriente eléctrica recorre la tela y me doy cuenta de que lo que estoy sintiendo es la energía de las miles de vidas que descansan bajo mis dedos. A pesar de su complejidad, mi mano localiza de inmediato la debilidad. Es tan leve que no imagino cómo podría extraer la hebra sin dañar las que hay distribuidas a su alrededor. Tampoco comprendo que esta minúscula debilidad pueda suponer una verdadera amenaza para una tela tan grande y tejida con tanta firmeza.

—Está aquí —susurro, y escucho un murmullo impresionado de las chicas que me rodean.

—Muy bien —se limita a replicar Maela. Blande el gancho como un arma, y percibo el desafío en sus ojos. Debe saber que esta extracción es innecesaria, y posiblemente peligrosa, pero está claro que pretende someterme a una prueba de nivel más avanzado.

—No es necesario —retiro la mano—. No supone ningún peligro para una pieza tan magníficamente tejida.

—En realidad, esa decisión no te corresponde a ti, Adelice —susurra y me acerca aún más el gancho.

—Extraerla pondría en riesgo a todas las hebras de alrededor. No es necesario —alzo la barbilla y la miro a los ojos, animándola a desestimar mi afirmación.

—Adelice, no te lo repetiré. Cuando no realizas tu cometido nos pones a todos en peligro —añade, como si me estuviera enseñando a hacer sencillas sumas y restas.

—Y yo te digo que no supone ningún riesgo —reitero. Mi corazón empieza a palpitar a toda velocidad—. De hecho, sería más peligroso extraerla.

—¿Tú crees? —parece realmente interesada en mi opinión, aunque sé que se trata de una farsa—. En ese caso...

Su movimiento es tan rápido que no lo veo venir. Empuña el gancho como una navaja, acuchillando el tejido y desgarrando una sección completa; del gancho cuelgan cientos de hebras brillantes. Hace una seña al fornido oficial.

—Toma estos y los otros para almacenarlos e informa a la tejedora de guardia que necesitamos un arreglo de emergencia —le alarga el gancho con aire despreocupado. Nadie habla; solo miramos atónitas.

Trato de morderme la lengua, pero el caudal de ira que inunda mi cuerpo y mis mejillas lo impide.

—Eso era innecesario.

—Te dije que incluso una hebra floja suponía un peligro —Maela frunce el ceño y sacude la cabeza con un gesto de pretendida lástima. O tal vez de remordimiento. Ninguno creíble—. ¿Quieres ser responsable de una tragedia? —me pregunta, paseando la mirada por la estancia. La pregunta es retórica, pero varias chicas niegan con la cabeza.

—Si fallamos a la hora de realizar nuestro cometido, comprometemos todo lo que se ha construido —continúa y mientras me mira, gira un diminuto botón en el lateral del telar. El tejido que tenemos frente a nosotras, destrozado y roto, comienza a enfocarse. Al principio parece un elaborado pedazo de tela que se despliega sobre la máquina, pero cuando Maela acerca y ajusta la imagen, se convierte en una ciudad. Es como si estuviera viendo un plano con un agujero. Entonces Maela gira la rueda otra muesca y se convierte en la vista de una calle; una avenida flanqueada de árboles, muy parecida a la de mi casa, que conduce a un edificio, una escuela. Se ve el arco de una puerta, la fachada de ladrillo de la entrada y luego nada. El resto del edificio ha desaparecido, sencillamente ha sido arrancado, dejando trozos de ladrillo que caen y desaparecen en un abismo. Simplemente, ya no está ahí.

Hasta ahora me había sido imposible comprender el alcance del arrebato de Maela y ver el tejido en forma de tapiz evitó el enfado que ahora me provoca la imagen. ¿Esto ha sido para darnos una lección? ¿Y qué hemos aprendido? Que Maela es una psicópata. Sin duda, podría haberlo imaginado. ¿Para esto necesitan la tecnología de limpieza, para borrar las acciones de personas como ella? Tal vez sea a ella a quien necesitamos olvidar.

Maela mantiene sus ojos color violeta fijos en mí, hasta que la insinuación de una sonrisa surca fugazmente su rostro. La brevedad del gesto no permite que nadie, excepto yo, lo perciba.

—Creo que hemos terminado por hoy.

Miro a Pryana, que ahora debería ser mi amiga. Al menos la he *salvado,* aunque solo sea por el momento. Su expresión lo dice todo: no está preparada para esto. Con lo ansiosa que estaba de convertirse en hilandera, está claro que no se esperaba algo así. Aunque para ser sincera, yo tampoco.

—Pryana, estás excusada —dice Maela—. En vista de la situación, no sería justo.

Los ojos color café de Pryana reflejan mi propia alarma.

—Siento tu pérdida —añade Maela con una sonrisa tonta, al tiempo que aprieta el hombro de Pryana.

—¿Qué pérdida? —Pryana habla tan bajo que Maela la mira como si no la hubiera escuchado.

Tomo la palabra, con la boca seca.

—Pregunta que qué pérdida.

—Por desgracia —Maela disfruta sus palabras—, esta pieza corresponde a la escuela de Cypress.

Pryana ahoga un grito y sus ojos se dirigen rápidamente al tejido, tratando de descifrar la brillante telaraña.

—Me imagino que no habrá quedado mucho de ella —comenta Maela con expresión de disculpa, y luego se vuelve para susurrar algo a Erik.

—Mi hermana asiste a la escuela de Cypress —dice Pryana en voz baja.

Todo el mundo la observa, pero su mirada permanece fija en la pieza mutilada. Algunas chicas se vuelven hacia mí. Cuando Pryana alza los ojos, los dirige directamente hacia donde yo me encuentro.

—Tú la mataste.

Estoy casi segura de que lo que espera Maela es que ahora *Pryana* me mate *a mí*. Me preparo para ello cuando un par de manos firmes me agarran del brazo. Erik me está arrastrando hacia un lugar seguro.

Seis

Caminamos rápidamente hasta que llegamos al pasillo de piedra por el que salí apenas ayer. Allí Erik reduce el paso y relaja la mano con la que me agarra. Levanto la vista y descubro que está sonriendo de forma burlona. Parece muy profesional con su elegante traje oscuro, cuidadosamente afeitado y arreglado. Su salvaje melena rubia y su sonrisita torcida son lo único que traiciona su seriedad. Es más joven de lo que pensé, aunque en nuestros anteriores encuentros yo estaba o medio drogada o medio muerta de hambre. Aun así, no puedo evitar preguntarme si es tan peligroso como su jefa.

—¿Me perdí de algo divertido? —pregunto.

—Bueno, tú estabas allí —me asegura Erik, todavía sonriendo—. Realmente sabes cómo sacar de quicio a Maela. Nunca la había visto perder el control de esa manera.

—Tienes un extraño sentido del humor —pienso de nuevo en la perfecta calma de Maela, rota por un único y desastroso instante de furia. Pero incluso en ese momento, mantuvo el control, sin alejarse del firme propósito de su ira, que era volver a Pryana en mi contra.

—¿Por qué no lo hiciste? —pregunta Erik.

—No era necesario. Esa hebra era fuerte —respondo sin dudar.

—Pero la Corporación tendrá alguna razón para solicitar su extracción —sostiene Erik, soltando mi brazo.

—¿De verdad? —pregunto, y al instante deseo no haberlo hecho. Estoy segura de que cualquier cosa que le diga será comunicada inmediatamente a Maela, sobre todo si suena a que lo estoy cuestionando. Pero si Erik tiene una respuesta a mi escepticismo, no la comparte.

Nos detenemos frente a una enorme puerta de roble, y la abre de un empujón.

—¿Te interesa una visita guiada breve? —dice con un ligero brillo en sus ojos azules.

Echo un vistazo a la celda de piedra vacía y niego con la cabeza.

—He estado aquí antes, pero gracias de todas maneras.

—Te echaré un vistazo más tarde —añade, regresando al pasillo.

—Lo estoy deseando.

—Lo sé —Erik me guiña un ojo y cierra la enorme puerta.

Lo primero que veo es el aseo. Debo de haber hecho algo para merecer esta ligera mejoría en mi encierro, pero no estoy segura de qué. Aun así, es una pequeña comodidad. Ahora sé que moriré aquí dentro. Tal vez no en esta celda, pero sí en algún lugar del coventri. En la oscuridad, en vez de concentrarme en mi propio destino, pienso en mi madre y en Amie. En esta celda, sin las cegadoras luces y el abrumador colorido del complejo, puedo esbozarlas en mi mente. La manera en que mi madre se iba quitando la pintura de los labios al mordérselos cuando estaba concentrada. O cómo Amie le enumeraba lo que cada chica de su clase llevaba puesto, hasta el color de los calcetines, y quién se había metido en problemas por hablar durante la hora de silencio. La oscuridad me permite imaginar que estamos de nuevo en nuestra habitación, riendo como tontas porque a Yuna Landew la convocaron durante las clases para interrogarla sobre su pureza. Por supuesto, esa parte ya no me parece tan divertida.

Ahora que sé lo lejos que es capaz de llegar la Corporación para demostrar algo, me pregunto qué le sucedería a Yuna. Tal vez se hiciera mejor la tonta que yo. Debería haber supuesto que la pequeña prueba de Maela no iba tan dirigida a descartar a las chicas débiles, como a probar mi lealtad. Cientos de personas han muerto por mi culpa. ¿Y a quién he «salvado»? ¿A un profesor anciano o a un niño con una enfermedad terminal?

Justo cuando me estoy hundiendo en la más profunda desesperación, la puerta de mi celda se abre con un chirrido. Doy un pequeño salto al advertir que es el extraño muchacho con los ojos decepcionados que me trae la comida.

—¿Tanto me extrañabas? —bromea, colocando la bandeja cerca de mí. Me he acurrucado en un rincón que parece más cálido que el resto de la celda.

—No te hagas ilusiones. Los suelos fríos de prisión son fetiche para mí.

—¿Fetiche? Vaya palabra —alza una ceja, desafiándome a explicarle cómo una candidata pura conoce un término como ese.

Quiero decirle que, al contrario que las demás idiotas de risa fácil que hay por aquí, yo he leído un libro o dos, pero, sin importarme lo mucho que podría impresionarlo, me callo esa información y alzo los ojos. No consigo lanzarle una mirada hostil muy convincente porque algo en la sonrisita que está tratando de ocultar, provocada por mi expresión dolida, me hace sentir tonta y entusiasmada y feliz, todo al mismo tiempo.

Para mi sorpresa, atraviesa la celda y se acuclilla junto a mí.

—Pensé que te había aconsejado que te hicieras la tonta —dice en voz baja.

—Imagina que no te escuché —contesto encogiéndome de hombros.

—Conseguirás que te maten —su voz suena resignada, como si supiera que me he dado por vencida.

—Ya estoy muerta. Todos lo estamos.

—La muerte es tranquilidad —gruñe—. Esta vida a medias es peor.

Está menos sucio que la otra vez, pero aun así sigue sin afeitar y mantiene su aspecto rudo, y ni se ha molestado en recoger su ondulado pelo castaño. No se parece en nada a mi padre o a los padres de mis amigas, ni siquiera a los guardias del complejo. Es esa tosquedad lo que le diferencia de los hombres bien arreglados de Arras que conozco. Sin embargo, su penetrante mirada me obliga a contener el aliento cuando nuestros ojos se encuentran.

—Estás mucho más limpio que la última vez que te vi —le digo, y al instante me arrepiento de mi comentario.

—Yo no pierdo el tiempo haciéndome la manicura como otros hombres —responde suavemente.

Supongo que se referirá a Erik, aunque mi padre también mantenía sus uñas limpias.

—Así que no te afeitas, ni te haces el *manicure*. ¿A qué dedicas el tiempo?

—Mantengo este lugar en funcionamiento —dice, como si fuera suficiente respuesta.

—¿Y? —insisto.

—Técnicamente soy el mayordomo jefe, lo que significa que sirvo de enlace entre el personal y las hilanderas. Me aseguro de que todo marche bien. Recibí la notificación de que tenías que ser trasladada a los salones y pensé que debía asegurarme de que así fuera.

Me muerdo el labio y asiento.

—¿Qué? —pregunta—. Bueno, supongo que estaba bastante desaliñado cuando nos conocimos, incluso para mí. Había estado arreglando el jardín. Es lo único que hago solo para mí. Me gusta el tacto de la tierra. Es un trabajo honrado.

—Mi abuela tenía un jardín —comento—. Hace mucho tiempo, antes de que se necesitara un permiso. Ella afirmaba lo mismo.

—Estúpida Corporación —exclama—. Apuesto a que luego lo echaba de menos. Aquí dentro tengo suerte de poder saltarme las normas. Todos están demasiado ocupados en controlar el mundo exterior para preocuparse de mí.

—¿Cómo es posible que no estés muerto? —pregunto—. ¿O al menos encerrado en una celda? Todavía no he oído nada de tu boca que no suene a traición.

—Al contrario que tú, yo tengo cuidado de con quién hablo. Tengo un filtro especial para identificar a los traidores —me ofrece una sonrisa cansada que pertenece a alguien mucho mayor.

—¿Y por qué me lo cuentas a mí?

—Porque huiste —responde sencillamente.

—No puedo ser la primera candidata que lo hace —sacudo la cabeza ante la imposibilidad de que nadie más haya intentado escapar del coventri.

—No, pero tú eres especial.

—Sí, claro, ¿y cuál es la diferencia? ¿O es que hablas de traición con todas las chicas? —me doy cuenta de que estoy flirteando con él, y me sorprende lo cómoda que me siento.

—No te han matado —el ánimo juguetón se disipa inmediatamente. Es obvio que no bromea.

—Bueno, supongo que está bien ser diferente —murmuro. Ninguno de los dos se ríe.

—¿Por qué? —pregunto después de un instante.

—¿Qué quieres decir?

—¿Por qué no me han matado? Huí. Mis padres trataron de ocultarme. ¿Por qué mantenerme con vida? —pregunto con seriedad; él aparta la mirada.

—Tengo mis teorías.

—¿Y cuáles son? —insisto.

—No estoy seguro de que estés preparada todavía para escucharlas.

—Eso suena algo condescendiente. Dime solo lo que piensas que estoy preparada para escuchar —exclamo, enfadada tanto por su afirmación como por su falta de claridad.

—Pensé que te resultaría adorable que te cuidara —sonríe de manera burlona y el ambiente de la oscura celda vuelve a relajarse.

—¿Estás tratando de ganarte mi cariño?

—Tengo un gusto por los traidores.

—De todas maneras, ¿cómo sabes que soy una traidora? —pregunto—. Tal vez todo el mundo esté equivocado sobre mí.

—Estás en las celdas por segunda vez en una semana y todavía sigues viva —mira hacia la oscuridad entrecerrando los ojos, como para conseguir una imagen más nítida de mi rostro—. O Maela está domando a su nueva mascota, o tienes algo que ellos quieren.

—¿Es una broma?

—Maela sabe mucho de eso —gruñe—. Si pudieras pasar desapercibida y no llamar tanto la atención, tal vez seríamos capaces de descubrirlo, Adelice.

—Bueno, ese es el problema —le digo.

—¿Cuál? ¿Tu incapacidad para pasar desapercibida? —pregunta.

—No, que ni siquiera sé cómo te llamas. ¿Cómo se supone que voy a confiar en ti?

—Josten —sonríe abiertamente, incluso con los ojos—. Pero los traidores me llaman Jost.

—Encantada de conocerte, Jost —tiendo una mano, pero me arrepiento inmediatamente porque el cambio de postura me provoca un escalofrío.

—Toma —se quita una sencilla y raída chaqueta y me envuelve con ella—. Por desgracia, tendré que llevármela cuando me vaya. No sería conveniente que me vieran haciendo regalos a los prisioneros. Desmerecería *mi* intento de pasar inadvertido.

La chaqueta es suave y huele a humo y a lavanda cortada. Asiento con la cabeza, agradecida por su calor, aunque solo sea unos momentos.

—No deberías estar aquí —digo—. Probablemente me estén vigilando.

—La buena noticia es que no se preocupan de echar un vistazo a las celdas. Poca luz, muros de piedra, ¿para qué? —hace un gesto a nuestro alrededor—. La mala noticia es que tienes razón. Definitivamente te están controlando.

—Entonces, ¿por qué has venido? ¿De qué puedo servirte si ya estoy bajo sospecha?

—Eso es cierto, pero nadie baja aquí, así que nos resultará bastante fácil charlar si logras que te sigan encerrando —señala.

—Por supuesto —asiento—. Pero a eso no me ayudará demasiado el pasar desapercibida, ¿no crees?

—Sí, es un dilema sin solución —afirma—. De hecho, yo estoy aquí únicamente porque Erik tenía obligaciones de perrito faldero.

—¿Erik te envió?

—El mismo rubio guapo que te metió aquí dentro.

—Sé quién es, y sí, es guapo, pero ¿por qué te mandó a ti?

—Es mi trabajo mantener a las tejedoras contentas y alimentadas, así que el galán me envió. Siento decepcionarte, pero por favor dime que tienes suficiente gusto para no hacerle caso.

—No voy a casarme con él. Simplemente anda bien arreglado —aseguro a Jost—, aunque eso suele ser lo habitual en los perritos falderos.

—Buen ejemplo —Jost toca el dobladillo de mi falda entallada.

—Creo que yo no estoy consiguiendo pasar por un perrito faldero.

—Claro que no —añade él—. Así que te recordaré mi primer consejo: hazte la tonta.

—Es más fácil decirlo que hacerlo.

—Ob-via-men-te —dice alargando la palabra—, pero es importante si quieres seguir con vida. Puede que Maela tenga intención de utilizarte para algo, pero no es suficiente sentimental como para tenerte por aquí de manera indefinida.

—¿Por qué?

—En ese asunto vas a tener que confiar un poco en mí.

—Mientras tus razones sean tan vagas y amenazantes como las suyas —masculló.

—¡Vaya! —Jost frunce el ceño—. Tal vez no esté contándotelo todo, pero mis intereses van en la misma dirección que los tuyos.

Jost se endereza; me quito la chaqueta y se la devuelvo.

—Gracias.

—De nada —responde, sacudiendo la mano mientras se pone la chaqueta.

—Por la chaqueta, no —hago un esfuerzo para transformar en palabras mis sentimientos—. Por la compañía.

—De nada, también. Sigue mi consejo, Ad —esta vez la petulancia ha desaparecido de su voz y el apodo cariñoso me envuelve como su chaqueta, suave y agradable. Siento más calor—. Te sacarán pronto. Intenta no meterte en problemas.

Jost me deja sumida en la oscuridad y yo continúo esperando, recordando sus palabras. Ha sido excesivamente honesto conmigo. O sabe algo que lo empuja a confiar en mí más de lo que debería, o... no continúo. No quiero considerar otro posible motivo.

Saber que aquí no me están vigilando me tranquiliza. Jugueteo con las hebras del tiempo a mi alrededor. Si al menos hubiera un punto de calor en la habitación, podría tejer un ambiente cálido, o tal vez incluso luz.

La comida que tengo a mis pies está rancia y fría. Un trozo de pan duro y un caldo. Es comida para mantenerme viva y poco más. Podría tejer una mayor cantidad, pero tengo que trabajar a partir de los materiales de los que dispongo, y más comida de esta no supondría una gran mejoría. Luego recuerdo haber prometido a mis padres que no volvería a hacer crecer la comida, y flaqueo.

No hice nada malo. Tenía solo nueve años y no era consciente de mis actos. Supongo que pensé que estaba ayudando. Cada mes mi madre dedicaba una pequeña cantidad de nuestros racionamientos a golosinas. Nunca daba para mucho y además un mes la cooperativa se quedó sin dulces. Mi madre nos explicó que había escasez en los suministros de azúcar y colocó los trocitos de chocolate que quedaban del mes anterior en el armario más alto, advirtiéndonos que los guardaríamos para el cumpleaños de mi padre. No es que no quisiera reservar el chocolate para mi padre, es que no podía permitir que Amie se metiera en problemas.

Desde que descubrí que era capaz de tocar el tejido de nuestro jardín, lo había estado estudiando, aunque rara vez lo manipulé. Pero cuando Amie regresó a casa llorando porque había llevado un poco de chocolate a clase y la habían atrapado, decidí que tenía que hacer algo.

La mayoría de los días, Amie y yo regresábamos juntas de la escuela, sin embargo aquel día me obligaron a quedarme después de que terminaran las clases. Había estado soñando despierta, algo que mi profesora consideraba intolerable.

—¿Qué pensaría tu jefe si te encontrara contemplando el cielo en vez de haciendo tu trabajo? —me había preguntado con frialdad.

Mantuve los ojos fijos en el suelo mientras ella me reprendía, y cuando todo acabó, el enojo y la humillación ardían en mi pecho. Y luego, para empeorar aún más la situación, Amie no me había esperado para regresar conmigo.

Cuando llegué a casa, había concentrado mi rabia en Amie por dejarme sola. Estaba tan furiosa que, al principio, no me di cuenta de cómo le temblaba el labio inferior. Pero al verme, comenzó a llorar y mi enojo se desvaneció.

—¿Qué ha pasado? —le pregunté en voz baja.

Amie sacudió la cabeza.

—Puedes contarme cualquier cosa —insistí.

Amie vaciló un instante, pero luego empezó a relatarme su día. Entre sollozos, reconstruí lo que había sucedido. Una de sus amigas había propuesto que cada una llevara un trozo de chocolate a la escuela aquel día. Era un juego para ver quién tenía el pedazo más grande, pero la pobre Amie sabía que mi madre no le daría ninguno. Así que lo tomó por su cuenta.

—No iba a comérmelo —me aseguró Amie—. Quería enseñárselo a las demás y luego traerlo a casa. No quería sentirme excluida.

—No pasa nada, Amie —le dije, abrazándola—. Ve a lavarte la cara y veré si puedo encontrar un poco.

Amie volcó toda la intensidad de sus ojos verde pálido en mí y vi lágrimas brillando en ellos.

—Pero ya busqué. Solo queda un trocito diminuto —susurró.

—No te preocupes por eso —respondí encogiéndome de hombros—. Conozco un secreto. Ve a lavarte.

Amie me miró con recelo, pero obedeció.

Tras asegurarme de que mi hermana estaba en el baño, me encaramé a la resbaladiza encimera de la cocina y tomé el último pedazo de chocolate. No quería que Amie me *viera* manipulando el tejido del chocolate. Estaba aún estirando las hebras del chocolate para fabricar más cuando mi madre llegó del trabajo.

—¿Qué haces subida a la encimera? —me preguntó—. Y además, estás sucísima. No estarías... —se quedó sin palabras al ver lo que había en mi mano—. Ese chocolate es para tu padre —dijo en voz baja.

—No me he comido nada —aseguré, mostrándole los trozos. Había por lo menos el doble de chocolate que antes.

—Vete a tu habitación —me ordenó.

Dejé los pedazos sobre la encimera y me marché sin decir nada. No les conté lo que Amie había hecho, sino que dejé que creyeran que me había comido el chocolate. Y como castigo me mandaron a mi cuarto, donde esperé hasta que mis padres regresaron a casa a última hora de la tarde. Amie probablemente estaba demasiado asustada para hablar con ellos, así que se quedó en el salón viendo la Continua.

—¿Entiendes por qué está mal lo que hiciste? —me preguntó mi padre mientras se sentaba a mi lado, al borde de la cama. Mi madre permaneció junto a la puerta.

Yo asentí con la cabeza, pero sin mirarlo a los ojos.

—¿Por qué estuvo mal? —preguntó él.

Apreté los dientes un instante antes de responder. Sabía la respuesta. Nos lo habían enseñado en la escuela año tras año.

—Porque no sería justo que nosotros tuviéramos más.

Mi madre lanzó un extraño grito ahogado, como si alguien le hubiera hecho daño físicamente, y al alzar la vista vi que me estaba contemplando con ojos cansados. Apartó la mirada para dirigirla a Amie, que estaba en la habitación contigua.

—Sí, en parte es por eso —dijo mi padre lentamente—. Pero también porque es peligroso, Adelice.

—¿Comer demasiado chocolate? —pregunté confusa.

Esbozó una sonrisa al escuchar mi respuesta, pero fue mi madre quien tomó la palabra.

—Es peligroso usar tu don —dijo—. Prométenos que nunca volverás a hacerlo.

Su voz tenía un timbre áspero, y me di cuenta de que había estado llorando.

—Lo prometo —susurré.

—Bien —respondió ella—, porque juro que te cortaré las manos antes de permitir que hagas eso otra vez.

Incluso ahora, mientras mordisqueo el pan duro, su amenaza retumba en mis oídos, advirtiéndome que debo mantener ocultas mis habilidades. ¿Qué importa que la Corporación sepa ya de lo que soy capaz? No puedo traicionar de nuevo a mis padres.

Al día siguiente, cuando al fin alguien viene a verme, no es Erik ni Josten, sino Maela en persona. Entra con aire despreocupado en la celda, ataviada con un largo vestido negro y con un cigarro encendido entre los dedos. La luz entra a raudales desde el pasillo y perfila su escultural silueta. Así es como imagino que la muerte vendrá a por mí: con ropa demasiado elegante y fumando.

—Adelice, imagino que habrás notado ciertas carencias en tu habitación —ronronea.

—Definitivamente las he visto mejores —comento.

—Has pasado aquí dos noches —me recuerda, dando una cuidadosa calada sobre la boquilla metálica del cigarro—. Eres un caso peculiar.

Recuerdo lo que Jost me contó sobre las otras chicas a las que habían asesinado. Soy un caso *peculiar* porque aún respiro.

—Pensé que te gustaría ver esto —continúa, enseñándome un pequeño digiarchivo. Maela desliza los dedos sobre él y la pantalla se ilumina, mostrando diversos números y gráficos—. Este es el resultado de la insubordinación —murmura, aparentemente divirtiéndose con su pequeño juguete, y me doy cuenta con horror de que me está presentando las cifras de las personas muertas durante la prueba.

—La insubordinación —respondo en voz baja— no tuvo nada que ver con esto.

—Cuando yo te diga que extraigas una hebra floja, tú obedeces —gruñe, abandonando su farsa de tranquila diversión.

—¿O asesinarás a gente? —pregunto sin disfrazar el odio en mi voz.

—Los ejemplos —comienza a decir en voz baja, en un evidente intento por mantener la compostura— son necesarios para mostrar la importancia de nuestro trabajo. Puedes hacerte la víctima, Adelice, pero eres tan culpable como yo. Cuando eres incapaz de tomar una decisión complicada por el bien de los demás, pones en peligro a todo el mundo.

—No fue una coincidencia que la hermana de Pryana estuviera en esa pieza del telar —la acuso, pero ella ignora mis palabras.

—Parece que no vas a aprender la lección —contesta entre caladas.

—Tal vez yo no sea la única.

Maela sonríe, esta vez de verdad y no con la sonrisa falsa y deslumbrante que dedica a todos los demás o la perversa mueca que parece reservar para mí. Esta sonrisa revela todas las imperfecciones cuidadosamente disimuladas con el maquillaje —las arrugas, la línea de las encías demasiado evidente—. Es una visión espantosa.

Su rostro recupera la estudiada calma.

—Estoy dispuesta a darte otra oportunidad. No suelo mostrarme tan indulgente.

Imagino a las otras chicas, asesinadas por menos. ¿Se consumieron en una celda o arrancaron sus hebras y las destruyeron?

—¿Qué sucede? —pregunto, pensando en las brillantes hebras que colgaban del gancho.

—¿Qué sucede cuando qué?

—Cuando extraes las hebras. ¿Adónde van?

Maela sonríe de nuevo, esta vez con una expresión absolutamente envenenada, no de regocijo.

—Tal vez puedas asistir a las clases de preparación y descubrirlo, en vez de perder el tiempo en una celda.

Me abandona a mis pensamientos, y en lo más profundo de mi ser tengo claro que no responderán el tipo de cuestiones que yo quiero plantear. Enora verdaderamente ignoraba la respuesta cuando le hice la misma pregunta durante nuestro primer encuentro. Pero ¿por qué ocultar lo que realmente sucede si la extracción forma parte integral de nuestro trabajo?

A menos que las personas extraídas pudieran ser salvadas.

SIETE

Noto un sabor metálico en la boca y me escuece el labio, en el que se me ha abierto una herida al golpear con los dientes. Menos mal que iba a intentar pasar desapercibida —imposible teniendo a Pryana en mi grupo de preparación—. Maela me liberó oficialmente hace unos días, poco después de nuestra breve charla, pero aunque dediqué un tiempo considerable a pensar la manera más adecuada de enfrentarme a mi regreso a la instrucción, no logré pasar de la casilla de salida. Las otras candidatas se mostraron tan frías como Pryana; estaba claro que no les había impresionado mi confrontación con Maela. Resultaba bastante fácil interpretar las miradas que me lanzaban y, de hecho, me recordaban mucho a cómo me trataron las demás chicas durante las pruebas. Pensaban que yo era rara e inútil. Y tal vez tuvieran razón. A pesar de todo, entré en el taller para nuestra clase de telar con movimientos pesados y sin decir una palabra a Pryana. Probablemente nada hubiera cambiado la situación. Resultaba obvio que me culpaba de la muerte de su hermana. Yo era un objetivo mucho más sencillo que Maela, y mucho menos peligroso.

Por fin estábamos trabajando en telares reales. Después de la desastrosa primera experiencia, nos concedieron tres días a cada una para practicar sobre un tejido artificial antes de permitirnos manipular una pieza real. El tejido falso aparecía sin vida bajo mis dedos, pero era bastante fácil de manejar. Al final de la primera sesión de prácticas, había demostrado mi destreza para realizar alteraciones con bastante facilidad. Sin embargo, por si fuera necesaria otra excusa más para distanciarme del resto, a la mayoría de las chicas no le resultó tan sencillo. Eran hilanderas aceptables, pero su trabajo era descuidado, o invertían demasiado tiempo en él, o carecían de la confianza necesaria para profundizar realmente en las tareas. Cuando finalizamos el periodo de prácticas, todas fuimos autorizadas para desarrollar tareas simples como el tejido de alimentos, aunque a Pryana y a mí nos separaron del resto. Ambas estábamos trabajando en la meteorología, en vez de la comida. Ojalá esto me hubiera brindado la oportunidad de hablar con ella.

Sabía que estaría disgustada, pero no me imaginaba que se abalanzaría sobre mí y me golpearía. Estoy débil después de pasar varios días en la celda y de alimentarme a base de agua y una comida infame, así que el golpe de Pryana me tira al suelo de sentón. Me gustaría pensar que me tomó desprevenida, aunque nunca he tenido ocasión de probar mi capacidad para luchar. No puedo culparla de estar molesta y ojalá yo también pudiera darle un puñetazo a alguien por lo que la Corporación le hizo a mi familia.

—Te prometo —dice Pryana, inclinándose hasta que noto su aliento caliente en la cara— que tu vida será una tortura mientras yo esté cerca de ti.

—Es justo —mascullo mientras la sangre resbala por mis encías.

No le gusta mi respuesta. Lo sé porque sus ojos se estrechan hasta convertirse en meras rendijas. Esta situación es ridícula. Una enemistad maquinada enteramente por Maela. Cuando me adelanté para ocupar el lugar de Pryana en la prueba, mi intención era buena, y no había manera de que yo supiera que aquella pieza contenía la hebra de su hermana.

Pero esto no evitará que siga odiándome.

Pryana se acomoda de nuevo en el taburete y reanuda su trabajo, tejiendo con furia. Debería enfadarme, o al menos indignarme, pero pienso en Amie y en cómo su fino pelo rubio se ondula alrededor de sus orejas. Yo tengo la culpa de lo que les ha sucedido —a nuestras dos hermanas—. Yo empecé todo.

Nuestra instructora, una tejedora mayor y excesivamente entusiasta que no debería utilizar tanto maquillaje, no se percata de nada. Está ocupada revoloteando de una candidata a otra, guiando el trabajo de cada una y ofreciendo aliento. Es una profesora excelente. Siento una punzada y me pregunto cuántas maestras se nombrarían durante el día de asignación en Romen. Entre ellas no estoy yo. Regreso a mi tarea de tejer un breve chaparrón sobre la región noreste de nuestro sector.

Mi telar es mayor que el de las demás chicas y sus engranajes y tubos ocupan todo un rincón de la estancia. Es un telar mucho más moderno, el que por lo general se reserva a la instructora para hacer demostraciones mientras el resto de la clase practica. Los otros telares de la sala son pequeños, algunos están incluso oxidados, pero todos funcionan perfectamente. Se encuentran tan juntos unos de otros que las demás candidatas apenas pueden moverse para trabajar. Pryana ocupa uno de estos, lo que supone otra razón más para odiarme añadida a su lista. Suspiro, pensando en la longitud que está adquiriendo esa lista y en lo imposible que resultará congraciarse de nuevo con ella. Pero no puedo distraerme cuando estoy realizando algo que requiere tanta atención.

La meteorología es más complicada que la comida, porque los hilos que componen la lluvia o la nieve deben intercalarse con los que forman las nubes, los cuales se encuentran en las hebras del cielo.

Distribuir víveres es una tarea de alteración sencilla. Las materias primas que hay disponibles se tejen en la cadena de abastecimiento de los granjeros y propietarios de tiendas. Los animales y los cultivos pueden ser criados y cuidados por los hombres, con lo que proporcionan valiosos trabajos a la población, así que lo único que debemos hacer es tejer las materias primas en las nuevas granjas y luego recoger los cultivos para una distribución equitativa por el resto de Arras. Es una técnica de tejido básica —sacar una hebra, reubicarla en otra pieza y tejer una nueva hebra en la pieza anterior para que crezca—. De este modo se cultivan las cosechas, y los alimentos llegan de las granjas a los mercados. Sin embargo, es un trabajo extremadamente aburrido. Al parecer, más de mil hilanderas en los cuatro coventris de Arras hacen esto día y noche. Doscientas están instaladas aquí, y espero que no me asignen esta tarea. Apuesto que a Maela le encantaría amarrarme a uno de estos puestos para realizar sencillos añadidos y emplazamientos durante infinidad de horas cada día.

Al menos la meteorología me permite experimentar. Nuestras materias primas proceden de yacimientos concentrados y gestionados en varios sectores, aunque es un proceso que no nos han explicado realmente, excepto para mostrarnos imágenes de enormes taladradoras y grandes fábricas donde se separan y organizan las hebras. Yo tomo los materiales —fibras de pizarra para las nubes de lluvia, oro brillante para la hebra del rayo—, los entrelazo y lo inserto en el lugar preciso de la pieza que aparece en mi telar. Es un proceso gradual en el que se van añadiendo cuidadosamente los elementos para que la tormenta se produzca a la hora predeterminada, cuando los ciudadanos la esperan. La profesora me advirtió de lo mucho que se puede llegar a enojar la gente si les sorprende una tormenta que avanza demasiado deprisa o despacio. Cometer demasiados errores supone ser relegado a algo como la cadena de abastecimiento de alimentos. Las bandas del tiempo, que nunca paran de moverse a lo largo del telar, hacen desaparecer lentamente los hilos que añadimos. Yo utilizo la materia de reserva para reemplazarlos con tanta rapidez y precisión como puedo. De lo contrario, quedaría un espacio vacío en la zona en la que estoy trabajando. Esto sucedió una vez cuando yo era pequeña y mis padres nos encerraron en la bodega hasta que pasó. No era peligroso, pero cuando tienes siete años, ver cómo desaparece el cielo resulta bastante aterrador. Tuve pesadillas durante semanas.

Me encanta el tacto de las hebras del clima, y trabajar en un telar es mucho menos agotador que tejer con las manos. Nadie más parece tener la habilidad de trabajar sin telar, y yo estoy encantada de seguir usando la máquina. Las nubes de lluvia se hinchan entre mis dedos mientras las añado al cielo y los rayos me producen cosquillas en las yemas. En algún lugar del noreste, los relámpagos comienzan a aparecer en el horizonte, avisando del inminente chubasco en caso de que alguien se haya perdido el reporte meteorológico de la Continua. Me gustaría detestar este trabajo, pero crear lluvia resulta relajante, e incluso satisfactorio. El tapiz es hermoso: una reluciente y cambiante telaraña de luz y color.

—Adelice —mi instructora me hace una seña para que me reúna con ella en un rincón apartado. Algunas de mis compañeras de clase se dan cuenta, pero regresan rápidamente a las tareas que les han asignado. Sin duda, suponen que vuelvo a tener problemas.

Sin embargo, la profesora no es la única que me espera en el rincón. Pryana la acompaña, y no parece contenta de mi presencia.

—Me han pedido que las envíe a las dos con el caballero que espera en el pasillo —nos comunica la instructora en voz baja, para que las demás no la oigan.

Pryana me mira aterrorizada y sé que estamos pensando lo mismo: ¿nos habremos metido en un lío por pelearnos? Bueno, más bien ella por pegarme y yo por recibir el golpe, aunque el principio es el mismo.

—No están en problemas —nos asegura la profesora. Debe de haber notado el miedo en nuestros rostros—. Han avanzado de nivel: ya son hilanderas.

Para mi sorpresa, la noticia me produce una sensación de alivio. Estoy ansiosa por seguir descubriendo las cosas que suceden en el coventri. El inconveniente, por supuesto, es que me traslado con Pryana. Aunque Jost crea que Maela quiere mantenerme con vida, yo sé que tanto ella como Pryana desean verme fracasar.

Fuera de la sala de instrucción, nos espera Erik. Hoy viste un traje azul oscuro con finísimas rayas intrincadamente tejidas en la lana. Resulta sorprendente cómo menos de una semana de prácticas en el telar fija mi atención en detalles que antes no habría percibido. Por ejemplo, la delicadeza de la tela y lo bien que se adapta a su cuerpo, ajustándose a la perfección. Erik se aclara la garganta y yo bajo los ojos a toda prisa hacia el suelo.

—Tengo el honor de acompañarlas a las dos a su evaluación. A continuación, serán destinadas a un taller para principiantes y se reunirán con sus mentoras para comentar los cambios que se producirán a partir de ahora —su tono de voz es cortante e impersonal. Se nota que ha pronunciado este discurso antes, quizá docenas de veces. Así que cuando Maela está ocupada, lo habitual es que acuda Erik.

—Pryana, están trasladando tus objetos personales a tus nuevas dependencias en la parte inferior de la torre.

—¿Sus objetos personales? —exclamo antes de poder contener mis palabras.

Los dos se voltean y me miran. Pryana entiende de inmediato lo que quiero decir, y su rostro adquiere una expresión de regocijo malicioso.

—Por supuesto —sonríe tontamente—. Pudimos traer cosas que significaran algo para nosotras. Ropa, fotos de nuestras familias.

Su felicidad se apaga al pronunciar la última palabra y el dolor apenas contrae su rostro. Me pregunto si alguien del coventri se habrá molestado en descubrir si su hermana ha muerto, aunque estoy casi segura de que la respuesta es sí.

—Cuando se huye, no se tiene derecho a objetos personales —continúa Pryana con los ojos brillantes.

—Supongo que no —me acerco a Erik, alejándome de ella.

—Es como si nunca hubieras existido.

—Al menos, a mí no me descubrieron culpando a la persona equivocada —las palabras salen de mi garganta antes de que pueda tragármelas.

Pryana resopla molesta, pero recobra la compostura rápidamente.

—¿Cómo? ¿Crees que soy inferior a ti porque no arranqué ninguna hebra aquel día?

—Creo que no lo hiciste porque estabas asustada y ahora estás dirigiendo hacia mí el enojo provocado por tu actitud y la de la Corporación.

—En eso te equivocas —brama Pryana—. Fuimos allí únicamente por ti. No trates de negarlo. Puedes pensar lo que quieras, pero la verdad es que todo fue culpa tuya. Maela estaba probándote. Y fallaste.

Ahí me ha atrapado, y soy incapaz de replicar.

—Adelice —Erik interviene como si se hubiera perdido toda la discusión—. Tú permanecerás en las dependencias que te fueron asignadas previamente.

Me refugio en el hecho de que no tendré que abandonar mi cómoda habitación. Que se jodan Pryana y a sus objetos personales.

—Como a partir de ahora nos veremos con más frecuencia —continúa Erik, tomando la mano de Pryana—, por favor, llámenme Erik.

—¿Con más frecuencia? —la noticia me produce un cosquilleo en el cuello.

Él también parece contento por la noticia.

—Aunque van a ser trasladadas a las dependencias de las tejedoras, siguen bajo observación. Durante los próximos meses, serán evaluadas y se les asignará un puesto más permanente.

—¿Se unirán las demás a nosotras? —exclama Pryana, preguntando exactamente lo que yo quería saber. Me recuerda la única tarde en que fuimos amigas.

—El resto permanecerá en la fase de evaluación hasta que nos aseguremos de que no hay más tejedoras en el grupo. Algunas tal vez acaben realizando el tejido básico de alimentos, pero probablemente nunca lleguen más lejos.

¿Ninguna hilandera más? No puedo creer que sean capaces de descartarlas con tanta rapidez. ¿Enviarán a las demás a confeccionar ropa o a trabajar en la cocina? Me alegro de no estar allí cuando el entusiasmo perpetuo desaparezca de sus rostros. Abandonaron sus hogares con la expectativa de una vida glamurosa, no de acabar cosiendo y limpiando. Aun así estoy agradecida por que no las eligieran. No es conveniente que alguien que acepta unirse al coventri con tanta pasión como esas chicas forme parte de la Corporación. Las muchachas complacientes desean agradar a personas como Maela.

—Sabes, Erik —ronronea Pryana, acercándose a él—, todas nos hemos estado preguntando por qué Adelice tiene una habitación en lo alto de la torre.

Su respuesta está tan bien ensayada, que casi puedo ver cómo se detiene el tiempo.

—Las decisiones de Maela tienen siempre alguna razón.

Debe decir eso muchas veces. Parece que Pryana se tranquiliza. O tal vez sea lo bastante inteligente como para dejar de hacer preguntas.

—Pryana, te reunirás con tu mentora aquí —Erik abre una gran puerta metálica y se desembaraza rápidamente del brazo de Pryana. Demasiado rápidamente. Ella se da cuenta y desaparece en el interior de la estancia.

—¿No vamos a practicar juntas? —pregunto tan inocentemente como puedo, mientras Erik cierra la puerta.

—No —sonríe de manera burlona—. Por una vez te libras.

Trato de seguir fingiendo expresión de sorpresa, pero mi máscara se desmorona con facilidad.

—Gracias a Arras.

—Haré como si no hubiera escuchado eso —Erik se ríe y me ofrece el brazo.

Deslizo el mío alrededor del suyo, sintiéndome un poco rara. Nunca había caminado junto a un hombre de este modo.

—¿Puedo preguntarte algo? —intento que mis palabras suenen indiferentes, pero salen demasiado apresuradas.

—Por supuesto —responde Erik alegremente; me choca lo informal que es su comportamiento cuando no está con Maela.

—¿Cómo acabaste aquí?

—Es una larga historia —suspira.

—Apuesto a que la mayoría de nosotros tiene largas historias.

—Seguro que sí —afirma—. Se podría decir que escapé de mi casa, y ahora no tengo ningún lugar al que regresar. En ese momento tenía solo quince años, pero la Corporación me acogió cuando resultó evidente que poseía ciertas aptitudes imprescindibles para convertirme en ayudante de Maela.

—¿Aptitudes imprescindibles?

—Poseo lo que podría definirse como una moral flexible —despliega toda la intensidad de su sonrisa y empieza a caminar más despacio.

—¿Tus padres murieron?

Frunce el ceño de forma apenas perceptible y asiente con la cabeza, pero cambia de tema rápidamente.

—¿Te cuidó bien Josten el otro día?

Por un instante la pregunta me paraliza, pero entonces recuerdo que Erik lo envió para comprobar cómo me encontraba, así que respondo que sí.

—Siento no haber regresado, pero tuve que atender ciertas obligaciones urgentes. Maela puede tener bastante mal genio, especialmente cuando la desafían.

—Me di cuenta.

—Adelice, no quiero tener que mandarte de nuevo a las celdas, así que si pudieras ser un poco más...

—¿Amable? —sugiero.

—Obediente —corrige él, y me estremezco al escuchar la palabra.

—Sé tan bien como cualquiera lo injusta que puede llegar a ser Maela, pero ella dirige este espectáculo, así que acepta mi consejo —hay cierto tono de súplica en su voz que se extiende hasta sus chispeantes ojos.

Enora me espera en una habitación amplia y bien ventilada. En un extremo, las ventanas ofrecen vistas del patio vallado. Creo que son reales y tengo deseos de extender el brazo y sentir el aire. Las otras miran al mar. Hoy está en calma, como un perfecto reflejo del cielo sin nubes. Estas pantallas han sido probablemente programadas para que me sienta tranquila, y tal vez menos a la defensiva. Frente a los paneles que muestran el mar, hay un pequeño telar de acero.

—¿Cómo te sientes hoy? —pregunta Enora cuando entramos. Sonrío. Imagino que mi mentora solo tendrá unos años más que yo, pero se comporta como una mamá gallina.

—Fenomenal —respondo simplemente, preguntándome si habrá visto el labio hinchado que me ha regalado Pryana.

—Enora, ¿puedes acompañarla de vuelta a su habitación cuando hayan terminado? ¿O prefieres que regrese? —pregunta Erik desde la puerta.

—Yo me ocupo —responde Enora gentilmente—. Gracias por tu ayuda.

A pesar de lo mucho que aprecio a Enora, me siento decepcionada al no volver a ver a Erik hoy.

—Sí, gracias, Erik.

—Ha sido un gran placer —inclina la cabeza ligeramente y luego desaparece.

—Es un poco embaucador —me advierte.

Pongo los ojos en blanco.

—No me había dado cuenta.

—No es asunto mío, pero... Bueno, no importa —se inclina hacia mí y le da un tironcito a mi chaqueta entallada—. Tenemos cosas más importantes de las que preocuparnos.

—¿Nos hemos quedado sin rímel? —pregunto simulando un gesto horrorizado.

—Por mucho que me guste tu peculiar ironía, debo pedirte que te muerdas la lengua. Has sido invitada a una reunión especial del consejo.

—¿Qué consejo? —me estrujo el cerebro tratando de recordar todos los nombres y departamentos con los que nos han bombardeado esta semana, pero no me acuerdo de ningún consejo.

—Es una reunión entre la jefa del equipo de instrucción y el embajador oficial del coventri en la Corporación.

—¿Cormac? —pregunto con aprensión.

—El único e incomparable —confirma ella, conduciéndome de nuevo hacia el pasillo.

—¿Así que Cormac es todo el consejo?

—No, Maela forma parte de él, pero ella no asistirá a la reunión.

—¿Cormac y Maela componen un consejo que supervisa todo aquí? Eso explica muchas cosas —mascullo. No puedo evitar pensar en nuestro último encuentro, cuando me obligó a comer en la estación Nilus. Él debía de saber que me iban a encerrar sin comida. No sé si apreciarlo u odiarlo—. ¿Es por el asunto con Maela? —pregunto, bajando la voz para que los monitores de seguridad no me oigan con claridad.

—Oficialmente, no —susurra ella—, pero por supuesto que sí.

—Estupendo —murmuro, y me pregunto cuál será mi castigo esta vez. Entonces, un pensamiento me detiene en seco.

Amie.

Recuerdo mi último encuentro con Cormac de manera un tanto vaga por la inyección de Valpron, pero si aún tienen a mi hermana, tal vez no sea a mí a quien castiguen.

—Adelice —Enora me tira del brazo.

No me muevo.

—No estás en problemas —asegura en voz baja.

—¿No? —teniendo en cuenta todo el tiempo que he pasado en las celdas, me resulta difícil de creer.

—Vamos —tira de nuevo de mí y dejo que me arrastre.

—Si yo no...

—Maela —confirma Enora en un susurro.

—¿Por lo que hizo a esa escuela?

—Por muchas cosas —me mira con el ceño fruncido—. Maela ha rebasado sus límites en el Coventri Oeste. Ni siquiera me permitió bajar a verte, aunque eso no estaba dentro de sus competencias.

Entonces, ¿por qué no viniste?

—Pensé que ella estaba al frente —digo.

—Tienes mucho que aprender —añade Enora con una sonrisa vacía—. Ahora que eres una hilandera invitada, cenarás con las demás y aprenderás cuál es la jerarquía. Créeme, Maela no es ni mucho menos un alto cargo de la Corporación.

Levanto las cejas.

—Entonces, ¿te importaría explicarme lo de la Corporación? Parece que las cosas funcionan de manera un tanto distinta a como nos enseñaron en la escuela.

—Eso es verdad —responde Enora—. La Corporación está compuesta principalmente por hombres, como ya sabes, aunque emplean a las mujeres para numerosas tareas dentro del gobierno. Las hilanderas, por ejemplo. Pero hay otros puestos, como secretarias, enfermeras, ayudantes.

—¿Cómo en el resto de Arras? —aclaro. Esta información no es tan sorprendente *ni* interesante.

—Sí, solo que tratan de mantener en secreto la mayor cantidad de información sobre lo que cada coventri hace. La

Corporación supervisa nuestras tareas, distribuye las órdenes de trabajo e interviene para imponer disciplina cuando es necesario. En ocasiones, pienso que Maela espera ascender en los estamentos de la Corporación para poder viajar por los cuatro sectores, de coventri en coventri.

—¿Sería posible? —pregunto.

—Lo dudo —contesta Enora—. No creo que la Corporación permita que una mujer ocupe un puesto con poder político. No obstante, eso no la detendrá, y si tuviera que apostar por una mujer que fuera capaz de eludir la influencia de la Corporación y salir del coventri, sería ella.

—No es que me apetezca que el ego de Maela crezca sin parar, pero ¿no tenemos ya una posición bastante poderosa?

—Ahí es donde entra en juego alguien como Cormac —me explica Enora, apresurando su suave voz para transmitirme toda la información mientras caminamos. Debemos de estar acercándonos a nuestro destino—. Oficialmente, es un portavoz que mantiene al público informado de lo que sucede en los coventris y del trabajo que realizamos. La gente piensa que es un amable embajador de buena voluntad que media entre las tejedoras y el pueblo.

—¿Y extraoficialmente?

—Nos mantiene a raya. Tal vez no sea primer ministro, pero tiene tanto poder como si lo fuera. No permitas que te engañe. Para eso está aquí.

—¿Y cómo acabé yo metida en esto? —pregunto.

—Buena pregunta —suspira Enora; apuesto a que se está preguntando por qué le habrá tocado ser mentora de la nueva chica problemática.

—¿No te han dicho nada? —no pretendía que mis palabras sonaran como un insulto, pero Enora se muerde el labio como si lo fueran.

—No, no lo han hecho, Adelice.

—No nos dicen nada a ninguna de las dos —apunto—. Así que probablemente sea estúpido preguntar si has descubierto algo sobre mi hermana Amie o mi madre —la pregunta me provoca un estremecimiento de pavor en el estómago.

—Lo siento —responde Enora, negando con la cabeza—. La única persona que podría disponer de esa información ha estado de viaje.

—¿De viaje? —pregunto con sorpresa—. ¿Es un político?

—No, es una de nosotras —dice en voz baja, pero deduzco que no puede añadir nada más.

Dejo de hacerle preguntas aunque tengo la cabeza llena de ellas y Enora me conduce hasta una gran puerta lacada en rojo y la golpea tímidamente con los nudillos. La puerta se abre.

—¿Sí? —pregunta, sin mirarnos a los ojos, un agente vestido con el uniforme negro azabache del Servicio Especial de la Corporación.

—Déjalas pasar —exclama una voz familiar desde el interior de la estancia—. Son mis invitadas.

El agente se retira hacia un lado y entramos en el salón. La iluminación es mucho más tenue que en la mayoría de las estancias del complejo, probablemente por las pesadas cortinas de terciopelo que cubren los enormes ventanales. Entra suficiente claridad para que pueda distinguir los lujosos sofás y las elegantes sillas de cuero que se distribuyen estratégicamente por la habitación, aunque la falta de luz natural atenúa el color de los muebles. Cormac está sentado junto a una chimenea de mármol, con un puro en una mano y un coctel en la otra. Va vestido como siempre, con esmoquin, sin embargo lleva la corbata suelta alrededor del cuello sin abotonar.

—¿Me extrañaste? —pregunta.

—No ha pasado tanto tiempo —le recuerdo.

—Seguramente te habrá parecido toda una vida —afirma, inspeccionándome con la mirada—. Adelice, te veo... desmejorada.

—Cormac, te veo demasiado elegante.

—Bien —añade con sorna—. Ahora estamos a mano.

Junto a mí, Enora se mueve inquieta.

—¿Y tú quién eres? —pregunta Cormac, volviéndose hacia ella y entrecerrando los ojos en la oscuridad.

—Enora —responde en voz baja—. Soy la mentora de Adelice.

Tengo que reconocerle que habla con voz tranquila.

—Encantado de conocerte, Enora —responde él, tomando un trago de la copa—. Ordenaré que acompañen a Adelice hasta sus aposentos una vez que hayamos terminado.

—No me importa quedarme —afirma ella.

Cormac ríe entre dientes como si la sugerencia le pareciera audaz, y niega con la cabeza.

—No será necesario.

Con expresión preocupada, Enora cruza la puerta y me quedo sola en la estancia con el embajador oficial del coventri en la Corporación.

—Siéntate —me ordena—. ¿Un coctel?

Sacudo la cabeza.

—Puedes pedir lo que quieras —Cormac suelta el vaso y, momentos después, alguien aparece entre las sombras para rellenarlo.

Contengo la respiración y aparto la mirada, con la esperanza de que Cormac no note mi reacción.

—¿Necesita algo más? —pregunta Jost. Siento cómo el calor invade mis mejillas y de repente, agradezco las pesadas cortinas.

—En este momento no, pero quédate cerca por si acaso —replica Cormac con tono desdeñoso.

—Con mucho gusto —murmura Jost, pero cuando se voltea y nuestras miradas se cruzan, su expresión demuestra que no le agrada la idea. Un instante después ha desaparecido de mi vista.

—Así que has estado causando problemas —dice Cormac mientras remueve el whisky. Me concentro en el suave tintineo que produce el hielo al golpear el vaso y no respondo—. Maela ha sobrepasado sus límites, como es habitual —continúa—. Técnicamente es tu superior, ¿lo sabes?

—¿Técnicamente? —pregunto sorprendida.

—¿Piensas que solemos dejar vivas a las chicas que intentan escapar de sus casas a través de un túnel?

—¿Y por qué a mí sí?

—La evaluación de tus habilidades en las pruebas dio un resultado espectacular —admite, soltando el vaso e inclinándose hacia delante.

—¿Por qué eres la única persona que me habla al respecto? —pregunto, recostándome en la silla.

—Bueno, yo sé más que nadie.

—Pero hay personas que saben más de lo que dicen —insisto. El intenso aroma a almizcle de su perfume me está mareando, y soy incapaz de contener los pensamientos que he estado ocultando desde mi llegada.

—Así es —admite—, pero yo tengo mucho más poder. Resulta más fácil compartir secretillos cuando estás al mando.

—¿Y tú lo estás? —le pregunto deliberadamente—. Entonces, ¿por qué contármelo? No tienes más razones para confiar en mí que el resto.

—No, no las tengo —contesta—, pero al contrario que ellos, yo puedo ordenar que te maten.

—Y yo que pensaba que estábamos haciéndonos amigos.

Cormac ríe de forma socarrona.

—Eres encantadora. Espero no tener que cumplir mi amenaza.

—Por fin, algo en lo que estamos de acuerdo.

Alarga el brazo y coloca su mano caliente sobre mi rodilla.

—Podrías ser la chica más poderosa de este lugar si empezaras a jugar tus cartas con inteligencia.

Retiro la pierna y la cruzo sobre la otra.

—Estoy aquí para asegurarme de que Maela no te mate —afirma, poniéndose de nuevo derecho en la silla—, y tú no me estás facilitando la tarea.

—¿Y si lo hace?

—Arrancaremos su hebra —su voz no trasluce la más mínima tristeza.

—¿Lo sabe Maela?

—He hablado con ella —asegura—. Por supuesto, eso ha incrementado su odio hacia ti.

—Estupendo.

—Sería más inteligente que dejaras de fastidiar a todo el mundo y comenzaras a preocuparte de ti misma —el tono jocoso ha desaparecido por completo de su voz—. Puedo evitar que te mate, pero hasta que no estés fuera de su alcance, sigues a su merced.

—¿Y cómo lo hago?

—En primer lugar, empieza a hacer tu trabajo, y luego trata de buscar aliados.

—Enora ya me aconsejó que hiciera amigos.

—Vas a necesitar más que amigos —asegura—. Tu única opción es alejarte de las garras de Maela, y para eso te va a hacer falta alguien con verdadero poder en este lugar.

—¿Alguna sugerencia?

—Tengo a alguien en mente.

Noto cómo sus ojos recorren mis piernas, y me enderezo en la silla. Con el rabillo del ojo, veo que Jost se pone tenso entre las sombras.

—Adelice, este fin de semana vas a acompañarme en una visita de relaciones públicas por Arras. Tu esteticista y tu estilista están totalmente preparadas para cumplir las expectativas, y supongo que tu mentora...

—Enora —le recuerdo.

—Sí —continúa—, ella te informará de las normas de protocolo.

Trago saliva y asiento con la cabeza.

—¿Ves? Es sencillo.

—¿Podría preguntarte algo?

—Cada día más educada —alza una ceja, lo que supongo que es un sí.

—¿Han encontrado a mi madre? —con la amenaza de muerte aún flotando en el ambiente, parece el momento adecuado para preguntarlo.

—Espera un momento —ladea la cabeza para conectar su chip comunicador e indica en voz alta el número de una mujer llamada Penny—. ¿Puedes conseguir los códigos binarios del sujeto Lewys número dos?

Mis ojos se mueven a la deriva hacia Jost, que se ha adelantado hasta una rendija de luz. Me regala una sonrisa de labios apretados. Creo que está tratando de apoyarme.

—No, no tengo la secuencia de identidad personal. Era la madre.

Sujeto. Me duele escuchar que denomine a mi madre de ese modo.

—Gracias, muñeca —Cormac vuelve la mirada de nuevo hacia mí—. Fue localizada durante la limpieza de Romen y eliminada.

—¿Arrancaron su hebra? —noto las palabras densas en la lengua, y apenas puedo pronunciarlas.

—Es el procedimiento habitual, y mucho más humano que el método que suelo emplear con los traidores.

Aún noto la sangre pegajosa y caliente en el suelo del comedor de mi casa. Sé perfectamente cómo él —y la Corporación— suelen ocuparse de ellos.

—Oye —llama a Jost—, avisa al ayudante de Maela para que venga a recogerla.

Jost lanza un gruñido desde el rincón y teclea la orden en el pequeño panel comunicador.

—Adelice, una cosa más.

Clavo mis ojos en él, parpadeando con fuerza para evitar que se derramen las lágrimas que me queman la garganta.

—Son actos que se emitirán en la Continua, algo que seguramente ya sabes.

Asiento una vez. Los eventos de la Corporación son de visionado obligatorio en todas las casas. Normalmente consisten en un montón de palmaditas en la espalda y fotografías a los atractivos e importantes políticos que están de visita. Como la emisión de estos programas es automática, mis padres solían dejar que avanzaran mientras nosotras seguíamos con nuestras tareas y actividades nocturnas. Cuando Amie y yo éramos muy pequeñas, gritábamos al ver los elegantes vestidos de satén y las brillantes joyas que llevaban las hilanderas de visita. Ahora me toca a mí.

—¿Recuerdas el trato que hicimos cuando nos conocimos?

Inclino la cabeza con curiosidad hacia Cormac y repaso mis recuerdos de aquella noche. Me fastidia lo confusas que aparecen en mi mente las imágenes finales de mi recogida y de la última vez que vi a mis padres, y si pudiera recordar algo más, preferiría que no incluyera a Cormac.

—Estúpido Valpron —ladea la cabeza de nuevo y ladra—: Penny, el médico jefe durante la recogida de Lewys. Manda una petición de extracción.

Ahogo un grito y Jost sale rápidamente de su rincón, pero no se acerca a nosotros.

—Cuánta incompetencia —comenta Cormac sin enfado alguno en la voz. Ya ha pasado a otro asunto. Su pobre secretaria probablemente odie su trabajo—. Te dije que tenía en mi poder a alguien a quien querías mucho y que debías interpretar un papel deslumbrante —continúa.

—Qué pena que la hayas hecho desaparecer —digo con un ligero quiebre en la voz.

—No, no me refiero a tu madre —añade él—, sino a tu hermana. ¿Cómo se llamaba?

—Amie —respondo en voz baja.

—Ha sido retejida y me informaron que está a salvo y feliz.

—¿Feliz? —pregunto sin convicción.

—Le realizamos algunas modificaciones.

—¿Quieres decir que la convirtieron en alguien distinto?

—En esencia sigue siendo la misma —me asegura.

—Pero borraron de su mente los recuerdos sobre mi familia. Sobre mí —siento que se me agotan las lágrimas mientras asimilo esta nueva noticia.

—Una de nuestras mejores tejedoras del Coventri Norte limpió su hebra —añade en tono condescendiente.

—¿Qué demonios significa eso? —exploto—. ¿Primero cambien mi ciudad y ahora *limpian* su hebra?

—Es un proceso que empleamos con los individuos de conducta desviada desde hace años. Si un niño muestra predisposición a la violencia o al mal comportamiento, actuamos y cartografiamos su cerebro. Este método nos permite controlar cómo procesa la información el individuo, luego aislamos las zonas problemáticas y localizamos las hebras donde se concentran los problemas.

—Así que pueden ver cómo funciona y almacena los recuerdos la mente, pero ¿qué cambia eso? —pregunto sin mirarlo, temerosa de encontrar sus ojos.

157

—A menudo podemos sustituir partes de la hebra por material artificial o donado. Es una ciencia que todavía estamos perfeccionando —me explica—, pero normalmente consigue muy buenos resultados. Es muy similar a los arreglos de renovación que fortalecen y perfeccionan las hebras de un individuo. Algún día, seremos capaces de controlar por completo ambas técnicas, erradicando los problemas de conducta y asuntos más importantes como el envejecimiento.

Me estremezco ante la idea, pero no me sorprende que alguien como Cormac desee controlar el paso del tiempo.

—Si Amie es una persona completamente distinta, no creo que nuestro trato siga teniendo validez —doy un rodeo con la esperanza de que me revele algo más sobre el paradero de mi hermana o sobre lo que le ha sucedido.

—Pantalla —ordena Cormac, y una explosión de colorido ilumina la ondulada repisa de mármol de la chimenea—. Servicio de localización.

—¿Autorización? —pregunta una agradable voz desde algún lugar en el techo.

—Cormac Patton.

—¿Sujeto?

—Lewys sujeto cuatro. ¿Amie? —me mira en busca de confirmación y yo asiento con la cabeza.

La abstracta imagen se une y oscila, formando lentamente la silueta de una niña. Nos da la espalda mientras camina con otra chica por una avenida flanqueada de árboles.

—Reajuste visual. Reconocimiento facial —ordena Cormac.

No es necesario. La muchacha lleva el pelo recogido y se le ondula en suaves rizos dorados detrás de las orejas. Retiro los ojos de la pantalla cuando aparece la imagen de Amie, sonriente, con su nueva amiga. Feliz. Las heridas apenas cerradas de mi corazón se abren de nuevo, rompiéndolo en pedazos.

—No ha sufrido ningún daño —confirma—. ¿Tengo acompañante?

—¿Tengo elección? —logro preguntar.

—Por supuesto —afirma—. Aunque elige bien.

—Te veré mañana —digo en voz baja, mientras contengo las lágrimas en la garganta. Es imposible que me haya oído, pero no me pregunta de nuevo. Agradezco que alguien llame a la puerta. No podría soportar estar a solas con Cormac más tiempo. Erik entra en la habitación y avanza a grandes zancadas hacia él.

—¿Eres el ayudante de Maela? —pregunta Cormac con petulancia, mirando fijamente el pelo dorado de Erik.

Él sonríe y le tiende la mano.

—Erik, señor.

Cormac se levanta y la estrecha. Luego le agarra el hombro con una mano y le gira hacia mí.

—Acompaña a la señorita Lewys a su habitación. Ah, y ¿Erik?

—¿Sí, señor?

—Mantén las manos quietas.

—Por supuesto —asiente inmediatamente.

Cormac libera el hombro de Erik y se vuelve hacia el rincón.

—Tráeme la comida aquí y ordena que mi megavehículo me recoja en una hora —ordena a Jost.

—Señor —Jost hace una reverencia y atraviesa la habitación para salir. Al pasar, se atreve a mirarme. Junto a mí, Erik se irrita ante la aparición de Jost. No lo hubiera etiquetado de elitista.

—¿Señorita Lewys? —Erik me ofrece el brazo una vez que Jost ha pasado.

Consigo alcanzar el pasillo antes de empezar a llorar sin control.

—Vaya —Erik me da unas palmaditas en la mano—. El embajador Patton también produce ese efecto en mí.

—Lo siento —susurro, y le ofrezco la sonrisa más amplia que puedo.

—No te disculpes —dice él—. Es agradable estar con alguien que muestra más de dos emociones, y si tengo que soportar la cólera de Maela más tarde, tu compañía también puede resultarme agradable.

—¿Se va a enojar Maela? —pregunto entre sollozos.

—Patton es un cabrón. Me mandó venir para ponerla en su lugar, para recordarle quién está al mando. Quiero decir, pretendió no conocerme y me ha visto al menos diez veces.

—Pero te mostraste muy amable cuando no se acordó de tu nombre.

—Reaccionar de forma grosera no te conduce a ninguna parte —afirma Erik. Su tono es coloquial, pero estoy segura de que se trata de una advertencia.

Me deja llorar durante gran parte del recorrido de regreso por los pasillos y en el ascensor metálico me alarga un delicado pañuelo de hilo.

—Gracias.

Asiente con la cabeza.

En la puerta, quiero devolvérselo.

—Guárdalo —dice, apretándolo contra mi mano—. Tengo la sensación de que vas a necesitarlo más que yo.

Ojalá pudiera asegurarle que se equivoca.

OCHO

Cuando era una niña, me sentaba embelesada en el suelo del baño y contemplaba cómo mi madre se delineaba los ojos con un lápiz muy fino y luego repartía un polvo rosado sobre sus mejillas. Era la mujer occidental perfecta —atractiva, bien vestida y obediente—, sin embargo eran las arrugas y las patas de gallo que se le formaban al sonreír lo que más la embellecía. Día tras día, me convierten en otra persona distinta, y me pregunto si la edad dejará alguna vez sus marcas en mi rostro. Ahora tengo dieciséis años y mantendré un aspecto casi perfecto para siempre. Este pensamiento me ayuda a quedarme dormida por las noches, segura de mi lugar aquí, pero también me produce pesadillas que me despiertan temblando.

Las medias han sido el principal cambio de vestimenta en mi vida. La primera vez que me enfundé el ligerísimo tejido me encantó cómo la seda acariciaba mis piernas desnudas, aunque no tardé en darme cuenta de que dejaba una película de sudor sobre mi piel. La costura se tuerce constantemente en la parte trasera de mis piernas y las medias se me caen sin parar. Mantener el aspecto adecuado ha dejado de resultar glamuroso, y ahora que voy a viajar con Cormac Patton, es incluso peor.

Desde su visita he dedicado poco tiempo o nada a tejer. En vez de trabajar, me han estado arreglando, midiendo y enseñando normas de protocolo. Todo esto me está impidiendo emplear mi habilidad como hilandera, y también me está dejando mucho espacio para darle vueltas al destino de mi madre y mi hermana. La imagen de mi padre en una bolsa para cadáveres está grabada a fuego en mi mente y, aunque lo veo al cerrar los ojos para dormir, al menos su muerte es real para mí. Sin embargo, el pelo rubio de mi hermana y el rostro perfecto de mi madre aparecen sin parar en mis sueños. Me obsesiono con la nueva vida de Amie mientras colocan alfileres e hilvanan mis nuevos vestidos. A ella le encantaría todo esto de que te tomen medidas para confeccionarte vestidos elegantes. Al menos a *mí* Amie. La idea de que está viva, pero como una persona completamente distinta, me duele como si me hubieran vaciado y dejado demasiado tiempo sin interior. Es demasiado para asimilarlo todo, así que decido contar los vestidos que voy a necesitar. Vestidos para las transposiciones, vestidos para las entrevistas, vestidos para las fotografías. Vista la cantidad de seda y tul que va llegando a mi habitación, no estoy deseando ponerme ninguno de ellos.

Y Enora podría mudarse a mi cuarto. Se supone que debo conocer a todos los oficiales de la Corporación, los nombres de sus esposas, dónde residen y las principales exportaciones de su sector. Arras cuenta con un primer ministro y luego en cada sector hay un ministro de gobierno; cada ciudad dispone de uno también. Los puestos se heredan de padres a hijos, siempre que el hombre tenga un hijo varón. Un oficial de la Corporación jamás puede legar su cargo a una mujer. Es más información de la que aprendí en diez años de escuela, y no me imagino para qué va a servirme. No voy a entablar más que conversaciones triviales.

—¿Me van a hacer un examen? —le pregunto a Enora después de la tercera hora de interrogatorio sobre el Sector Este.

—¿Por qué no llamas a Cormac y se lo preguntas? —exclama, claramente tan cansada de esto como yo, pero preocupada por enviarme sin una buena preparación.

—Entonces, ¿cómo me dirijo a estos oficiales?

—¿A qué te refieres con dirigirte?

—Sí, cómo les llamo. ¿Se les considera ministros? —recuerdo que muchos de los agentes de Cormac se dirigen a él como ministro Patton, en vez de embajador.

—Tú no deberías dirigirte a ellos en absoluto —me mira como si hubiera perdido la cabeza.

No me molesto en ocultar mi fastidio.

—Entonces, ¿para qué estoy aprendiendo todo esto?

Enora deja escapar un largo y maternal suspiro antes de responder.

—Como acompañante del embajador Patton, se supone que debes recordarle nombres y datos importantes.

—Espera un minuto —escapo de las manos de la costurera que está cosiendo en silencio a mis pies y volteo hacia Enora—. ¿Me estás diciendo que debo aprender todo esto para que Cormac no tenga que hacerlo?

—Por supuesto.

—¿Y que no debo hablar con esas personas?

—Solo si se dirigen a ti y únicamente para entablar una conversación informal.

—Increíble —no estoy segura de si me refiero a las expectativas o a que Enora piense que esto es normal.

—Y hay otro asunto —Enora vacila—. Tu actitud con él es un tanto familiar. ¿Te ha pedido el embajador Patton que le llames por su nombre de pila?

—No lo recuerdo. A él parece darle igual.

—Adelice —dice Enora en voz baja—. Él suele visitarnos una o dos veces al año, y ha informado a nuestro mayordomo jefe de que vendrá al menos una vez a la semana durante el próximo mes. Porque está enamorado de ti.

—¿Enamorado? Qué dices, si solo comí con él —no me importa que la mitad de la población femenina de Arras estuviera dispuesta a meterse desnuda en su cama, es demasiado viejo para mí. Y todavía no confío en él.

—Lo diviertes —continúa ella, ignorando mi comentario—. Solo recuerda que es el único que puede firmar el decreto de ejecución.

Así que lo sabe. No me había preocupado de informarla sobre los particulares de mi reunión con Cormac, y había olvidado a propósito mencionar su comentario sobre matarme. Ya tiene bastantes preocupaciones.

—Hasta que te diga lo contrario, llámalo embajador Patton.

—De acuerdo —regreso al taburete para que la costurera pueda continuar trabajando en el dobladillo.

Enora hace una pausa y toma aire, contemplando mi atuendo un instante.

—Maela ha solicitado repasar el itinerario contigo.

—Eso va a ser divertido.

—Compórtate —me ordena Enora en un susurro de desaprobación.

Minutos después, Maela entra en el baño y lanza una mirada crítica al vestido que llevo puesto.

—Interesante elección.

Finjo no haberla oído.

—La oficina del embajador Patton me ha teleenviado tu itinerario oficial.

—Estaré encantada de repasarlo con ella —ofrece Enora.

Los ojos de Maela se encienden, pero se ríe de la sugerencia.

—Creo que sería más adecuado que la instruyera alguien que haya asistido a un evento oficial de la Corporación fuera del complejo. ¿Por qué no corres al almacén y seleccionas algunos complementos para ella?

Enora me ofrece una sonrisa comprensiva y desaparece. Una vez que se ha deshecho de Enora, Maela sabe que estoy a su merced.

—¿Has estado en algún evento de estos? —le pregunto.

—No pensarás que eres la primera tejedora que llama la atención de Cormac, ¿verdad? —pregunta Maela.

Así que ese es su punto débil.

—La verdad es que no me lo había planteado.

Maela se concentra en su digiarchivo.

—Saldrás de aquí mañana a las siete de la mañana y serás transpuesta a la estación Nilus, donde tendrás una sesión fotográfica con el equipo local de la Continua.

—A mí me trajeron a través de Nilus —le comento, pero Maela me ignora.

—Desde allí, viajarán a la estación Allia en el Sector Este, seguida de la estación Herot en el Sector Sur y la estación Ostia en el Sector Norte.

—Da la sensación de ser un montón de trabajo —digo, enfatizando mis palabras con una mueca. Pensaba que así rompería el hielo entre nosotras, pero me equivocaba.

Maela se vuelve hacia mí y me fulmina con la mirada.

—No mereces todo esto. Hay docenas de chicas que harían cualquier cosa por acompañar a Cormac sin actuar como niñas mimadas.

Me imagino que ella incluida.

Su cólera se desvanece tan deprisa como apareció.

—En cada etapa participarás en una sesión fotográfica —continúa—. Se te entregará una serie de respuestas adecuadas para las preguntas del equipo de la Continua y solo debes hablar cuando se te pregunte algo directamente. ¿Entiendes?

—Sí —asiento—. ¡Ves! ¡Lo conseguí! —añado fingiendo entusiasmo.

Esta vez Maela ignora mis burlas.

—En cada parada charlarán con los oficiales de la Corporación. Imagino que Enora te habrá comentado lo que se espera de ti.

—Sí —sonrío alegremente—. Cerrar el pico y verme guapa.

Maela levanta la cabeza de golpe, con un gesto de profundo enfado, pero no me sermonea de nuevo.

—A la mañana siguiente el embajador Patton te acompañará a varias sesiones fotográficas y actos programados. Tu equipo de esteticistas viajará contigo.

—¿Todas ellas?

—Sí —el rostro de Maela se crispa de impaciencia, lo que revela su edad—, además de tu guardia personal.

—Pero yo no tengo guardia personal —exclamo.

—El embajador Patton ha designado a Erik para que te escolte —añade con tranquilidad.

Soy plenamente consciente del número de tijeras repartidas por la habitación.

Maela no levanta los ojos del digiarchivo, tratando probablemente de no apuñalarme. Parece que Erik tenía razón al asegurar que Cormac desea fastidiarla.

—Por supuesto, Valery se ocupará de ti y contará con una ayudante. Cormac ha ordenado también que Josten Bell le sirva de mayordomo.

—¿Josten Bell? —mantengo el rostro inclinado hacia la costurera que trabaja a mis pies.

—Te atendió en la celda —responde, examinando mi rostro—. ¿No te acuerdas de él? Es nuestro mayordomo jefe. Pensé que se había interesado por ti.

—¿El maleducado? —pregunto.

—El mismo.

—¿Por qué va él? —parece una trampa enviarme de viaje con dos hombres jóvenes, o tal vez Cormac sea realmente estúpido.

—Él se ocupa de Cormac, digo, del embajador Patton, cuando visita el Coventri Oeste —me explica, consultando la pantalla de su digiarchivo—. El embajador lo aprecia, o más bien aprecia su habilidad para elaborar cocteles, y como su mayordomo habitual no está disponible, se lleva al nuestro. Parece que le tiene sin cuidado nuestra capacidad de funcionamiento mientras están de viaje.

—No creí que fuera alguien importante —trato de mantener un tono de voz desdeñoso y superficial, pero soy consciente de lo rápido que palpita mi corazón. No es solo que Maela se haya percatado del interés de Jost por mí, sino que ahora él también se ha visto arrastrado por este lío.

—No lo es —asegura Maela mientras regresa al dormitorio.

—Eso pensaba —murmuro para nadie en particular.

Enora acude para ayudarme a hacer el equipaje y mi esteticista principal, Valery, le sigue los pasos. Agradezco la compañía. Sé que no podré dormir, como la noche anterior al solsticio de invierno, cuando lo único en lo que piensas es en los regalos. Pero en esta ocasión es el miedo, no los nervios, lo que me mantiene despierta.

Valery susurra algo al oído de Enora y esta le responde con un ligero apretón en el antebrazo.

—¿Lista para mañana? —me pregunta, apoyándose en Enora.

Me muerdo el labio y hago una mueca de pánico. Valery se ríe y Enora sacude la cabeza, fingiendo enfado.

—Llevo todo el día preparándola —comenta Enora a Valery, pero con los ojos fijos en mí—. Más le vale estar lista.

—Si tú la has ayudado, yo no me preocuparía —dice Valery, dando una amigable palmadita en el brazo de mi mentora—. Aunque será mejor que yo me ponga en marcha —mi esteticista me regala una sonrisa burlona y entra en el baño. Quiere asegurarse de tener todas las herramientas listas para el viaje; este pensamiento vuelve a provocarme pánico.

La mayoría de mis pertenencias serán enviadas con el personal, que viajará conmigo por las distintas estaciones de transposición, sin embargo Enora me entrega una pequeña caja roja atada con un lazo de satén blanco. Me recuerda los regalos que mis padres me traían a la habitación cada año en mi cumpleaños. No pude disfrutar del perfume que compraron para el último, un regalo para celebrar mi decimosexto cumpleaños y la promesa de mi ansiada desestimación en las pruebas. Lanzo exclamaciones de sorpresa mientras abro el regalo de Enora, aunque debo contener el dolor hueco que provoca en mi pecho.

Es un digiarchivo.

—Para tus transposiciones —dice mientras me muestra cómo encenderlo—. Sé que te mareas, así que pensé que esto podría distraerte. Incluye toda la información que necesitas.

Toco suavemente la pantalla y aparecen diversas opciones de ocio: catálogos de cosméticos y ropa, videos de la Continua y el último *Boletín* de la Corporación.

—Gracias —exclamo, realmente contenta con el regalo. Aunque he visto a personas como Maela usando estos aparatos, en Romen solo podían permitírselos los hombres de negocios de rango superior y fuera del coventri jamás vi a una mujer con uno. Tener un digiarchivo propio me hace sentir importante.

—También te permitirá comunicarte directamente con el embajador Patton —añade Enora, deslizando el dedo para seleccionar la opción de compatibilidad con chip comunicador—. Él quería que te implantáramos un chip comunicador, pero Maela se puso furiosa.

Por primera vez agradezco los celos de Maela.

—¿Cormac quería que yo tuviera un chip comunicador?

—Lleva años presionando para que se dote a las hilanderas de esa tecnología —me explica—. Asegura que permitiría una respuesta más rápida ante amenazas inminentes en Arras.

—¿Y tiene razón?

—No. Disponemos de tejedoras de guardia a todas horas. A él le interesa más mantenernos vigiladas.

Trato de ocultar mi sorpresa ante tanta sinceridad. A pesar de su amabilidad, Enora rara vez me habla con esta franqueza.

—¿Por qué se negó Maela?

—No te preocupes —me asegura y ríe—, no está reconsiderando vuestra relación. No consiguió el visto bueno de Loricel, así que sugerí esto.

—¿Loricel? —pregunto mientras repaso los archivos.

—Ella es la única persona del coventri que le niega algo a Cormac.

Bajo el digiarchivo y presto más atención.

—¿Quién es?

—La maestra de crewel.

—¿Como tú? —pregunto, recordando las distintas obligaciones de Enora.

—No, yo no soy por nada como ella —admite—. Simplemente la ayudo en determinados proyectos.

—Pero hay más de una maestra de crewel, ¿verdad?

—En realidad, no —dice, recostándose sobre un cojín en el suelo—. Las verdaderas maestras de crewel son muy escasas. Loricel es la única de Arras.

—¿La única? —dejo de caminar de un lado a otro y me siento junto a ella.

—El bordado crewel es pura creación. Las maestras de crewel hacen más que tejer la tela de Arras. Ellas pueden recopilar los materiales para crearla. Y solo ellas pueden ver la trama de las materia primas —Enora me mira fijamente—. Arras sobrevive gracias a Loricel. Las hilanderas no tendrían nada que tejer si no fuera por su don especial.

—¿Cuántos años tiene? —pregunto, sintiendo cómo se me encoge el estómago. Todos los años ocultando y mintiendo sobre mi habilidad para tocar el tejido sin un telar, incluso aquí a petición de Enora, cobran sentido ahora.

—Es difícil de precisar, teniendo en cuenta los arreglos de renovación y la medicación —dice Enora suavemente—, pero lleva trabajando más de sesenta años.

Debe de ser una anciana.

—¿Y qué sucederá cuando muera?

—Buscarán una nueva maestra de crewel —los ojos de Enora están fijos en los míos—. Pero hasta ahora no ha aparecido ninguna aspirante adecuada.

—¿Y si no encuentran ninguna? —susurro.

—Arras se desvanecerá.

Examino su rostro en busca de algún signo de tristeza o miedo, pero no hay nada. Si la posibilidad de la muerte de Loricel la asusta, no lo demuestra. De repente, la imagen de Amie riendo con su amiga vaga por mi mente, seguida de un Jost con arrugas en torno a los ojos provocadas por la risa. Sin una maestra de crewel, ellos también desaparecerán. Es una posibilidad que ni siquiera había considerado.

—Cormac me enseñó a Amie, ¿lo sabías? —digo en voz baja.

—¿Tu hermana? —pregunta Enora, y yo asiento con la cabeza.

No he hablado mucho de ella desde que estoy aquí. Siento que mi vida está dividida en dos partes: antes y después. Todo lo que precedió a mi recogida es secreto. Una vida pasada que carece de espacio aquí, y aunque Amie siga viva, para mí ella solo existe en ese otro tiempo. La mantengo en mis pensamientos más íntimos, sin embargo algo en los recuerdos que desfilan por mi mente mientras me preparan para el viaje ansía ser liberado y reconocido.

—Estaba feliz —añado, y noto cómo mi voz está a punto de reflejar mi dolor. No le cuento que ahora Amie es diferente, ni lo que le hicieron. Tampoco que mis pensamientos se han transformado de recuerdos en planes, y que la verdadera razón de acceder a este viaje es dejar atrás los muros del coventri y salir al mundo de antes, donde Amie todavía existe, aunque haya cambiado.

—Creo que la transposición te resultará mucho más cómoda esta vez —añade, apretando el digiarchivo contra mis manos y obligándome a regresar al presente.

Me asalta el recuerdo de los grilletes del primer viaje y me provoca temblores en las manos.

—No me...

—No —confirma rápidamente, leyendo mi pensamiento—. Viajarás en compartimentos de primera clase. El embajador Patton quiere que estés contenta.

—Todavía no estoy segura de qué hice para merecer esto —admito.

Enora sonríe con tristeza. No somos tan estúpidas como para creer que los enormes privilegios de los que estoy disfrutando tengan nada que ver con que los merezca.

—Supongo que tendremos que esperar y ver qué sucede.

Por la mañana acudo a mi transposición en megavehículo. Erik y Jost me acompañan y el resto del equipo nos acompañará pronto. Erik charla sin parar, sin embargo Jost permanece en silencio, sentado a mi lado. Erik me hace reír, pero siento la tensión en el ambiente en la parte trasera del vehículo: a Jost no le hace gracia que lo envíen a recorrer todo Arras. Y tampoco parece encantado con que hable con Erik.

Mi desaliñado amigo se ha arreglado para la ocasión. Jost está perfectamente afeitado y lleva el pelo peinado y colocado detrás de las orejas. Le roza el cuello de la chaqueta de lana gris.

—¿Cómo se conocen ustedes dos? —pregunto a Erik, señalando a Jost.

Jost abandona su actitud de malestar y me mira.

—Me dijiste que él te envió... —dejo la frase inacabada, sin querer decir demasiado sobre lo que Jost me contó en la celda, por si acaso la Corporación ha instalado audiotransmisores en nuestro megavehículo.

—Jost es el mayordomo jefe —me informa Erik—. Como me resultó imposible acudir a tu celda, le pedí que te atendiera.

—Entiendo —comento sin estar segura de que sea tan simple. Jost hablaba como si conociera a Erik. Como si compartieran algún tipo de historia, y no muy agradable.

—¿Estás nerviosa por la transposición? —pregunta Erik, cambiando de tema.

Con el rabillo del ojo veo que Jost se recuesta de nuevo en su asiento, pero sin dejar de observarme.

—Sí —admito, mientras trato de ignorar la intensa mirada de sus ojos azules—. Mi primera experiencia no fue muy agradable.

—Bueno, no fue una experiencia típica —responde Erik.

—Olvidaba que estabas allí —recuerdo en voz alta.

Él asiente con la cabeza. Si se arrepiente de haber ordenado al doctor que me medicara, no lo demuestra.

—Enora me regaló esto —le digo, sacando el digiarchivo del bolso.

Erik deja escapar un leve silbido.

—Vaya regalo.

—¿De verdad? —pregunto con rubor—. Supuse que la mayoría de las hilanderas tendrían uno.

—Para nada. Maela tiene uno, pero solo porque forma parte del equipo de instrucción. Enora habrá tenido que tirar de algunos hilos para conseguirlo —continúa Erik.

—No tenía ni idea —admito.

Durante un breve instante, Erik y Jost cruzan la mirada, pero lo que quiera que provocara ese gesto no les arranca ni una palabra. La conversación se apaga de nuevo y me siento agradecida de que el recorrido sea corto, porque tengo un nudo en el estómago.

La estación de transposiciones ubicada fuera de los muros del complejo es pequeña y sencilla. Erik franquea conmigo la puerta metálica doble que da a un pequeño vestíbulo con una silla de terciopelo, en la que me obligan a sentarme.

Detrás de nosotros empieza a entrar mi equipo, junto a mis vestidos, bolsos y carritos, abarrotando la diminuta estancia. Una mujer vestida con un elegante traje azul cielo aparece por el pasillo e intercambia unos breves comentarios con Erik. Veo cómo él asiente y señala al grupo. Un instante después, ella se acerca y me hace señas para que la siga. Camino a su lado. Detrás de nosotras, escucho cómo Erik da instrucciones resueltas al resto del grupo para que formen una fila ordenada.

—¿Viajas a Nilus? —me pregunta la mujer con voz inexpresiva, y yo logro asentir con la cabeza. Es mayor, lleva el pelo perfectamente recogido en un sencillo moño, y me guía con la pericia de alguien que lleva toda la vida haciendo esto—. Tu transposición durará alrededor de una hora —continúa, llevándome hacia el interior de una estancia con iluminación tenue e indicándome que me siente en un enorme asiento de cuero colocado en el centro de la estancia.

Alarga el brazo hacia un panel situado junto a mí y escucho el sonido que hace un botón al pulsarlo. Me pongo tensa, esperando que el casco metálico descienda sobre mi cabeza, sin embargo se desliza una pequeña bandeja de roble sobre mi regazo. Espiro mientras la mujer abrocha un largo y grueso cinturón en diagonal sobre mí.

—¿Has sido transpuesta antes? —pregunta con curiosidad.

—Sí.

—Perdona mi atrevimiento —continúa—, pero pareces nerviosa. La mayoría de la gente no se muestra tan asustada la segunda vez.

Me encojo levemente de hombros, sin querer contarle que durante mi anterior transposición me encadenaron a la silla.

—No pasará nada —me dice con dulzura—. Te traeré un té.

Cruza la puerta y aparece la cara de Erik bajo el umbral.

—Te veo en Nilus.

—Nos vemos allí —logro articular.

Avanza, seguido por Jost. Nuestros ojos se encuentran un instante, pero no sé qué decirle. Tan pronto como lo pierdo de vista, la azafata regresa con un vaso de té helado.

—Es mejor que no bebas nada caliente hasta que estés más acostumbrada a las transposiciones —me aconseja, colocando el vaso con esmero sobre una servilleta cuadrada blanca delante de mí.

—Gracias —respondo con sinceridad, y ella me da una palmadita en el brazo al salir. Cuando el recuerdo de la otra azafata acude a mi mente, siento cierta opresión en el pecho.

Después de que la puerta se cierra, la habitación empieza a brillar, desvaneciéndose a mi alrededor. Esta vez, sin el casco bloqueando mi visión, me sorprende lo hermoso que es. Unas hebras de luz dorada se deslizan a mi alrededor y el compartimento se disuelve poco a poco. Saboreo los breves instantes en que todo es tiempo entrelazado con materias primas, cómo aparece segundos antes de que el tejido forme la nueva habitación. Me olvido del té y del digiarchivo que aferro con mi mano sudorosa mientras la estancia parpadea y otra la sustituye de forma lenta y elegante. Me recuesto tranquilamente en la silla mientras pasa la hora, observando cómo cada fragmento de la habitación es retejido cuidadosamente hasta que me encuentro en un luminoso espacio rojo decorado con un atractivo diseño dorado. Cuando el último fragmento de la estancia ocupa su lugar, entra una hermosa joven.

—Bienvenida a la estación Nilus, señorita Lewys —saluda con entusiasmo, al tiempo que me retira la bandeja y me desabrocha el cinturón—. El resto del grupo llegará en breve. Por favor, levántese con cuidado.

Tan pronto como empiezo a incorporarme, comprendo su advertencia. Mis piernas se tambalean y tiemblan como si hubiera permanecido sentada durante horas. Agarrándome al brazo de la silla, me obligo a ponerme en pie y respiro hondo.

—Acostumbrarse a esto requiere bastante tiempo —afirma ella—. Al menos es lo que la mayoría de la gente asegura.

Observo a la chica con atención. No puede ser mucho mayor que yo. Probablemente le asignaran este puesto poco después de mi recogida. Este podría haber sido mi trabajo.

—¿Alguna vez lo has probado? —le pregunto.

—Oh, no —se ruboriza. Mientras me ayuda a bajar de la pequeña plataforma, me confiesa bajando la voz—: Mi jefe me dijo que me transpondría a Allia. El director de la estación le debe un favor.

—Bueno —digo, tratando de parecer entusiasmada—, el primer viaje es el más duro.

—¡Lo sé! —exclama con un chillido—. Estoy nerviosa, pero es una oportunidad única en la vida.

Jost me espera en el vestíbulo y la joven azafata me ofrece una amplia sonrisa mientras desaparece por una esquina.

—Resulta agradable ver algo de entusiasmo —comenta con sequedad—. Erik está comprobando que todo está en orden.

—Estupendo.

No sé qué decirle, así que aprieto los labios en señal de disculpa. Odio fingir que él está por debajo de mí, pero no quiero que nadie haga preguntas sobre nuestra familiaridad.

—Lo sé —susurra él.

—Lo siento —su mirada comprensiva hace que me sienta peor.

—Oye, te dije que te hicieras la tonta.

Asiento con la cabeza y entonces empiezo a tambalearme por el mareo de la transposición. Jost me sujeta con facilidad y siento un hormigueo donde me roza la piel desnuda. La sensación me sube por los brazos y se concentra en mi nuca. Sé que debería apartarme de él, pero antes de poder reaccionar, el sonido de unas pisadas en el pasillo que se abre detrás de nosotros nos separa de golpe. Jost retrocede con indiferencia al tiempo que Erik aparece a lo lejos.

—Cormac se reunirá con nosotros en Allia —nos informa—. Ha surgido un imprevisto en el Sector Este. Adelice, ¿necesitas entrar en el tocador?

Sacudo la cabeza, con el estómago de nuevo encogido por la ansiedad. Nunca he hablado en público.

—No te preocupes —dice Erik, ofreciéndome el brazo—. Los reporteros disponen de un máximo de quince minutos. ¿Recuerdas las respuestas?

—Sí.

—Todo saldrá bien —su tono es tranquilizador, pero no consigue calmar mis nervios. Erik parece el tipo de persona que jamás se pone nerviosa.

Atravesamos la sala de espera de la compañía de transposiciones rumbo al vestíbulo de la estación. Está vacío, a excepción de varios guardias estratégicamente colocados.

—Hoy no está permitido viajar entre las distintas estaciones, salvo a los dignatarios invitados, y contaremos con guardias del Servicio Especial en cada estación —me explica Erik.

—Soy una dignataria —exclamo, animándome a creerlo.

—Increíble, ¿verdad? —se burla, lo que me ayuda a sonreír un poco.

Jost se coloca a mi lado y me doy cuenta de que me están escoltando, como había visto hacer a Erik y a otro guardia con Maela. De pie entre ellos, me muevo incómoda mientras esperamos a que el guardia de la entrada principal nos abra el paso. Tras unos minutos, se aparta para que continuemos.

Sin el habitual tránsito de hombres de negocios, el grandioso vestíbulo de mármol de la estación permanece en silencio, y el único ruido procede de un pequeño grupo de reporteros de la Continua. Tan pronto como nos reconocen, reaccionan y se arremolinan a nuestro alrededor. Los guardias los mantienen a cierta distancia y me alegro de tener a Erik y a Jost a mi lado, sin embargo, cuando Erik se adelanta para hablar, los guardias son la única barrera entre las cámaras y yo.

—Me han confirmado que ustedes han recibido la asignación de preguntas y ubicaciones. Disponen de quince minutos para grabar antes de la siguiente transposición de la señorita Lewys.

El grupo se organiza rápidamente y me enfrento a las preguntas para las que Enora me preparó ayer.

—Señorita Lewys, ¿cuál es su privilegio favorito como tejedora invitada? —pregunta un reportero de aspecto infantil con voz entrecortada y profesional mientras un cámara se alza por encima de su hombro.

—La ropa —respondo automáticamente. Intento que mi voz suene desenfadada, pero sé que mis palabras se están emitiendo en directo a todo Arras como parte del viaje promocional—. Es estupendo tener prendas bonitas que ponerse cada día.

—Vaya cambio respecto a los anteriores estándares de pureza, ¿verdad? —interrumpe jovialmente un reportero de mejillas sonrosadas; algunos compañeros se ríen, pero un guardia lo empuja hacia atrás y el grupo regresa al asunto que tiene entre manos. No obstante, es suficiente para relajarme.

Me preguntan sobre la comida, mi trabajo, las otras candidatas y yo recito mis respuestas del modo más natural que puedo, como una buena máquina.

—La última —me susurra Erik mientras se acerca un hombre de mediana edad con la grabadora adelantada para recoger mi respuesta. Viste un traje azul marino común y corriente y parece tan aburrido como yo estoy empezando a sentirme. Repaso mentalmente las respuestas preparadas en busca de la correspondiente a la única pregunta que todavía no se ha formulado y espero, lista para regresar a la cómoda silla de mi compartimento de transposición.

—Señorita Lewys —comienza suavemente—, ¿puede decirnos qué le sucedió a sus padres, Benn y Meria Lewys?

NUEVE

Erik coreografía una respuesta con tanta habilidad que lo veo ascendiendo a algo más que ayudante personal dentro de poco. Si los otros reporteros de la Continua sentían alguna lealtad hacia ese hombre, no lo demuestran, y algunos incluso le dan la espalda. Jost me toma suavemente del brazo y me arrastra hacia la sala de espera de la compañía de transposiciones, pero veo cómo los cámaras y reporteros se apartan para dejar paso a los guardias. El hombre que preguntó por mis padres no opone resistencia, aunque mantiene los ojos clavados en mí mientras se lo llevan.

—Lamento lo sucedido —dice Erik, moviéndose para taparme la visión de lo que está sucediendo en el vestíbulo.

Hazte la tonta. Veo estas palabras en los ojos de Jost.

Sacudo la cabeza.

—Me imagino que no recibió el memorándum de preguntas a tiempo.

—Probablemente —Erik sonríe—. Aún tenemos que hacer la sesión fotográfica. Creo que ya está todo reorganizado y listo para que salgas.

Lo sigo de nuevo hacia el silencioso vestíbulo. El equipo de la Continua se reúne a nuestro alrededor mecánicamente, pero nadie habla. Los *flashes* de las cámaras y las instrucciones apresuradas de mis esteticistas no logran distraerme del sombrío ambiente que reina en el vestíbulo repleto de ecos. Al darme la vuelta, veo a mi lado al reportero de mejillas sonrosadas que bromeó durante la entrevista. Lo miro a los ojos y sonrío, pero él aparta la mirada. Puede que estos reporteros no hayan evitado que los guardias se llevaran al otro hombre, pero obviamente se sienten heridos.

Estoy demasiado distraída para disfrutar de la siguiente transposición, sin embargo esta vez, cuando la azafata me ayuda a levantarme del asiento, no me siento mareada, lo cual me alegra porque Cormac me está esperando en la puerta y no quiero que me vea tambaleándome. Inmediatamente me arrastra hacia un pequeño bar situado junto a la sala de espera. Está vacío. Ni siquiera hay camarero, debido a las restricciones en los desplazamientos que ha impuesto el Departamento de Seguridad. Me siento en un taburete de caoba alto y reposo el brazo sobre el fresco mostrador de madera, sintiéndome un poco fuera de lugar.

—Me dijeron que tuviste un encuentro desagradable —comenta, enderezándose la corbata negra mientras me examina de manera subrepticia.

—Algo así —me encojo de hombros como si no me hubiera dado cuenta.

—No fue nada —afirma Erik al tiempo que se acerca a grandes zancadas—. Adelice manejó la situación como una profesional.

—Apuesto a que sí —responde Cormac—. ¿Dónde está mi mayordomo?

—Estoy aquí —contesta Jost desde la puerta.

—Bien, prepárame un whisky con soda —ordena Cormac. Volviéndose hacia mí, añade—: Sus cocteles son realmente increíbles. Puedo pedirle que te haga uno. Estoy considerando seriamente reubicar a Jost en un puesto permanente. Es el único mayordomo que sabe cuál es su lugar.

Respondo a su sugerencia con una mirada inexpresiva y logro sacudir la cabeza para rechazar la bebida. No me gusta la idea de que se lleve a Jost lejos del coventri, y me imagino que a él tampoco le hace gracia.

—Probablemente sea mejor que no bebas. No me gustaría que te presentaras borracha ante los equipos de la Continua.

No tardo en darme cuenta de que la idea de Cormac de ajustarse a un horario es distinta a la del resto del grupo. Aparentemente, su programa incluye un coctel rápido seguido de bromas almibaradas con la azafata de largas piernas que cometió el error de acudir a ver si necesitábamos algo.

Es Erik quien finalmente toma la iniciativa.

—Señor, deberíamos apresurarnos o tendremos que suspender la sesión fotográfica.

—¿La sesión fotográfica? ¿Es que no tomaron suficientes instantáneas en Nilus?

—Sí —lo interrumpo, obligándome a parecer dulce—, pero no contigo —incluso yo me asqueo de lo melosas que suenan mis palabras.

—Supongo que tienes razón. Querrán fotografías mías y de mi acompañante —comenta, apartando la mirada de la muchacha y apurando la bebida.

—Por supuesto —continúo con voz almibarada—, y además, nosotros tampoco queremos que te presentes borracho ante los equipos de la Continua.

Ya está bien de dulzura.

La cara de Cormac pierde la sonrisa, y se abre paso a codazos hacia la puerta del bar.

—Adelice —dice dándome la espalda—, trata de cerrar el pico.

—Por supuesto, Cormac —respondo. No debería provocarlo de esta manera, pero detesto el modo en que el resto de su equipo se doblega ante él. Me imagino el ataque de pánico que estaría sufriendo Enora en estos momentos.

—Parece que tienes cierta influencia sobre él —susurra Erik, acercándose a mí.

—Cormac y yo nos entendemos.

Erik alza una ceja. Está claro que lo ha interpretado mal.

—No te preocupes. Es un asunto sobre una amenaza de muerte.

—Vaya —responde Erik—, solo eso.

Esta vez, el comportamiento de los reporteros es ejemplar, y me pregunto si los habrán aleccionado sobre lo ocurrido en Nilus. No se producen chascarrillos inocentes ni preguntas sorpresa. La entrevista se desarrolla con tanta precisión como el trabajo en el telar, y aunque la sesión fotográfica con Cormac no resulta agradable, dura poco. Desliza un brazo en torno a mi cintura, indicándome que me arrime a él. Al estar tan cerca el uno del otro, percibo un olor a antiséptico que lo envuelve y diluye el aroma de su colonia. Me arden los ojos.

—Por el amor de Arras, sonríe, hermana —exclama un fotógrafo de rostro ancho tras los chasquidos de las cámaras, pero se calla cuando un guardia se aproxima a él.

—Te agradecería que adoptaras una actitud natural —sisea Cormac a través de sus perfectas hileras de dientes deslumbrantes.

—Lo intento —respondo de manera forzada a través de mi amplia sonrisa.

—Ya terminaron, señor —le informa Erik desde un lateral; Cormac retira su brazo y se aleja a grandes zancadas a la sala de espera privada.

No nos volvemos a dirigir la palabra, excepto cuando él me ladra que en la siguiente estación me muestre feliz. Al llegar la última transposición del día, empiezo a estar aburrida. Comer durante el traslado resulta más complicado de lo que imaginaba. Es difícil mantener la comida en el tenedor mientras la habitación se mueve y resplandece a mi alrededor. Cuando llegamos a Cypress, donde pasaremos la noche, estoy hambrienta y malhumorada. Respondo las preguntas de la entrevista de forma mecánica y sonrío alegremente ante la cámara, pero estoy deseando disfrutar de algo de intimidad en la habitación del hotel antes de que mis esteticistas acudan a vestirme para el evento de esta noche.

Llevo unos veinte minutos en la habitación, aguardando la cena, cuando mis esteticistas entran apresuradamente.

—Confío en que hayas comido algo —gorjea Valery mientras coloca sobre la cama un largo vestido de satén.

—Se supone que dispongo de cierto tiempo para mí —respondo bruscamente—. Todavía estoy esperando a que llegue la comida.

—Puedes comer mientras trabajamos —me asegura sin mirarme a los ojos—. Siempre que lo hagas con cuidado. Enora quiere que estés lista para salir media hora antes del evento.

—Me tortura incluso a distancia —respondo con un gruñido.

Valery me lanza una mirada de reproche.

—Enora se preocupa por ti... —empieza a decir, pero no termina la frase porque llega el servicio de habitaciones.

Mi cena, ganso asado con papas dulces al curry, tiene un aspecto delicioso, pero mientras las chicas me preparan solo tengo ocasión de tomar unos cuantos bocados. Siempre hay alguien empolvándome o arreglándome las uñas.

—¿Puedo entrar? —pregunta Jost desde la puerta corredera de mi habitación.

—Sí —mascullo mientras Valery me sujeta firmemente la mandíbula con la mano para depilarme las cejas.

—Estás preciosa —se burla Jost al entrar en la habitación.

—Oh, cállate.

Valery suspira y me suelta la cara. Le lanza una áspera mirada al pasar junto a él para sacar los complementos de los baúles que trajo mi personal.

—Esto se ve bien —dice Jost, señalando el ganso—. Yo pedí pato.

Me ruge el estómago cuando su comentario dirige de nuevo mi atención hacia la comida, y ladeo la cabeza hacia la chica que me pinta cuidadosamente las uñas para indicarle por qué no he podido comer.

—Abre la boca —dice Jost, tomando el plato y pinchando unas papas.

Tomo el bocado agradecida. La comida está fría, pero aun así el curry me cosquillea en la lengua.

—Gracias —murmuro con la boca medio llena.

—Es un placer.

Jost permanece a mi lado y, con cuidado, logra pasarme algunos bocados más mientras las chicas continúan con los preparativos. Muy pronto, el hambre acuciante se evapora y puedo disfrutar de los delicados dedos de mis esteticistas que me rizan el pelo y me aplican crema en las piernas con gran profesionalismo. Con el estómago lleno, ni me doy cuenta de que estoy cansada hasta que la tos irritada de Valery me despierta de una siesta espontánea.

—Estamos listas para vestirte —afirma.

Asiento con la cabeza y busco a Jost a mi alrededor, pero debió marcharse cuando me quedé dormida.

—No está aquí —dice Valery mientras me ayuda a ponerme el fresco vestido de satén.

—¿Cómo dices? —pregunto.

—Jost —responde, y su voz refleja claramente que no se ha tragado mi inocente reacción—. ¿Un mayordomo?, ¿cuando podrías tener a alguien como Erik?

—¿O Cormac? —sugiere su ayudante mientras me sube el cierre.

—No tengo ni idea de lo que están hablando —exclamo, notando el calor que sube a mis mejillas.

—Oye, detente o echarás a perder el maquillaje —se ríe Valery—. No seas malpensada. Es muy guapo para ser un mayordomo y sus ojos son tan azules como los de Erik, pero él...

Le lanzo una mirada de *basta ya* y entonces me tiende una pulsera, que me coloco en la muñeca.

—Probablemente sea mejor así —continúa su ayudante—. Cormac se cansa de las mujeres con bastante rapidez y Erik...

No puedo evitar girarme para escuchar lo que dice de él.

—Erik es de Maela —Valery termina la frase.

—Por suerte no estoy interesada en ninguno de ellos —afirmo, pero mantengo los ojos fijos en el espejo.

En el reflejo, contemplo cómo Valery y la chica intercambian miradas cómplices.

—Claro, cariño —pero cuando su ayudante se aleja para tomar más complementos, Valery acerca los labios a mi oreja y susurra—: Sé todo lo feliz que puedas, aunque solo sea un poquito.

Valery se endereza tan pronto como la chica entra de nuevo con mi collar, pero sus palabras se instalan en mi mente. Al observar sus movimientos en el espejo, ágiles, resueltos y sin un atisbo de resentimiento por el puesto que ocupa, espero que sea feliz y deseo poder serlo yo también.

—¿Cuál es exactamente el orden del día para esta noche? —pregunto a Erik cuando me reúno con él en la puerta.

—Bueno, te pusiste tan guapa para algo —responde. Tengo que aguantar la risa.

—¿Ese tipo de comentarios funciona con las otras chicas? —pregunto, sin ocultar cuánto me estoy divirtiendo.

—Claro —responde con una amplia sonrisa—. ¿Por qué eres tan inmune a mis encantos?

—Años de segregación —contesto, permitiéndome una suave risa.

—Eso normalmente juega a mi favor —admite en un susurro mientras Cormac sale de su habitación para unirse a nosotros.

No es que no me guste Erik. Incluso pienso que es encantador. Tal vez sean los años de inexperiencia con los chicos lo que convierte sus flirteos en algo más embarazoso que atrayente.

—Estás encantadora, Adelice —comenta Cormac, tomando mi mano. Me conduce hacia el megavehículo que nos espera. Me tambaleo sobre mis altos tacones de aguja al salir del hotel, pero Erik alarga rápidamente una mano para ayudarme a recobrar el equilibrio. Antes de que pueda darle las gracias, ha desaparecido detrás de mí. Los equipos de la Continua vociferan sus preguntas, pero soy incapaz de ver nada más allá de los constantes destellos de sus cámaras. Me acerco más a Cormac en busca de seguridad, a pesar de su repugnante olor. A una parte de mí le encantaría que le inyectaran unas dosis de Valpron en este mismo instante para que todo resultara más sencillo, pero supongo que es mejor así. Tendré que mantener la calma si quiero llegar al final de la noche sin haber metido la pata hasta el fondo.

Cormac sonríe de oreja a oreja y llama a muchos de los reporteros por su nombre. Responde las preguntas manteniendo su brazo fuertemente amarrado a mi cintura en todo momento. Una vez que estamos a salvo dentro del megavehículo, me alejo de su lado y aliso las arrugas que su mano ha dejado en el vestido.

—¿Estás ansiosa por escapar de mí? —pregunta con una expresión dura en sus ojos oscuros.

—Me siento abrumada —admito.

—No te preocupes —me tranquiliza mientras enciende un puro—. Vamos a asistir a una sencilla ceremonia de corte de cinta, a tomar unas fotografías y luego de vuelta al hotel.

No más cenas, ni reuniones, ni entrevistas después de esto. Es un gran alivio.

—Puedo cortar una cinta —le aseguro.

—Por Arras, espero que sí. Después de todo eres una hilandera —mantiene una sonrisa condescendiente mientras forma anillos con el humo.

No sé qué pensar de Cormac. Lo odio, pero cada vez estoy menos segura de tener justificación para ello. Sin duda, es repulsivo y arrogante, pero de las personas que he conocido desde mi recogida, aunque parezca extraño, es quien más respeto me ha mostrado. Si por respeto entendemos honestidad brutal, claro está.

El megavehículo se aproxima a una multitud. Deben de haberse congregado la mayoría de los vecinos. Me tiemblan las manos de ver tanta gente, lo que va a resultar un problema si tengo que cortar una cinta. Cormac abre mi puerta y me ayuda a salir. Hay equipos de la Continua y docenas de personas, sin embargo noto algo extraño en la muchedumbre. En todas nuestras paradas, la gente ha reaccionado de manera frenética, tratando de tocarnos o coreando nuestros nombres, pero la población aquí está bastante calmada. Algunos parecen incluso aburridos, como si los hubieran obligado a venir. Probablemente sea así, aunque eso no es nuevo.

—¿Qué vamos a inaugurar en este lugar? —pregunto a Cormac mientras nos dirigimos hacia una gran construcción de ladrillo. Busco algo que me revele qué tipo de edificio es, pero los espectadores que rodean la estructura me lo impiden.

—Su nueva escuela —responde, agarrándome el codo y guiándome con firmeza hacia la puerta principal.

Me habría detenido en seco de no ser porque me está impulsando hacia delante con su brazo.

—Voy a cortar una cinta en una escuela —digo, volviéndome hacia él— en Cypress.

Cormac mantiene la mirada en el sendero que hay delante de nosotros y no responde. De repente, recuerdo por qué lo odio. Así que esta es la razón por la que estoy aquí. Para recordarme lo que hice. No me pasa desapercibida la amenaza. Observo a la multitud y me pregunto por qué su actitud es tan plácida. La Corporación debe de haberlos atiborrado de mentiras para evitar que se lancen sobre nosotros. ¿Les dijeron que fue un accidente como la historia que nos contó Amie de la señora Swander?

Incluso si ha sido así, la gente se muestra demasiado condescendiente. No hay ni una sola persona con el más leve rastro de rabia o dolor en el rostro.

Y entonces me doy cuenta. No saben lo que ha sucedido.

—¿Qué les hiciste? —susurro.

—¿Por qué tendría que hacerles algo? —pregunta Cormac con inocencia fingida.

—¿Qué piensan que le ocurrió a la escuela? —pregunto, negándome a seguir su juego.

—Esa no es la cuestión, muñeca —responde Cormac con una sonrisita—. Esto no tiene nada que ver con ellos, sino contigo.

Cuando me dice esto, estamos ya en la puerta y me alarga unas gigantescas tijeras ceremoniales. Por desgracia, son pesadas y romas. Mera apariencia. Pero tal vez, si apunto bien...

La sonrisa de Cormac se desvanece y retrocede un poco. No por miedo, sino para advertirme de que ha leído mi pensamiento y que no funcionaría. Otro hombre, por su aspecto un oficial, me impide intentarlo al acercarse a grandes zancadas.

Tan pronto como Cormac se da la vuelta para hablar con él, se aproxima una anciana que me observa con interés. No es una ciudadana de Cypress. Su piel marchita y su pelo plateado reflejan una avanzada edad, pero a pesar del deterioro provocado por el paso del tiempo, no veo ni rastro del intenso tono dorado y el sedoso pelo negro que comparten los habitantes de Cypress.

—¿Así que tú eres la acompañante de Cormac? —pregunta.

—Sí —respondo, tratando de mantener la barbilla alta.

—Vaya desvergüenza —masculla, mientras me doy cuenta de que es la persona más anciana que he visto jamás. Incluso en Romen, los arreglos de renovación básicos aseguran a todo el mundo una apariencia relativamente joven, sin embargo la piel de esta mujer está tan arrugada y quebradiza como el papel viejo, a pesar de la capa de maquillaje que lleva puesta. Debe de haber venido con la Corporación, o tal vez sea una tejedora del Coventri Norte, pero resulta evidente que no está aprovechando los arreglos de renovación disponibles.

—Loricel, veo que has conocido a mi acompañante —dice Cormac al regresar a mi lado.

—Sí, y pienso que es una insolencia —responde ella con gravedad.

—Adelice —añade él—, permíteme que te presente a Loricel. Mantén las manos alejadas porque muerde.

—Ten cuidado con lo que dices —advierte Loricel— o extraeré tu culo de Arras.

—Tenemos una relación de amor-odio —me explica Cormac—. Adelice es nuestra hilandera más reciente. El resultado de sus pruebas de aptitud fue impresionante —le dice a Loricel.

—Así que tú eres la que atrae la atención de Cormac. No había mostrado tanto interés por el Coventri Oeste en años —dice ella, entrecerrando los ojos para mirarme con más atención. De repente, sus ojos reflejan un destello de algo (respeto, tal vez). No puedo evitar devolverle su interés. Esta es la persona de la que Enora me ha hablado a retazos. La maestra de crewel. Por fin conozco a la mujer más poderosa de Arras, y no sé exactamente qué decirle.

Antes de que pueda responder, se acerca un guardia ataviado con el traje de ceremonia de la Corporación y Cormac se inclina para hablar con él. Las conversaciones a nuestro alrededor me impiden escuchar sus palabras, pero intento descifrarlas.

—¿Te estás divirtiendo? —me pregunta Loricel.

—No —respondo, sin distraerme de mi intento de curiosear.

Loricel levanta una ceja, descubriendo un mapa de arrugas en su frente, y se ríe.

—Vaya. Eres exactamente como me habían dicho.

—¿Y cómo? —pregunto, tratando de que mi voz no refleje la curiosidad que siento.

—Inteligente e insensata —responde—. Resulta una combinación magnífica para entablar una conversación, pero no es lo mejor para mantenerse con vida.

—Ya me lo han advertido.

—¿Te están manteniendo alejada del telar?

Asiento con la cabeza, preguntándome cómo sabe eso, pero luego recuerdo lo que Enora me contó de ella. Como maestra de crewel, Loricel sabe todo lo que ocurre en Arras.

—Están intentando ganarse tu voluntad —me informa—. En primer lugar, tratarán de apelar a tus deseos. Ropa. Poder. Fiestas.

—¿Y si eso no funciona? —pregunto.

—Entonces, lo intentaran con tus sentimientos.

—¿No son lo mismo?

Sonríe y las arrugas de su rostro se suavizan.

—¿Cuántos años tienes?

—Dieciséis.

—La mayoría de las jóvenes de dieciséis años —continúa Loricel— no conocen la diferencia entre amor y deseo. Así logran que las hilanderas continúen trabajando y por eso realizan las pruebas a tan temprana edad. Están cegadas por la seda y el vino.

—A mí no me interesa mucho el vino —digo con rotundidad.

—¿Y qué es lo que más te importa? —pregunta, pero continúa antes de que yo pueda responder—. Porque irán detrás de eso.

Mi corazón late desenfrenadamente y recuerdo con qué rapidez me mostró Cormac a Amie regresando a su nueva casa desde la escuela.

—Mi hermana —susurro para mí misma.

—Echarán mano de los otros primero. A ella la reservarán para el final —asegura Loricel, sacudiendo la cabeza.

—No hay otros —digo.

—No estés tan segura de eso. Tal vez tú no sepas quiénes son, pero la Corporación sí.

—¿Por qué te preocupas por mí? —pregunto, sin molestarme en ocultar mi curiosidad. No se parece en nada a lo que esperaba.

—Porque una vez ocupé tu mismo lugar junto a un oficial de la Corporación atractivo y adulador, y nadie me avisó —responde, y las arrugas de su rostro resurgen. Me saluda con una brusca inclinación de cabeza y se aleja a grandes zancadas hasta que desaparece entre la multitud.

—¿Esa vieja bruja te ha asustado? —pregunta Cormac, acercándose a mí.

Sacudo la cabeza.

—No, no le parece bien que sea tu acompañante.

—Ella no lo permitiría —responde él.

Me veo forzada a sonreír y posar ante las cámaras mientras la multitud de Cypress pulula a nuestro alrededor. Su modo de actuar no resulta en absoluto natural y me pregunto si les habrán administrado Valpron esta noche para garantizar nuestra seguridad. Cuando la cinta cae revoloteando al suelo, le devuelvo las tijeras a Cormac.

—Te saliste con la tuya —digo con palabras marcadas. Algo en el desinterés de la audiencia provoca que mi vergüenza resulte más acuciante, como si estuviera sintiendo el sufrimiento que ellos son incapaces de mostrar.

—Oh, todavía no —susurra él.

No me molesto en preguntarle a qué se refiere. Estoy cansada de sus crípticas advertencias y sus bromas, así que me vuelvo hacia la multitud y contemplo la marea de pelo color ébano. Los habitantes de Cypress tienen una apariencia muy similar, como Pryana. Les debo de resultar un bicho raro con mi piel pálida y mi pelo rojizo.

Y entonces es cuando la veo.

Una cabellera rubio pálido que se ondula en torno a sus orejas. Un punto de luz en la oscuridad. Está tan aburrida como el resto. Es además una de las pocas niñas que hay aquí esta noche.

La mayoría de ellas murieron.

Creo que a ella la han retejido *en una familia más digna*. Mis actos la empujaron hasta aquí, junto a una familia que merecía una hija a cambio de la que el gancho de Maela le arrebató.

Ni siquiera lo pienso. Corro hacia ella y mi reacción sobresalta a la multitud. Los hombres retroceden de un salto y las madres levantan a sus pequeños del suelo. Debo de parecer una loca, volando entre la gente con el pelo alborotado y los tobillos tambaleándose sobre los tacones. Lo único que me importa es llegar hasta ella y nadie trata de impedírmelo. Están demasiado sorprendidos.

Cuando la alcanzo, una mujer la arrastra a su lado. La observo más detenidamente; al contrario que el resto, esta madre suplente me mira con temor. Por su parte, Amie me contempla con expresión curiosa, pero vacía. No hay ni rastro de reconocimiento en sus ojos. De sus labios no brota el saludo entusiasta con el que solía recibirme cada día después de la escuela.

No sabe quién soy.

—Amie —susurro, extendiendo la mano, deseosa de que me recuerde.

—Su nombre es Riya —me informa la mujer con voz alarmada—. Es mi hija.

—Se llama Amie —replico en voz baja.

—Mi nombre es Riya —repite Amie igual de sobresaltada que la mujer. Su voz, sin embargo, transmite cierta tristeza. No por ella, sino por mí, por la loca que está susurrando desesperadas mentiras delante de ella.

Una mano cálida toca mi hombro con suavidad.

—Vamos —dice Jost en tono áspero—. Tenemos que irnos.

Lo miro, pero apenas lo veo a través del velo de lágrimas que trato de contener. Me conduce de nuevo junto al guardia que espera. Cormac está por ahí, despidiéndose, pero estoy segura de que ha sido testigo de mi escenita. Del mismo modo que estoy segura de que él ha orquestado todo lo sucedido esta noche.

—¿Estás bien? —pregunta Jost.

—Sí. La confundí con otra persona —miento.

Por su cara, deduzco que no se lo cree.

—Tengo que echarle un vistazo al embajador Patton. Nos marcharemos en unos minutos.

Intento que sus palabras me tranquilicen, pero no lo consigo, así que abro yo misma la puerta y me instalo en mi asiento a esperar que Cormac termine con su plática. Estoy a punto de cerrar los ojos para escapar de esta horrible noche cuando Erik se desliza a mi lado dentro del megavehículo.

—Tengo que ser rápido —dice.

—De acuerdo —respondo yo, y la sorpresa me distrae un instante.

—Cormac me envía de vuelta al hotel solo.

—¿No vienes con nosotros? —pregunto alarmada.

—No —Erik me mira directamente a los ojos—. Cormac es un hombre poderoso y es absurdo que te aconseje esto, pero si intenta algo, golpéalo con la rodilla en la entrepierna.

Abro los ojos de par en par y aprieto los labios para contener la risa.

—Hecho —logro decir entrecortadamente. Menos mal que Erik es capaz de hacerme reír en un momento como este.

—Toma —deposita un delgado microdisco en mi mano.

—¿Qué es esto? —pregunto, tomando el disco con cuidado antes de guardarlo en el bolso.

—Insértalo en la disquetera de tu digiarchivo y te conectará conmigo —me dice—. Avísame cuando regreses.

Me mira intensamente mientras pronuncia estas palabras y siento que se me corta la respiración.

—¿Realmente piensas...? —no puedo terminar la frase.

—Nunca sé qué pensar de Cormac —asegura Erik—. Ese es el problema.

Sin darme cuenta, alargo la mano y agarro la suya. Él la aprieta para tranquilizarme, luego me suelta y sale del mega-vehículo. Si escapo ahora, podría alcanzarlo, aunque tal vez lo metería en problemas. Sin embargo, la alternativa —partir sola con Cormac— me aterroriza.

—¿Lista para irnos? —pregunta Cormac, acomodándose en el asiento junto a mí. Demasiado tarde.

—Por supuesto —trago saliva, mientras trato de arrastrar el pavor que atenaza mi garganta.

—¿Qué quería Erik?

Vacilo un segundo.

—Quería repasar el itinerario de mañana, ya que él regresa al hotel.

Cormac me mira pensativo y luego sonríe.

—Atención a los detalles. Me gusta. No tardará en ascender fuera del coventri. Quiero enseñarte algo —dice Cormac. No se acerca demasiado a mí, y no lo culpo. Sin duda sabe que su plan funcionó.

No hago ningún comentario sobre lo sucedido esta noche; él tampoco. El mensaje me ha llegado con suficiente claridad y no necesito que me lo explique. El recorrido dura solo unos minutos, sin embargo la oscuridad me impide ver a través de los cristales tintados del megavehículo. Cuando finalmente nos detenemos, Cormac abre su puerta y rodea el vehículo hasta la mía. El conductor permanece en el interior.

Me ayuda a salir y me enfrento a un cielo casi negro tachonado de brillantes estrellas. Estamos a unos pasos del borde de un precipicio. En la oscuridad, apenas distingo el valle situado a cientos de metros bajo nuestros pies. Más allá, parpadean y tiemblan las luces de diminutas ciudades salpicadas en torno al precipicio.

Cormac suelta mi mano y se aproxima aún más al borde. Estirando el brazo hacia el abismo, grita:

—Es todo tuyo, Adelice.

Me cubro los brazos desnudos con las manos y tirito con la brisa.

En el camino de regreso, Cormac permanece en silencio, sentado en el asiento en diagonal con el mío, y me pregunto si las poses de antes y sus ansiosas manos en mi cintura no me habrán empujado a una conclusión errónea, cuando lo único que quería era enseñarme el paisaje. Pero después de la farsa de esta noche, ya no estoy segura de nada.

Entre contener las lágrimas y la agobiante culpabilidad que me inunda, apenas puedo mantener los ojos abiertos. Resulta agotador, y cuando me estoy quedando dormida, la voz de Cormac me despierta de golpe. Le presto atención, pero entonces me doy cuenta de que no me habla a mí. Tiene la cabeza ladeada, así que cierro los ojos de nuevo y escucho.

—Conocías la situación en Northumbria desde hacía semanas —dice—. No debería hacer falta tanto tiempo para lidiar con una simple mancha.

Se calla. Me encantaría escuchar lo que le están diciendo, pero las conversaciones a través del chip comunicador son demasiado unidireccionales.

—Ya veo.

Al mirar furtivamente entre mis pestañas descubro que tiene el ceño fruncido.

—Se nos está escapando de las manos. Si no eres capaz de localizar el origen, tendremos que modificar todo el Sector Este —continúa— y, Hannox...

Al escuchar ese nombre me da un vuelco el corazón, aunque no recuerdo dónde lo he oído.

—¿Has descubierto algo sobre el tipo de Nilus? Sí, si ese asunto se ha extendido... —hace una pausa para escuchar algo que Hannox le está diciendo—. No creo que en este momento sea necesario el protocolo dos, pero comunica a Inteligencia que elaboren un plan.

Sigo observándolo a través de mis párpados apenas abiertos, fingiendo estar dormida, cuando se inclina hacia delante y coloca la cabeza entre sus manos. Luego alza la vista y casi se me corta la respiración. Mantiene los ojos fijos en mí un minuto, luego se sirve otro whisky.

DIEZ

La mañana aparece veteada de púrpura al otro lado de la ventana del hotel. Es el cielo de verdad, algo que nunca veo en el complejo donde cada vista es una imagen programada. Este es el amanecer que levanta a los ciudadanos de Cypress, y por primera vez desde que lo hice en el megavehículo, cierro los ojos. Al abrirlos, finjo despertar como lo haría si viviera aquí. Es hora de prepararse para ir al trabajo. Tomaré el tranvía hasta la ciudad y me acomodaré tras un escritorio a esperar la llegada de los teleenvíos y la ración de café. No, estoy preparando las tablillas para la lección de hoy. Hablaré de las estaciones, de cómo cada una tiene su función y se programa cuidadosamente para maximizar su utilidad y alimentar a las tejedoras. Pero la clase se desvanece, sustituida por telares, dedos y muros de piedra. Esta habitación no es más real que mi vida allí; ambas han sido creadas por las tejedoras.

Sigo en la cama cuando una sirvienta entra de forma bulliciosa en la habitación para limpiar.

—Lo siento mucho, señorita —exclama, pero algo en su voz delata que sus palabras no son sinceras; suenan ensayadas. Por supuesto, también podría ser que me esté volviendo paranoica.

—No pasa nada —le aseguro, sacando las piernas de la cama—. De todos modos, ya es hora de que me levante —especialmente si quiero disfrutar de un instante de intimidad antes de que mi equipo de esteticistas acuda a arreglarme para nuestra transposición final hacia el coventri.

—Entonces, la dejaré tranquila —sugiere la sirvienta, pero sacudo la cabeza para indicarle que puede quedarse.

No hay mucho equipaje que hacer, así que pido un desayuno ligero a base de magdalenas y té y me dejo caer en una silla. Estoy tan acostumbrada a tener gente rondando a mi alrededor que ni siquiera me incomoda que la sirvienta esté aquí, poniendo orden. Observo cómo trabaja. Tiene más o menos la edad de mi madre.

—¿Puedo hacer algo por usted? —pregunta la sirvienta amablemente.

—Estoy bien —respondo tranquilamente sin querer revelar la ira que se va acumulando en mi interior.

—Es que... —no termina la frase y una sonrisa avergonzada se desliza por su rostro—. Perdóneme, pero quería conocerla. Ha sido muy grosero de mi parte entrar sin permiso en su habitación por la mañana.

Así que se trata de eso. Otra persona deseosa de ver a una hilandera o pedirle una bendición. No es que me importe, pero provoca que la culpa crezca y amenace con derramarse. Si supiera que yo fui la responsable del accidente que destruyó la escuela.

—Soy Adelice —me limito a extender la mano.

—Es un honor conocerla —responde, estrechando mi mano entre las suyas sin dejarla escapar—. Pensé que tal vez conocería a mi hija. Su recogida fue también este año.

—¿Pryana? —pregunto a la mujer, y su rostro se ilumina. Es entonces cuando me doy cuenta de que tan coincidencia ha sido que viniéramos a Cypress a la ceremonia de corte de cinta, como que nos alojáramos en este hotel. La escuela. Amie. Y ahora la madre de Pryana. Cormac quiere mostrarme las consecuencias de mis decisiones y recordarme lo insignificante que soy sin el apoyo de la Corporación. Pero su plan tiene un punto débil: ahora sé dónde está Amie.

—Oh, ¡la conoce! ¿Está bien? —pregunta.

Me esfuerzo por esbozar una sonrisa cálida y asiento con la cabeza. Tras la pérdida de su otra hija, incluso *alguna* noticia sobre Pryana debe de resultarle un regalo.

—Siento muchísimo lo que ha sucedido —logro susurrar. Una parte de mí ansía contarle la verdad, que yo fui la culpable de la destrucción de la escuela, pero cuando reúno el coraje para enfrentarme a sus ojos, me devuelven una mirada inexpresiva.

—¿Qué es lo que siente? —pregunta con una voz tan vacía como sus ojos.

—Lo de la escuela —respondo, alejando mi mano de las suyas.

—Es preciosa —dice automáticamente—. Ojalá hubiera sido tan bonita cuando Pryana asistía a ella.

—Pero su hija...

—¿Pryana? —pregunta confundida.

—No —respondo despacio, mirándola con atención—. Su otra hija y la escuela...

—Pryana es mi única hija —asegura, pero hay algo en su tono de voz que me resulta inquietante. No refleja sorpresa ni jocosidad por mi error; es sencillamente una respuesta automática e indiferente a mi disculpa.

—Debo haberme equivocado —le digo—. Pensé que Pryana me había contado que tenía una hermana.

—Es hija única —afirma su madre, y su rostro se ilumina de nuevo—. Mi orgullo y mi alegría.

—¿Qué es lo que pasó exactamente con la escuela? —pregunto, menos interesada en los hechos que en lo que ella piensa que ocurrió.

—La mejoraron. Nos convocaron a una reunión en el ayuntamiento, quiero decir, los barrios de niñas —el tono automático regresa, pero durante un breve instante parece luchar con lo que sucedió en aquella reunión—. Bueno, mejoraron la escuela de niñas. Me parece lógico. Cypress ha aportado más tejedoras que cualquier otra ciudad de los cuatro sectores.

Trago saliva y aparto la mirada.

—Pryana lo mencionó —comento en voz baja, con la mente ya ausente de la conversación.

—Se diría que son buenas amigas —afirma su madre con alegría, y me siento incapaz de contradecirla—. ¿Me haría un favor?

—Cualquier cosa —respondo, imaginando que me dará algún mensaje para Pryana, pero se inclina y susurra:

—Vigílela por mí.

Eso no será difícil.

Enora me está esperando en la estación de transposiciones del Coventri Oeste y me arrastra con ella antes de que Jost o Erik puedan unirse a nosotras. Me siento fatal por no haberles agradecido que me hayan cuidado este fin de semana, pero Enora apenas puede controlar el temblor de sus manos, así que la acompaño.

—Has sido convocada en cuanto llegues—me dice.

—De acuerdo —considero si debería hablarle de la conversación que escuché por casualidad entre Cormac y Hannox, pero no sé por dónde empezar.

—¿Has vuelto a manipular el tejido sin telar? —me pregunta en voz baja. Su mirada es tan exigente que casi creo haberlo hecho. Está claro que ella supone que sí.

—No —hago una pausa, tratando de recordar si ha sido así—. No, creo que no.

—¿No o tal vez? —insiste.

—No —repito con más confianza—. ¿Qué sucede?

—Has sido convocada para practicar —dice en voz baja.

—¿Con Maela? —pregunto sin ocultar mi fastidio.

—Con Loricel.

Ahora comprendo por qué Enora está temblando.

—Vaya —comento—. La conocí en Cypress.

—Debes de haberla impresionado bastante —dice Enora.

—Sabía quién era yo —le cuento— y no le pareció bien que estuviera allí con Cormac.

—Ella no lo habría permitido.

—Eso mismo dijo Cormac. Y yo estoy de acuerdo. Es demasiado viejo para mí —bromeo, tratando de relajar el ambiente, pero Enora no se ríe.

—Loricel no aprueba la influencia de Cormac sobre el coventri. Ella piensa que deberíamos ser autónomas.

—¿Y no lo somos?

—Loricel tal vez, pero el resto de las hilanderas estamos estrictamente controladas por la Corporación. Quizá seamos más poderosas que el resto de la población femenina, pero no es suficiente para alardear.

Pienso de nuevo en las órdenes de Cormac, en su conversación sobre el protocolo dos y en la manera en que me ofreció Arras, como si fuera suyo. La voz de Amie resuena en mi cabeza: *independencia; las hilanderas tienen independencia.* ¿Me lo había creído yo también?

—¿Debería contarle lo que puedo hacer? —pregunto en un susurro.

Enora tiene la mirada fija en mí, pero su mente vaga por otro lugar. Cuando al fin habla, su voz suena tan hueca y distante como sus ojos.

—No. Sé por experiencia que algunos secretos deben permanecer ocultos, incluso de las personas con la mejor de las intenciones.

Examino su rostro en busca de algún indicio que me indique que es consciente de su declaración de principios. Ha sido honesta y no ha hablado en clave, aunque solo haya sido durante un instante. Y aunque no le confieso lo de Cormac, o la preocupación de Erik, o que Jost me estuvo dando la cena, eso nos une más. No puedo negar la existencia de un muro entre nosotras que nos aleja de la total sinceridad, pero ya no estoy segura de cuál de las dos lo construyó.

Sin embargo, hay un asunto que me preocupa.

—Hablando de secretos. ¿Por qué no me avisaste del evento en Cypress?

La expresión de Enora lo dice todo: porque no lo sabía.

—¿Qué evento en Cypress? —pregunta en voz baja—.
A nosotras no nos llegó la emisión de ninguno.

—No importa —refunfuño, y antes de que pueda seguir
haciéndome preguntas entramos dentro de los muros del complejo.

Enora no me da tiempo para quitarme la ropa de viaje,
sino que me conduce hasta la amplia estancia que me asignaron el día que me convertí en hilandera. No había regresado a
ella desde entonces. La ventana está abierta y las cortinas de
gasa revolotean a su alrededor. Miro el telar —mi telar— con
más detenimiento. Está lustrado y parece que nadie lo ha tocado. Los engranajes repartidos a ambos lados permanecen
quietos, a la espera de que yo les devuelva la vida. Y junto a la
silenciosa máquina, aguarda Loricel.

Siento envidia de su sencillo traje de pantalón color azul
marino. No recuerdo la última vez que me permitieron vestir
pantalones. Me sorprende también lo poderosa que parece
en comparación con la mayoría de tejedoras. No va recargada
como las demás.

—Gracias, Enora —dice Loricel.

Enora asiente con la cabeza.

—¿Necesitas que te traiga algo?

—No, así está bien —responde, acercando una de las sillas
del taller—. Las pantallas de las paredes están encantadoras,
¿no crees?

Sonrío, sin saber qué decir.

—Hoy quiero trabajar con Adelice a solas —le dice a Enora, y mi mentora sonríe. Es la primera vez que no parece asustada al alejarse de mí—. Acceso Alfa L —dice Loricel en voz alta cuando Enora ha salido de la estancia.

—Acceso concedido —entona una voz incorpórea desde el panel.

—Apagar monitores de seguridad y audiovigilancia —ordena Loricel.

—Los monitores y la audiovigilancia permanecerán apagados durante una hora.

—Así está mejor —me dice, dando unos golpecitos sobre la silla que hay junto a ella.

Me siento y la miro.

—¿Cómo va tu instrucción? —pregunta.

Me ruborizo. Apenas sé encender el telar y nunca he tejido sin supervisión.

—No muy bien —respondo honestamente.

—Me lo imaginaba. Las prioridades de Cormac nunca son las adecuadas.

—Es culpa mía —confieso—. No he facilitado la labor.

—Ninguna maestra de crewel lo hace —masculla.

—Pero yo no soy una...

—Tú eres una maestra de crewel. Desde que tenías ocho años.

Me quedo boquiabierta y soy incapaz de reaccionar. Tenía ocho años cuando accidentalmente agarré las hebras del tiempo mientras jugaba en el jardín. Mi madre me obligó a alisarlas y luego se arrimó a mi padre en la mesa del comedor, hablando con las voces susurrantes que los padres emplean cuando están preocupados. Una escena que se volvió demasiado familiar durante la cena.

—Buscar y preparar a la siguiente maestra de crewel es parte de mi trabajo. Te encontré aquel día, cuando tuviste ese descuido.

—Así que, ¿siempre lo has sabido? —pregunto apenas en un susurro.

—Llevo mucho tiempo preocupada por mi edad. Soy más competente aquí arriba —afirma, dándose unos golpecitos en la cabeza— que cualquiera en este desolado coventri, pero mi cuerpo empieza a fallar. Necesitaba encontrar una sustituta.

Recuerdo las noches que pasé practicando para fallar en las pruebas, los túneles bajo mi casa, la bolsa para cadáveres en el comedor, pero nada de todo aquello tuvo sentido porque venían por mí.

—Supe que eras tú hace mucho tiempo —afirma con tristeza—. Sin embargo, cuando tus padres trataron de enseñarte cómo fallar, deseé que lo lograran.

—¿Por qué? —me siento extrañamente perturbada por su confesión. Me ha estado observando durante años y aun así no intervino cuando la situación se complicó la noche de mi recogida.

—Siento lo que le sucedió a tus padres y a tu hermana. No pude hacer nada para salvarlos —Loricel hace una pausa—. Tenía que proporcionarte todas las ocasiones posibles para escapar de esto y eso implicaba sacrificarlos a ellos.

Las lágrimas afloran y amenazan con atragantarme. Trato con todas mis fuerzas de concentrar mi rabia en otra persona y no en la anciana sentada junto a mí.

—Hay cosas que debo enseñarte sin que la Corporación lo sepa, pero la situación está cambiando más deprisa de lo que esperaba —admite con un suspiro.

Si abro la boca para preguntarle qué cosas empezaré a sollozar, así que miro al frente. Loricel se levanta de la silla, se acerca a la pared y teclea, a una velocidad sorprendente, un código en el panel comunicador. Los engranajes del telar empiezan a agitarse casi instantáneamente. Flotan unos frente a otros y a su alrededor serpentean brillantes hebras de luz que se entrelazan entre sí. Las hebras se deslizan sobre la superficie del telar, formando un tapiz luminoso.

—Es una pieza sencilla —desliza un dedo por el tejido que tenemos frente a nosotras—. Estoy segura de que se trata de un paciente terminal que está recibiendo cuidados en casa. Su hija nos envió la solicitud.

Extracción. Loricel está aquí para finalizar lo que Maela inició. ¿Y qué clase de hija presenta una solicitud de extracción? Trato de imaginarme firmando un impreso en el que solicito a la Corporación que arranquen la hebra de mi madre. Sin embargo, aunque deseo alejarme, me acerco para inspeccionar la pieza.

Es un tejido sencillo con hebras largas y gruesas. Casi puedo verlo cuando toco el tejido: una pequeña casa en el campo, sin adornos añadidos por la mano de una hilandera, a la que se ha permitido florecer y evolucionar siguiendo el curso de la naturaleza. Al contrario que la otra pieza en la que tuve que extraer, tejida de forma elaborada con miles de hilos finísimos y únicos, esta es humilde y se compone de filamentos brillantes y toscos. En una pieza tan austera es bastante fácil localizar el hilo débil, pero a pesar de su fragilidad la hebra es larga y tiene color dorado y cobre. Aunque esté desgastada es gruesa e incluso ahora, mientras se deteriora poco a poco, muestra cierta vitalidad. Si Loricel había imaginado que sería más sencillo que extraer un hilo entre mil en un tejido complejo, se equivocaba. Retirar esta hebra parece casi una violación —un acto antinatural—. Es tal la fuerza vital de esta pieza que todo lo que el hilo toca, a pesar de que intentemos repararlo, quedará irrevocablemente dañado una vez que ese haya desaparecido.

Tomo un gancho plateado del pequeño compartimento que hay en el lateral del telar, lo deslizo bajo la larga y deshilachada hebra y la extraigo con suavidad. Sale rápidamente y los hilos que rodean el hueco parecen abandonados ahora que he retirado su apoyo. La hebra que cuelga del extremo del gancho era el punto de partida de muchos otros hilos. Su pérdida afecta a todos.

No siento nada. Espero que las lágrimas o el vómito quemen mi garganta, pero permanezco impasible.

—Ahora se puede enviar a reparar —dice Loricel en voz baja.

Asiento con la cabeza y Loricel teclea un nuevo código. El resto de la pieza avanza lentamente por el telar, deslizándose hacia el Departamento de Reparación, donde le darán de nuevo firmeza cerrando el hueco y arreglando los extremos que se han deshilachado por la extracción de la hebra.

—*Tú* podrías arreglarlo —digo.

—Sí, podría, pero no es esa mi misión aquí. Debes tomar decisiones complicadas, Adelice, antes de poder seguir adelante. Las decisiones son necesarias. A menudo entre la vida y la muerte. Es duro decidir salvar a miles si para ello hay que poner en peligro a uno —su voz es un susurro hueco y por sus ojos se deslizan ecos de fantasmas—. Es más sencillo no tener que enfrentarse a algo así. Pero como maestra de crewel, también puedes crear lugares nuevos: océanos, lagos, edificios, campos. Puede ser gratificante —continúa.

Mientras la observo, teclea un nuevo código en el panel comunicador. Un instante después, aparece en el telar un nuevo fragmento de Arras. Está casi en blanco, con un toque verde brillando sobre las bandas doradas; Loricel acciona el botón del *zoom* para enfocarlo con más detalle. Es una sencilla extensión de terreno. Tal vez un parque o un campo ubicado a las afueras de una ciudad, en cualquier lugar. No hay árboles, ni rocas, solo un valle con frondosa hierba verde. Veo la pequeña bolsa que Loricel lleva consigo cuando la coloca a los pies del telar y me indica con un gesto que la deje sentarse en el taburete.

—Normalmente trabajo en mi propio taller, pero hoy traje material conmigo —me explica con una amable sonrisa—. Debes familiarizarte con tu propio telar. Yo tengo autorización para ver el tejido en cualquier máquina. Y ahora, una vez que te he mostrado la destrucción, quiero equilibrarlo con la belleza de lo que podemos hacer.

De la bolsa extrae unos carretes de fino hilo azul. Es difícil describir a qué tipo de materia prima se parece. El color de los hilos es una insinuación —la posibilidad de un color más que un tono concreto—, como si supiera que es azul solo porque he visto antes ese color. El hilo es ligero y frío al tacto y cuando lo desenrolla del carrete, lanza destellos y chispas de energía. Es la materia prima que las hábiles manos de las tejedoras cosen sobre el tejido, creando todos los objetos de Arras. No puedo explicar muy bien cómo se hace, porque parte de mi habilidad proviene del deseo natural de mis manos por tejer. Mi cerebro juega un papel menor en esa tarea. He añadido elementos a

Arras antes, pero siguiendo un estricto patrón creado por hilanderas más experimentadas.

Después de retirar cuidadosamente algunas hebras verdes del tejido colocado en el telar, Loricel toma un hilo azul y, tras enhebrarlo en una aguja pequeña y fina, comienza a añadirlo. Trabaja rápido pero con habilidad, retirando el verde y añadiendo el azul con puntadas apretadas. Cuando todo el fragmento ha quedado sustituido, coge otro trozo de hilo y lo cose alrededor. Mi madre bordaba paños de cocina a punto de cruz cuando yo era una niña y la técnica es similar, pero Loricel no utiliza un modelo y su trabajo ilumina la tela. Incluso en su estado abstracto, el tejido resulta impresionante.

—Esto sujeta el nuevo añadido —me explica mientras termina de coser el borde—. Es clave para alterar el tejido de forma permanente —cuando ha terminado, devuelve las materias primas sobrantes a la bolsa y acciona el botón del *zoom* en el telar. Donde antes me había mostrado un simple valle, ahora aparece un resplandeciente lago. Una fuente de agua para los habitantes de los alrededores—. A continuación, los granjeros pueden añadir peces y la población puede racionarlos como alimento —me explica—. Me gusta especialmente añadir lagos. Algo en mi alma tiende hacia el agua.

Permanezco en silencio, intimidada, comprendiendo por fin su relevancia. Con la hebra extraída antes en la palma de la mano, siento un contraste incluso mayor con la mujer que está sentada junto a mí. Ella representa la vida. Yo, la muerte.

Mientras nos dirigimos al comedor para nuestro turno de cena, Enora me anuncia que empezaré a practicar el bordado crewel, lo que no me sorprende. Me siento a su lado y observo cómo Pryana ocupa su lugar al final de la mesa, junto a una silla vacía. Los asientos son asignados por grado de importancia. Pryana, que sigue con la instrucción, es la única que ahora se sienta al final. Para cualquier otra persona su expresión podría parecer ausente, pero yo distingo la tenue rabia que enciende sus mejillas cuando me ve cerca de la parte alta de la mesa. Mantiene la cabeza agachada durante toda la cena. Me siento mal por ella. Al menos yo tengo a Enora, pero Pryana está sentada sola, aislada del resto del grupo. Estoy segura de que ahora me odia incluso más.

—¿Cuánto tiempo llevas practicando, cariño? —la hilandera que se ha dirigido a mí alarga las palabras hasta que parecen miel espesa y caliente goteando poco a poco de su lengua. Debe de ser del sur de Arras. En el Sector Oeste no tenemos un acento muy marcado.

—¿Qué día es hoy? —con el viaje, he perdido la cuenta de la fecha.

La hilandera deja escapar una ligera risita.

—Es 5 de octubre, cariño.

El día que cometí mi fatídico error en las pruebas, el aire, aún cálido, me parecía terriblemente frío de vuelta a casa. Las hojas apenas habían empezado a amarillear y correr hasta casa podía haberme coloreado las mejillas, pero aún no era necesario ponerse una chamarra. Era septiembre. Solo llevo un par de semanas en el coventri. En muchos aspectos, mi vida en Romen parece un recuerdo descolorido y lejano, y aun así siento que fue ayer cuando mi madre me mandaba limpiar mi habitación o yo le trenzaba el pelo a Amie. Mis recuerdos son vívidos, pero borrosos en los extremos, como si empezaran a desvanecerse.

—Menos de un mes —respondo en voz alta. No le confieso cuánto de ese tiempo lo he pasado en una celda.

—¿Un mes? —sus ojos se agrandan y sus párpados intensamente maquillados adquieren un aspecto estridente y aterrador—. Eso debe de ser una especie de récord.

Algunas tejedoras asienten con la cabeza, asombradas. Enora, que ha estado ocupada hablando con la mujer sentada junto a ella, nota mi incomodidad e interviene.

—Obtuvo unos resultados excelentes en las pruebas de aptitud y en el Departamento de Crewel necesitábamos más ayuda, así que la ascendimos.

Sonríe cálidamente y todas se relajan y regresan a sus anteriores conversaciones, excepto la tejedora sureña, cuyos feroces ojos permanecen fijos en Enora. Parece un animal enjaulado, al mismo tiempo asustado e impaciente. No me gusta el modo en que mira a mi mentora. ¿Quién podría sentirse amenazado por Enora? Anoto mentalmente permanecer alejada de esta mujer a partir de ahora. Es una arribista.

Finjo perder interés por todo, excepto por la comida, pero siento una mirada fija en mí. Alzo la vista y descubro que Maela me está observando. Nuestras posiciones en la mesa son aproximadamente equivalentes. Ella encabeza a las hilanderas de menor rango y yo estoy detrás de las tejedoras experimentadas, como aprendiz de bordado crewel, así que en parte coincidimos. Veo girar los engranajes de su cerebro. Los ojos ligeramente vidriosos, los labios fruncidos, la rigidez de su mandíbula; ella no tiene ningún sitio al que ir y yo acabo de iniciar mi propio ascenso en este mundo. Pero encontrará alguna manera de seguir subiendo; los de su clase siempre lo consiguen.

—¿Estás nerviosa? —pregunta la hilandera sureña con dulzura.

—¿Cómo dices? —me ruborizo, desconcertada por su pregunta—. ¿Debería estarlo?

—Por el baile del estado de la Corporación —comenta, como si fuera la cosa más obvia del mundo—. Es la próxima semana.

—Es verdad —respondo, recordando imágenes publicadas en el *Boletín*. El baile se celebra siempre en otoño—. Lo había olvidado.

—¿Te acompañará Cormac en este evento también? —su voz ha perdido el tono meloso.

—No —interviene Enora, mirando directamente a la otra mujer—. Las hilanderas no llevan acompañantes en los eventos que se organizan dentro del coventri, ¿recuerdas?

—Debí de olvidarlo —responde la mujer con rotundidad y regresa a su anterior conversación.

Me imagino que no seremos amigas, después de todo.

—No te preocupes, tu vestido está listo —susurra Enora desde su asiento.

—Pensé que no necesitaría protegerme de los ataques de Cormac durante algún tiempo —refunfuño, sin estar segura de que pueda oírme.

Enora resopla.

—Ten cuidado con lo que dices.

ONCE

El evento es absolutamente desmesurado. Debería haberme imaginado algo así, teniendo en cuenta que asistirán los oficiales de la Corporación, pero a pesar de estar acostumbrada a las ridiculeces del coventri, esto es demasiado.

Todo empezó con el vestido. En la ceremonia de inauguración de Cypress mi atuendo me hizo sentir fuera de lugar, pero esta noche parece que ando desnuda. Incluso ahora, mientras estrecho manos despreocupadamente y bailo con un oficial detrás de otro, es como si no fuera yo. Al menos con mis trajes habituales voy bastante tapada. Decir que este vestido no deja nada a la imaginación es quedarse corto. Es de seda verde esmeralda y se adapta a las curvas de mi cuerpo. No tengo muchas, pero algo en este vestido —y en la consiguiente necesidad de ir sin ropa interior— las realza. Cae formando pliegues hasta la rabadilla, dejando al aire toda mi espalda, y de la parte delantera ya ni hablamos: la brillante seda es tan ligera que tengo la sensación de no llevar nada encima. Podría igualmente cubrirme con unas hojas de parra y esconderme en un rincón.

Los fotógrafos se vuelven locos alrededor de mi cuerpo semidesnudo y de Pryana, ataviada con un vestido de terciopelo negro sin tirantes y con una abertura hasta el muslo por la que asoma una de sus largas piernas color ámbar, revelando que no lleva medias. Mientras toman instantáneas, veo un cerdo entero clavado en un espetón en el centro de la estancia, con una manzana colocada ceremoniosamente en su boca. Sé exactamente cómo se siente. Pryana parece mucho más cómoda delante de las cámaras y les regala su impresionante sonrisa y poses espontáneas. No suelo ser tímida, pero nunca había sido el centro de atención de esta manera.

Una mano robusta me agarra del codo y evita que desaparezca entre bambalinas.

—Estás sentada en mi mesa —me susurra Cormac al oído.

—Mi sueño hecho realidad —respondo.

—¿Cómo dices? —su tono de voz me desafía a repetir mis palabras.

—He dicho que me muestres el camino.

Nuestra mesa es la primera en una hilera cuidadosamente colocada cerca del podio, apartada del ruido de la pista de baile. Mientras Cormac retira mi silla para que me acomode, echo un vistazo a las demás tarjetas de invitados. Reconozco algunos nombres y el pánico punzante que estoy tratando de controlar palpita con mayor intensidad.

—¿Te traigo algo de beber? —pregunta Cormac.

Echo otro vistazo en torno a la estancia y reconozco a casi todos los hombres presentes de los reportajes de la Continua que vi de pequeña; acepto la bebida.

—Tarde o temprano todo el mundo empieza a beber —se ríe y se dirige hacia un pequeño bar situado en un rincón.

Estoy examinando la vajilla de plata cuando los demás invitados de nuestra mesa se unen a nosotros. Me encuentro atrapada entre políticos y sus esposas. Mantengo la cabeza gacha, excepto para tomar rápidos sorbos del vino que Cormac me ha traído. Loricel toma asiento y noto cómo se atenúa el pánico que aprieta mi pecho, pero dirige la mirada hacia el podio, resoplando a través de sus labios casi cerrados. Las demás mujeres la ignoran —y a mí—, burlándose tontamente del vestido de fulana o de si mengano se quedó calvo. Los hombres discuten sobre política y personas de las que jamás he oído hablar. Agradezco muchísimo la bebida que Cormac me ha traído, aunque apenas pueda soportar el modo en que me quema la garganta.

Llegan los meseros con gigantescas bandejas de plata, y me maravillo de su habilidad para transportarlas. La mayoría son los típicos trabajadores demacrados de clase baja, traídos especialmente para la ocasión. Cuando se reciben menos víveres se come menos, lo que implica un menor tono muscular. Pero sujetan las bandejas en equilibrio y sirven cada plato con facilidad y precisión. Al menos aquí hay comida. Desdoblo mi servilleta con anticipación, pero Cormac me la arrebata de las manos y la coloca de nuevo en la mesa.

—Hasta que no hayan traído tu plato, no —farfulla. Su voz deja traslucir cierto matiz de horror por mi metida de pata.

No vuelvo a levantar los ojos del plato. Ensalada de verduras amargas con trocitos de pastel de fruta y aderezo dulce. Sopa de aleta de tiburón y puerro. Un enorme filete poco cocido para los hombres y pequeños trozos de pollo sobre un lecho de arroz para las mujeres. Se me van los ojos a la cena de Cormac.

—Toma —dice, acercándome el tenedor—. Sigues estando muy delgada.

Saboreo el pedazo de jugosa carne, y la mujer que está sentada frente a mí me observa mientras lo mastico.

—Magdalena —dice Cormac simulando tono de reprimenda, y ella se ríe tontamente.

—Soy incapaz de recordar la última vez que vi a una mujer comer ternera —admite, y las otras dos mujeres de la mesa asienten entre risas.

—Nosotras la comemos en el coventri —comento; me ruborizo al notar que atraje su atención.

—Por supuesto que *sí* —dice Magdalena—. Ustedes disponen de arreglos de renovación de tercera generación. Para nosotros solo están disponibles los de segunda.

—Vaya —no tengo ni idea de lo que está hablando.

—Tengo entendido que están trabajando en una cuarta generación —comenta otra mujer en voz baja mientras los hombres retoman su charla sobre política.

—Estupendo, así dejarán disponible la tercera para el resto de nosotros —dice Magdalena a las otras mujeres—. Ni me imagino cómo será la cuarta generación.

—Dicen que es como si te devolvieran al vientre materno. Sales igual que un bebé —explica la otra.

Magdalena fija su mirada en mí.

—Me conformo con la tercera generación.

Me vuelvo hacia Loricel, que observa este intercambio de opiniones con una insinuación de sonrisa en los labios. Me pregunto cuántos años tendrá. Si tiene al alcance de la mano tanta tecnología, ¿por qué muestra su edad? ¿O tal vez sea extremadamente mayor y es ahora cuando empiezan a revelarse sus años?

—Mayor de lo que piensas —masculla. Aparto la mirada, avergonzada de que me haya leído el pensamiento.

Están retirando los platos del postre y sirviendo el café cuando un señor con hombros anchos atraviesa la estancia en dirección al podio. Espera hasta que las conversaciones se apagan. Es el primer ministro Carma, actual jefe de Estado.

—Bendiciones, guardianes de Arras. Este ha sido un año memorable. Hemos disfrutado de una paz y una prosperidad sin precedentes...

Fuerzo el cuello para verlo. Ojalá estuviera en casa, donde podría continuar con mis tareas nocturnas mientras el discurso se deslizara discretamente por mi vida. Aquí, junto a Cormac, los equipos de la Continua graban las reacciones de los invitados, así que adopto una expresión vacía. No creo que enfoquen a alguien tan poco interesante como yo. Mi mente vaga hasta Jost, y me pregunto si estará sirviendo a los oficiales. Me encantaría que me diera de comer como hizo en Cypress. Jost sabía exactamente cuánta cantidad de comida pinchar en el tenedor y cuándo estaba lista para el siguiente bocado. Recuerdo la sensación cálida y suave de su chaqueta en la celda. Me gustaría que estuviera cuidando de mí en este momento. Pensar en él resulta una distracción agradable frente a los temas políticos de la noche, hasta que los comensales de la mesa empiezan a susurrar con júbilo, atrayendo mi atención de nuevo hacia el discurso.

—Confiamos en que el próximo año por estas fechas esté disponible para el gran público un sistema seguro de cartografiado del cerebro —asegura el primer ministro Carma desde el podio—. Imaginen la posibilidad de conservar los valiosos recuerdos de sus abuelos antes de su extracción o de resolver sin esfuerzo los problemas de conducta de sus hijos. Hasta ahora, estos pequeños inconvenientes han sido los únicos defectos de Arras, pero muy pronto serán cosa del pasado.

—Ojalá lo hubiéramos tenido el año pasado —comenta Magdalena en voz baja a las demás mujeres—. Korbin se aferró a su madre durante dos años antes de que pudiera convencerlo de presentar la solicitud de extracción.

La mujer sentada a mi izquierda se ríe y susurra:

—Y qué les digo de lidiar con Joei. ¡Pensé que la mataría antes de poder enviarla a las pruebas!

Mi mirada se cruza con la de Loricel, pero no digo nada.

El discurso continúa con pronósticos e informes sobre cosechas y propuestas de cambios en el tejido, que aparentemente serán votadas por la Corporación en las próximas elecciones. A continuación, el primer ministro empieza a nombrar a distintos oficiales para que se acerquen a recibir el reconocimiento por sus contribuciones a lo largo del año. Cuando se escucha el nombre de Cormac, trato de sonreír a las cámaras enfocadas hacia nosotros.

El primer ministro Carma finaliza los honores con el brazo extendido hacia nuestra mesa.

—Y, como siempre, la Corporación quiere mostrar su gratitud a la directora del Departamento de Manipulación, Loricel, por su continuo trabajo y destreza.

No se levanta. Ni siquiera sonríe. No obstante, le aplauden.

Cormac tiene que ausentarse en cuanto el discurso ha finaliza-do. Loricel se retira poco después y yo permanezco en la mesa, temerosa de acercarme a la pista de baile, por donde merodean los oficiales mayores de la Corporación para arrastrar a las hi-landeras a bailar. Esto me permite escuchar a hurtadillas al gru-po de mujeres que susurra frente a mí.

—Puede que haya tenido a la mitad de las mujeres de Arras babeando por él, incluida tú —dice Magdalena, dando un codazo a la mujer que está sentada a su lado—, pero nunca conseguirá la nominación.

—Ni siquiera lo apoyan los hombres —protesta la otra mujer.

—No, están celosos. Él es diferente —señala Magdale-na—. Y aunque nosotras tuviéramos voto, tampoco saldría elegido. Cormac no está casado, y ningún soltero será jefe de Estado.

—Tú lo que estás deseando es que Korbin reciba una señal —susurra la otra mujer.

Las miro de reojo y veo que Magdalena aguanta la acusa-ción sin chistar. Sus ojos se dirigen a mí.

—A pesar de todo, Cormac nunca llegará a ser primer mi-nistro si continúa saliendo con muchachitas —comenta con amargura.

Creo que ha llegado el momento adecuado para deslizar-me de vuelta a mi habitación. Estoy segura de que seré el siguien-te objetivo de sus venenosos comentarios. Reviso la sala y no veo a nadie que pueda detenerme, a menos que alguno de los oficiales trate de ponerme las manos encima. Es algo que me gustaría evitar, pues los hombres que han venido solos son de lo más indeseables —regordetes, peludos y malolientes—. Solo una chica con ansias de poder estaría dispuesta a ir tras alguno de ellos.

Supongo que es por eso por lo que Pryana está acaramelada con el más regordete, peludo y maloliente de todos los indeseables: el ministro de Ambrica, una amplia región situada junto a la costa que abarca gran parte del Sector Este. Su prominente barriga evidencia que disfruta de los beneficios de una dieta rica en marisco, así como de los abundantes vinos que produce la región. Por desgracia, me agarra el brazo cuando trato de pasar furtivamente junto a ellos.

—Tú debes de ser la otra nueva adquisición —dice, guiñándome un ojo. Pryana me fulmina con la mirada, aún pegada a él.

—Supongo que sí —respondo con el gesto más aburrido que consigo poner.

—Son una pareja preciosa. Últimamente, no es habitual que en el Coventri Oeste aparezcan dos tejedoras maravillosas en un mismo año —dice, acercándose tanto a mí que el hedor a ajo y whisky me pica la nariz—. Pero ustedes son exquisitas.

Trato de pensar una respuesta inteligente que no lo insulte, ni aliente su pervertido comentario, pero no se me ocurre nada.

Menos mal que Pryana, aparentemente deseosa de pegarse a él de forma permanente, interviene y abanica sus larguísimas pestañas. Su lenguaje corporal me invita a alejarme; me encantaría gritarle que este es el último lugar en el que deseo estar.

El ministro agarra a Pryana firmemente por la cintura.

—Cariño, tú eres como la medianoche.

Ella sonríe y se inclina para susurrar algo al oído del ministro, pero él se suelta y me toma por la muñeca. Se me pone carne de gallina cuando sus dedos pastosos me tocan y agradezco que mi brazo sea lo único que haya podido alcanzar.

—Pero tú —continúa con voz ronca— eres como una perla.

—Qué gracioso, Cormac dice lo mismo —ha funcionado. Me suelta al instante.

—Es una pena que tuviera que marcharse —balbucea el ministro—. Escuchó que lo llamaron de Northumbria.

La razón de su partida es nueva para mí, pero asiento con la cabeza como si estuviera al tanto de todo.

—Comentó algo durante la cena.

El ministro, demasiado borracho, intenta ponerse derecho, como si estuviéramos tratando asuntos oficiales, lo que provoca que Pryana se despegue —literalmente— de su cuerpo. Aprieta los labios contra los dientes y resopla, alejándole de manera descarada de mi lado.

—Baila conmigo.

—Claro que sí —babea el ministro mientras ella le arrastra hacia la pista de baile intensamente iluminada en el centro del salón de banquetes—. Ha sido un placer conocerte, Alice.

Alice. Me pregunto cómo pensará que se llama Pryana.

—¿Estaba hablando contigo? —pregunta una voz suave y profunda a mi espalda. Me vuelvo creyendo que es Jost, a quien he visto deambular por el vestíbulo, pero encuentro a Erik.

—Pareces decepcionada —comenta.

Estoy decepcionada, pero niego con la cabeza.

—No, es que tu voz me pareció la de otra persona.

Su pálido rostro adopta un gesto contrariado, que desaparece tan rápidamente como ha aparecido.

—Si estás esperando a alguien...

—Sí, bueno, estoy esperando a que unos viejos gordos me acosen y devoren viva en cualquier momento —respondo con total naturalidad.

—Entonces, supongo que debería marcharme —finge alejarse y yo le golpeo suavemente el hombro—. Oye, podrías haber mencionado que no querías que esos viejos gordos te acosaran —exclama.

Señala a Pryana, que está colgada del ministro.

—A ella no parece importarle.

—Bueno, yo no soy Pryana.

—¿Eso significa que estás libre para este baile? —sonríe con gesto burlón. Ningún bordado crewel ni tejido podría lograr una sonrisa torcida tan perfecta.

Asiento con la cabeza y me conduce hacia la pista de baile. Pryana nos lanza una mirada mordaz, pero se concentra de nuevo en su presa.

—Sabes, bailar desnuda es más sencillo de lo que imaginé —digo de manera espontánea mientras el ritmo de la música decrece y Erik me rodea con los brazos para iniciar el baile.

—¿Desnuda? —me pregunta en voz baja al oído.

—Bueno —no puedo creer que haya dicho eso en voz alta—, es que con este vestido me siento desnuda —*dos veces*.

—Lo pareces —admite—. Para ser sincero, me *encanta* este vestido.

Por alguna razón su comentario me resulta increíblemente divertido, y de hecho empiezo a reír como una idiota.

—Debería haberlo imaginado.

—Entonces, ¿a cuál de nuestros lascivos embajadores tienes en tu punto de mira? —pregunta, estudiando la sala pensativamente.

—No sé si te entiendo.

—Hacen esto cada año. Celebran el baile del estado de la Corporación para que los oficiales puedan babear sobre las chicas nuevas. Los otros coventris organizan cenas oficiales parecidas a lo largo del año.

—Es asqueroso —mascullo.

—Así es —susurra con expresión divertida—. No obstante, ¿no hay ningún soltero con suerte este año?

—Creo que dejaré que Pryana elija el que quiera —comento mientras la veo sonreír como una tonta y hacerle muecas al ministro.

—Dudo que su esposa le permita llevársela a casa —responde Erik guiñándome un ojo.

—¿Su esposa? —simulo una náusea.

—Todos están casados —me explica—. Las esposas de los más jóvenes insisten en acompañarlos, por razones obvias, pero en el momento en que tu marido tiene ese aspecto —señala con un gesto a un hombre mayor con más pelo en las orejas que en la cabeza—, agradeces que una pobre jovencita se ocupe del asunto por ti.

Suspiro.

—Debería avisarle. Romperá los estándares de pureza y entonces...

—¿Por qué? Ella no te ha hecho ningún favor —Erik sujeta con más fuerza mi cintura para evitar que me dirija hacia Pryana.

—¿Entonces? La están utilizando.

—Por lo que he podido ver, ha sido ella la que se ha lanzado sobre él —dice—. Y con total descaro, podría añadir.

—Esa es tu opinión. Simplemente me parece que no está bien.

—Pryana quiere ascender —añade—. Todas ustedes esperan que exista alguna manera de subir en el escalafón o de escapar. Cuanto antes aprenda que no la hay, mejor.

Su fría respuesta me corta la respiración. Puede que esté hablando de Pryana, pero sabe que yo también he pensado lo mismo.

—No te ofendas —toma mi barbilla con la mano y alza mi cabeza hasta que nuestras miradas se encuentran. Puedo ver mi pelo rojizo llameando en sus profundos ojos azules—. Tú no te has lanzado en brazos de un viejo gordo y lascivo.

—Pero sabes que aprovecharía cualquier oportunidad para escapar —susurro.

—La diferencia —añade, igualando su tono de voz al mío— es que tú eres lo bastante inteligente para darte cuenta de que un ardid como ese no funcionaría. Tú tendrías un plan.

Me ruborizo y retiro la cara de su mano para que no vea mi bochorno.

—De hecho —murmura, inclinándose sobre mi pelo—, estoy ansioso por descubrir lo que vas a intentar.

—¿Intentar? —pregunto inocentemente.

—Para escapar —aclara, y me pongo rígida entre sus brazos—. No, no te preocupes. Si logras huir, te deseo suerte. Nadie lo ha conseguido hasta ahora.

—¿Quizás porque dependían de los hombres para hacerlo? —sugiero. Al levantar los ojos veo que sus labios se abren en una amplia sonrisa.

—¿Ves a lo que me refiero? —se ríe y me acerca más a él—. Ya eres más inteligente que todas las chicas que hay aquí.

—¿Incluida Maela? —la veo con el rabillo del ojo: mantiene una animada conversación con un señor en el bar. Me alegro de que esté ocupada.

—Especialmente Maela —suspira—. Ella no reflexiona. Actúa según le dictan sus caprichos.

—Debe de haber tenido una infancia dura.

—Sí —afirma con solemnidad—, creció sin un solo cachorrito con el que jugar.

Me río y me recuesto sobre su pecho, contenta de ser lo bastante inteligente para no estar acurrucada junto a un viejo borracho, sino preguntándome qué me traigo entre manos exactamente con este atractivo joven.

La voz de Enora siseando en mi oído me arranca de mi ensoñación.

—Acompáñame ahora.

Mientras me aleja de Erik, le lanzo una mirada de disculpa. Sin perder un instante, Enora me mete en el tocador.

—¿En qué estás pensando? —pregunta.

—Yo no...

Me interrumpe levantando un dedo y abre la puerta del baño. Está vacío, así que se acerca a la puerta de entrada y la cierra con llave.

—¿Ahora sí? —pregunto.

—Sí —responde bruscamente.

Cruzo los brazos sobre mi pecho desnudo.

—No estoy segura de saber a qué te refieres —excepto que, por supuesto, sí lo sé.

—No te hagas la tonta. No te queda.

—No sabía que no me estuviera permitido bailar.

—Por supuesto que puedes bailar —responde con tono irritado—. Puedes bailar con los oficiales mayores. Incluso puedes bailar con alguno joven si su esposa te lo permite.

—Pero ¿Erik está vedado porque es soltero?

—No, está vedado porque es de Maela —contesta alzando las manos. Normalmente no reacciona de forma tan dramática—. Y por si no te habías dado cuenta, ella ya te odia.

—Tenía esa impresión —la diversión de hace unos instantes se desvanece—. ¿Y qué quiere decir que «es de Maela»?

—Adelice, no eres estúpida.

—Imagina que lo soy.

—De acuerdo. Maela está enamorada de Erik. Él era un don nadie cuando vino a trabajar a la cocina hace unos años, y entonces ella lo adoptó —su voz tiembla de pánico, no de rabia.

—Tiene diez años más que él. Por lo menos.

Enora me mira de nuevo con exasperación.

—Aléjate antes de que Maela empeore su actitud hacia ti.

—Solo estaba bailando con él —alego, sin estar segura de creerme mis propias palabras—. Es eso o dejar que algún asqueroso oficial de la Corporación me manosee durante toda la noche.

—Ad —suplica—, te comprendo, de verdad, y Erik es encantador, pero hay dos cosas que debes considerar. La primera es lo que Maela va a enojarse si se entera.

—¿Y la segunda?

—Que las intenciones de Erik tal vez no sean tan honestas como él pretende que parezcan.

Me ruborizo.

—Oye, sé que no podemos casarnos y que hay ciertos límites, pero nunca pensé...

—No me estoy refiriendo a eso —dice con tono mordaz—. Estás coqueteando con el ayudante de Maela. ¿No te parece sospechoso que se haya fijado en ti?

—Bueno, ahora sí —¿cómo no se me había ocurrido? Después de nuestro viaje juntos, he empezado a confiar en él sin planteármelo siquiera.

—Debes andar con pies de plomo, por la manera en que huiste y por lo que estás llamando la atención. Arras no funciona así, Adelice. Los secretos...

—No tienen lugar aquí —pronuncio estas palabras con fiereza.

Enora, en vez de mostrarse enfadada, deja escapar una risita irónica.

—No, hay multitud de secretos, créeme, pero algunas somos conscientes del peligro de airearlos.

Abro la boca para protestar, pero me obliga a callar alzando una mano.

—Déjame terminar. No quiero ser otra persona más tratando de controlarte...

—¡Pues no lo hagas! —grito—. No eres mi madre.

—No pretendo reemplazar a tu madre. Nadie puede hacerlo —asegura en voz baja.

—No —replico—. Ni siquiera la Corporación.

Enora se aparta de mí. Abre la boca, pero la vuelve a cerrar, como si no encontrara las palabras adecuadas. Ambas sabemos que es imposible definir lo que la Corporación le hizo a mi familia.

—Tengo que regresar antes de que noten mi ausencia —Enora alarga una mano como para consolarme, pero lo piensa mejor y regresa a la fiesta.

Me tomo mi tiempo antes de volver al baile, temerosa de romper a llorar delante de las cámaras de la Continua. Cuando estoy segura de sentirme lo bastante calmada, me deslizo fuera del tocador, mientras trato de decidir cómo deshacerme de Erik para regresar a hurtadillas a mi habitación y destrozar una almohada. Pero de repente unas robustas manos me sacan de la bulliciosa sala de banquetes hacia el oscuro vestíbulo.

—Pensé que yo también tendría que esquivar a viejos borrachos —dice Erik en voz baja para evitar el eco en el vacío pasillo de mármol.

—Los oficiales de la Corporación tienen una mentalidad cada vez más abierta —murmuro y entonces, el dolor que me oprime el pecho se extiende a donde sus manos sujetan mis brazos desnudos.

—Ven, quiero enseñarte algo —enlaza sus dedos con los míos y, contra mi voluntad, lo sigo.

—Erik, no creo que sea buena idea.

—Déjame adivinar —dice con tono afable—. ¿Enora te ha advertido que, como Maela nos descubra juntos, clavara tu cabeza en una estaca?

Algo en su informal manera de presentarlo me hace sentir tonta por haber escuchar a Enora.

—¿Por qué crees que te estoy raptando esta noche? —pregunta con seriedad.

La advertencia de Enora sobre las intenciones de Erik resuena en mi cabeza.

—No estoy segura.

—Porque Maela está demasiado ocupada para darse cuenta y llegado este momento, todos los demás se encuentran demasiado achispados para vigilarte.

—Entonces, ¿es cierto? —pregunto jadeando—. Aún me vigilan.

—Por supuesto que sí —afirma él—. A todos nosotros, pero en noches como esta, el Departamento de Seguridad se centra en controlar que las hilanderas mantengan sus estándares de pureza. Además, les aseguré que te echaría un ojo.

Otra razón por la que no debería estar con él en este momento.

—De todas maneras, ¿dónde vamos? —pregunto mientras me conduce por otro pasillo vacío.

—Ya hemos llegado —suelta mi mano y abre de manera teatral dos grandes puertas de madera situadas justo delante de nosotros.

La luna proyecta un tenue resplandor plateado sobre las flores y su brillo se refleja en el paseo adoquinado que conduce al corazón del jardín, el mismo que atravesé el primer día de mi preparación. Rara vez he salido al exterior desde mi llegada al coventri, y siempre bajo estricta vigilancia. Sin embargo, en este momento Erik es solo un acompañante.

Me ofrece el brazo y me arrastra al centro del jardín.

—¿Te gustaría bailar lejos de miradas entrometidas?

No hay música, pero realiza unos elegantes pasos de vals. Su pelo rubio brilla bajo el leve fulgor de las estrellas y en la noche fresca, parece formar parte de este lugar.

—Todavía no me has preguntado por qué hago esto —me susurra al oído.

Trago saliva para atenuar el frenético pulso de mi garganta.

—¿Me dirás la verdad?

—Posiblemente —contesta—. Aunque no estoy seguro de que se deba decir la verdad a una dama.

—No lo sabrás hasta que lo intentes —me quejo.

—De acuerdo, me gustan las chicas listas —dice—. ¿Y cómo iba a resistirme a una chica lista que además es preciosa?

Reposo la cabeza sobre su hombro para que no vea lo mucho que me agradan sus palabras, aunque probablemente esté mintiendo.

—¿Por eso estás con Maela? —pregunto, aún sin mirarle.

Da un resoplido.

—¿Con Maela? Esa mujer no sabe cuándo dejar de apretar.

—No has... —no estoy segura de querer escuchar una respuesta clara, aunque él me la ofreciera.

—Nunca ha entendido cómo funciona esto —continúa—. No es tan inteligente como tú.

Recuerdo la advertencia de Enora y trato de alejarme de él.

—Erik, ya tengo a Maela en mi contra. No hay necesidad de empeorar las cosas.

—No olvides que ella también me controla a mí —por un instante parece sincero, pero luego recupera la arrogancia—. Tal vez no tengamos otra oportunidad —pero bajo la confianza, sus ojos esconden un ligero temor que me resulta familiar.

Se parece a la mirada de mi padre cuando me arrastraba hacia el túnel. Me acerco a Erik un poco más, recordando con qué facilidad pueden desaparecer las personas.

—Y eso qué importa. Supongamos que nos divertimos un poco y que Maela lo descubre y le hace algo horrible a uno de nosotros, o a los dos, y ¿para qué? —me obligo a alejarme de los brazos de Erik y a mirarlo a los ojos—. No hay futuro para nosotros.

—Oye, puedes hacerte la inocente con todo el mundo, menos conmigo —habla en voz baja, pero con firmeza—. Sé que Maela te está vigilando. Piensa que eres peligrosa, lo que significa que lo eres.

—Maela se cree el centro del universo. Yo no confiaría demasiado en sus opiniones.

—Te tiene miedo —dice él.

—¿Por qué? Ya no soy problema suyo.

—No lo sé —Erik suspira. Está claro que le gustaría que me abriera más—. Tiene que ver con algo que sucedió en tus pruebas. Se comporta de otra manera desde que estás aquí.

—Vaya, ¿antes que no era una psicópata?

Erik sacude la cabeza y la luz de la luna se refleja en su pelo dorado.

—No, eso no es nuevo. Cuando llegaste, pensé que tendría que matarte.

Dejo escapar un gemido. Es todo tan injusto.

—Realmente me odia.

—No —me asegura—, la Corporación ejecuta a cualquier chica que huye. Es la política habitual de tolerancia cero. Cuando me ordenó que te sedara, asumí que...

—Y lo habrías hecho —lo acuso.

—No es tan sencillo.

—En realidad, no estaba huyendo —admito—. Mis padres trataban de esconderme.

—Eso da igual —responde Erik, indiferente a mi confesión—. En ese caso, te habrían matado a ti y a tu familia.

—¿Por qué? —las palabras se forman en mis labios, pero soy incapaz de pronunciarlas.

—Una chica que intenta escapar o huir con su familia después de las pruebas jamás será lo bastante leal para confiar en ella. Las fugitivas rara vez llegan al coventri una vez que son capturadas, pero a Maela le encantan los chismes, así que me entero si alguna lo intenta. Parece que en el Sector Oeste sucede con frecuencia. Las chicas cuyos padres las esconden, o tratan de hacer trampas en el proceso de pruebas, tienen la mente contaminada.

—¿Y las que vienen voluntariamente *son* leales? —pregunto.

—Por supuesto. La Corporación controla a sus familias, Adelice —responde él—. Nada de hacer preguntas, y quien las hace...

—¿Qué les sucede?

Erik sacude la cabeza.

—¿Y por eso nos vigilan? ¿Por eso me vigilan? —pregunto rotundamente—. ¿Porque mis padres están muertos y mi hermana pequeña no me reconoce? ¿Porque no tienen nada con lo que amenazarme?

—Tal vez —admite Erik, y entonces lo golpeo con fuerza en el pecho. Lo odio por contarme la verdad. Le pego una y otra vez y él me deja. Al final, me duelen las manos de golpear su corpulento pecho y me derrumbo entre sus brazos. Estamos un largo rato sin decir nada; yo acompaso mi respiración con la suya y nuestros pechos se elevan y descienden rítmicamente, como una promesa de normalidad—. Adelice —susurra, todavía sujetando mi cuerpo inmóvil—. Yo no confiaría en que los dos estuvieran muertos.

Contengo la respiración y se me bloquea el pensamiento.

—La Corporación es demasiado inteligente para asesinar a la familia de una hilandera y pretender que ella siga a su servicio; más bien se asegura de que apenas le quede nada —me advierte, hablando tan bajo contra mi pelo que apenas le escucho.

—Tienen a mi hermana, Amie —me obligo a enfrentarme a los hechos—. Pero la han reprogramado.

—¿Es más joven que tú?

—Tiene doce años.

Frunce el ceño.

—Y a tus padres, ¿los viste morir?

En mi mente aparece la imagen de la bolsa para cadáveres del salón.

—Mi padre. Sé que está muerto —digo con voz hueca.

—Pero ¿solo te *dijeron* que habían matado a tu madre?

Miles de diminutos pedazos de esperanza desperdigados se reúnen en mi pecho.

—Espera —retrocedo y lo miro a los ojos. Mantengo la voz baja pero mis palabras salen atropelladamente—. ¿Estás insinuando que mi madre podría seguir viva?

—Sí, definitivamente está viva —pero apenas puede terminar la frase porque mi boca está sobre la suya. Lo beso empujada por la alegría, o tal vez por el pánico, pero la muestra de entusiasmo no tarda en transformarse en algo mucho más serio y mi cuerpo se amolda al suyo. Mueve los labios muy despacio y aprieta su mano sobre la parte baja de mi espalda. Me gustaría tejer este momento fuera del tiempo y hacer que dure para siempre. Mi corazón latiendo a toda velocidad, el ligero sabor a vino en sus labios, mis caderas apretadas contra las suyas.

Pero Maela tiene otros planes.

DOCE

Cuando Erik y yo rompemos nuestro abrazo, Maela está a unos metros de distancia sobre el pequeño camino de piedras. La luna brilla a su espalda, oscureciendo su rostro, pero su postura —erguida y rígida— me dice todo lo que necesito saber. Bueno, casi todo. Necesito saber cuánto tiempo lleva ahí, más que cualquier otra cosa. Más que lo que ha sentido al ver que nos besábamos o lo que nos hará después de descubrirlo. Respecto a esto último, tengo una idea bastante aproximada.

—Erik —dice Maela con voz calmada—. Necesito que acompañes a un par de ministros a las habitaciones de huéspedes. Todos los mayordomos están ocupados.

Erik me mira primero a mí y luego a ella. Su mano sigue apoyada en mi espalda y cuando la retira, el frío cortante del aire nocturno recorre mi piel desnuda, provocándome un escalofrío. Me lanza una mirada preocupada, pero se vuelve hacia Maela.

—Primero acompañaré a Adelice a su apartamento.

—Creo que ya le has prestado suficiente atención esta noche —murmura Maela, dando un paso adelante. Al moverse, las sombras se desvanecen de su rostro y veo que está llorando.

Nunca pensé que sentiría pena por ella, especialmente porque nunca pensé que se me presentara la oportunidad de hacerle daño. Pero al ver su rímel corrido siento deseos de retroceder y esconderme entre las enredaderas y las ramas.

—¿Me estabas siguiendo? —pregunta Erik.

—Te necesitaba —responde ella en voz baja.

—Hay otros cincuenta guardias ahí dentro —dice él, sacudiendo la cabeza—. No te pertenezco. Trabajo para ti.

Maela resopla ante la crueldad de sus palabras, e incluso yo siento su aguijón. *Esta situación empieza a resultar incómoda.*

—No estarías aquí si no fuera por mí —le recuerda Maela—. Estarías trabajando como un burro en la cocina o pudriéndote en un barco tratando de pescar para vivir. Así que, a menos que quieras regresar a eso, me gustaría que te reunieras con los ministros en el piso de arriba. Adelice puede encontrar ella sola el camino de vuelta.

Ante la mención de su pasado, Erik no parece dispuesto a seguir presionando, así que desaparece entre la negra silueta de los árboles sin dirigirle ni una palabra más a Maela —ni a mí—.

Maela permanece quieta. Sopeso mis opciones. Podría intentar marcharme, aunque tendría que pasar junto a ella y colocarme al alcance de sus manos, algo que no me atrae demasiado. También podría entablar una conversación, pero no puedo pensar en nada, excepto en el roce de los labios de Erik, y no creo que Maela quiera hablar de eso. La tercera opción es sostener su mirada y como es la menos peligrosa, es la que elijo.

—Buenas noches, Adelice —dice Maela, apartando los ojos—. La fiesta aún no ha terminado, pero he tenido suficiente —sin decir nada más, se aleja por el mismo sendero que Erik.

Cuando regreso al vestíbulo, Erik está ocupado recogiendo del suelo a políticos borrachos, y evito captar su atención. La situación es ya bastante complicada en este momento. Ni Maela ni Enora se encuentran a la vista. Estupendo. No me gustaría pasar una noche en las celdas o escuchar un sermón. Lo único que necesito es una cama.

Gracias al alivio que me produce la esperanza de que mi madre esté viva, o a haberme pasado un poco con el vino, me sumerjo en un profundo sueño tan pronto como rozo las sábanas, aunque pasado lo que parecen unos instantes me despiertan a sacudidas. Me cuesta un poco enfocar la imagen de una Enora aterrada inclinándose sobre mí.

—¿Qué hora es? —pregunto con voz ronca y la garganta seca y áspera.

—Las cuatro de la mañana —responde apresuradamente. Me pregunto, casi con absoluta coherencia, por qué ha venido tan temprano.

—Bien —murmuro, e intento rodar fuera de su alcance.

—Esto es serio —sisea—. Maela va a enviar a alguien a buscarte en unos minutos. No tengo mucho tiempo.

Erik. Está de camino a mi habitación. Me siento en la cama y me retiro el pelo de la cara.

—Toma —Enora me lanza un vestido a las manos—. Ponte esto. No querrás ir vestida de esa manera.

Bajo los ojos y me doy cuenta de que aún llevo puesto el vestido de seda de la fiesta. Me lo quito rápidamente. Enora no me da tiempo para decirle que necesito ropa interior, así que me deslizo dentro del nuevo vestido, sintiéndome incómoda y vulnerable.

—Acerca tus manos —me ordena, pero las agarra ella misma cuando no me muevo con suficiente rapidez. Al instante, empieza a extenderme esmalte de uñas transparente por las yemas de los dedos—. Esto te ayudará, aunque no evitará que lo sientas.

—¿Sentir el qué? —pregunto lentamente. Pero antes de que Enora pueda contestar, el brutal guardia de Maela con la cabeza afeitada entra en la habitación. Me siento aliviada y decepcionada.

—Enora —inclina la cabeza hacia ella a modo de saludo—. Maela necesita a Adelice para una prueba especial.

—Espera —digo yo, aunque no se ha dirigido a mí—. Pensé que ya había terminado con las pruebas.

Ambos intercambian una mirada que empuja los ácidos de mi estómago hacia la garganta.

—De vez en cuando —dice Enora con sílabas acompasadas—, se nos pone a prueba por sorpresa. Es para comprobar cómo trabajamos bajo presión —su expresión me recuerda a la del rostro de mi madre antes de que huyera por el túnel. Se siente perdida, haga lo que haga, y eso llena sus ojos de tristeza.

Instintivamente, la rodeo con los brazos y me acurruco en su cuello. Los brazos de Enora son fuertes y cálidos y deseo que fueran los de mi madre.

—Tu alma te pertenece —susurra sobre mi pelo—. No les permitas que te la arrebaten. No importa lo que hagan.

Las palabras me traicionarían y dejarían fluir las lágrimas, así que sonrío con valor mientras me alejo de ella y sigo al fornido guardia sin hacer más preguntas. Al volverme una última vez, encuentro una expresión preocupada en el rostro de Enora, pero cuando nuestros ojos se encuentran, la sustituye rápidamente por una sonrisa. Ambas sabemos que no se trata de una prueba sorpresa ni de una evaluación de mi progreso. Es un nuevo castigo.

Noto las puntas de los dedos duras como piedras donde Enora ha aplicado el esmalte de uñas. Aún tengo sensibilidad en ellas y al presionarlas entre sí las uñas se doblan hacia atrás. Sin embargo, la piel está entumecida donde tengo el esmalte.

—A buen entendedor pocas palabras bastan —comenta el guardia con voz áspera—. No hagas eso.

—¿Qué? —pregunto.

—Eso —responde dirigiendo los ojos rápidamente hacia las yemas de mis dedos—. La meterás en problemas por ayudarte.

Un frío doloroso se extiende lentamente por mi pecho y desciende por mis brazos y mis piernas. ¿En qué lío estoy metida?

—¿Está bien Erik? —pregunto, tratando de que mi voz suene indiferente—. Normalmente quien me acompaña a estas cosas es él.

—Sí —brama el guardia—. Maela le ha cambiado de puesto por el momento. En un futuro trabajará más cerca de ella.

La noticia no me sorprende, pero aun así me duele. Erik podría haber sido un amigo, e incluso si sus intenciones no eran exactamente nobles, me hacía reír. Y luego está lo del beso. Algo a lo que no sé cómo enfrentarme.

Los pasillos están en silencio. No hay ni rastro de la fiesta —hasta los más trasnochadores deben de estar en la cama—. ¿Qué tipo de castigo se lleva a cabo a las cuatro de la mañana?

Uno del que nadie puede saber nada. Enora me avisó que esto sucedería si rondaba a Erik, pero no la escuché.

Mi nuevo escolta me conduce hasta dos puertas batientes y mantiene una de ellas abierta.

—Por cierto, soy Darius —me informa, y tan pronto como la cruzo desaparece.

Un protuberante plástico blanco cubre las paredes del inhóspito taller. Una ventana. Un telar. Una persona. Maela ya está allí, totalmente arreglada. Y yo sin ropa interior. Debe de tener encerrada a su esteticista en el baño. Pero cuando se da la vuelta, veo que no lleva maquillaje. Su rostro parece más terso sin los duros ángulos que le dibujan el rubor y el rímel. Tiene un aspecto normal, incluso se podría decir que es bonita, pero sus ojos son los mismos: fríos y llenos de odio.

—En ocasiones —me dice—, nos vemos obligados a realizar una prueba sorpresa a alguna de las nuevas hilanderas. Algunos oficiales de la Corporación han expresado dudas respecto a tu preparación para empezar con el bordado crewel. Como sabes, es un trabajo de suma importancia, y es mi deber asegurarles que estás lista.

—¿Qué oficiales? —pregunto, poniéndola en evidencia.

Maela sonríe, sin inmutarse.

—No te preocupes por eso. Lo importante es que te concentres en completar la tarea que tengo para ti.

—¿Has hablado con Cormac?

—Cormac no tiene que aprobar las actividades de la instrucción —responde, mirando por la ventana.

—¿Y con Loricel? —insisto, preguntándome si ella estará al corriente de esto.

—Loricel no se interesa por el resto de nosotras —espeta—. Y dada su avanzada edad, lleva horas en la cama.

Asiento con la cabeza y reviso mentalmente todas las réplicas que podría darle. Al final, opto por el silencio.

—El trabajo de tejedora es delicado —ronronea, y por primera vez me doy cuenta de lo silenciosa que está la habitación sin el zumbido del telar—. Sé que eres consciente de ello.

Noto que se me tensa la mandíbula. Todo lo que he visto hacer a Maela es mutilar Arras; ¿y pretende darme consejos?

—Debes enfrentarte a tu tarea con atención y delicadeza, al margen de lo que esté ocurriendo fuera de esta habitación —continúa—. A esto lo llamamos una prueba de estrés.

Se vuelve, pero no me mira, así que sigo sus ojos. Distingo un gran telar de roble con gruesas hebras de acero sobre él. No se parece en nada a las modernas máquinas automáticas en las que he estado practicando. Es rudimentario. La madera está combada y arañada y el pequeño banco que lo acompaña es un tocón de árbol sin pulir. No va a resultar cómodo.

—Si eres cuidadosa, puedes tejer con cualquier material —murmura, indicándome que tome asiento en el tocón—. ¿Cómo, si no, podría una tejedora manipular el tiempo? Es algo valiosísimo. Hubo una época en que no teníamos control sobre el tiempo. Se nos escapaba entre los dedos. No podíamos controlar la muerte ni el hambre ni la enfermedad. Y entonces la ciencia nos regaló los telares. Pero si no somos cuidadosas, podríamos perder el control que tenemos ahora.

He escuchado bastante de su farsa condescendiente.

—¿Esto es por lo que sucedió entre Erik y yo?

Maela resopla y se aleja de mí.

—Este ejercicio —continúa, ignorando mi pregunta por completo— te enseñará delicadeza y control.

Se inclina hacia el telar y hábilmente, pero con suavidad, toma una hebra de acero. Al soltarla, produce un sonido metálico. Luego toma un delgado hilo parecido a un alambre y lo teje con sutileza a través de los cables de acero del telar. Arriba. Abajo. Arriba. Abajo. Hasta que lanza un gemido y se lleva el dedo índice a los labios, con gesto de dolor.

Me gustaría preguntarle qué sucede, pero no parece adecuado dado que somos enemigas y todo eso, así que espero hasta que saca el dedo de su boca. Tiene un pequeño corte del que fluye sangre, lo que me muestra con claridad la naturaleza de esta prueba.

—Este carrete —dice, acercándome un gran cilindro metálico— tiene que estar tejido cuando llegue el mediodía.

—¿Eso es todo? —pregunto con recelo, temerosa de tomar el hilo que me ofrece. La luz provoca destellos en el rollo.

—Eso es todo —Maela sonríe con los labios apretados—. Al mediodía, se te asignará un nuevo puesto.

—Supongo que los ministros tendrán que supervisar mi trabajo.

Se le contrae la mandíbula, pero mantiene la compostura.

—Por supuesto.

—Por supuesto —afirmo yo.

Maela abandona la estancia y yo toco el «hilo» con cautela. Está tan afilado como una cuchilla. Con más cuidado incluso, alargo la mano para acariciar las bandas de acero que conforman la urdimbre del telar. Están casi rígidas. Un alambre cortante y un telar falso. Esta vez se ha superado a sí misma. Tendré suerte de que me queden dedos al terminar con esto.

La primera pasada la realizo con facilidad y evito cortarme las yemas de los dedos. Me confío en exceso y en la siguiente pasada me hago un corte en la yema del índice izquierdo. Cuando el aire lame la carne abierta se me inundan los ojos de lágrimas. Es una herida sin importancia, pero Maela está buscando cualquier excusa para desterrarme a la cocina o a un sitio peor, así que tiro del cilindro hasta que aflojo suficiente alambre para alcanzar el dobladillo de la falda y cortar unos centímetros de tela. Después de hacer varios pedazos más pequeños, me envuelvo todos los dedos, empezando por el índice ensangrentado. Tendré que habituarme a la torpeza de mis dedos vendados, pero no puedo dejarlos desprotegidos.

Es un trabajo lento. En ocasiones, el alambre se desliza por la parte superior de mis manos y abre cortes, pero sigo adelante, luchando contra la creciente palpitación de las heridas. Los vendajes improvisados duran cierto tiempo, hasta que el del dedo herido se empapa de sangre y los demás quedan hechos jirones. El sol está apareciendo por la ventana oriental. Me quedan cinco horas cuando mucho, pero el carrete parece intacto. Respiro hondo, me quito los dedales de tela, excepto el que cubre el índice que sangra, y agarro el alambre firmemente entre índice y el pulgar de la mano derecha.

Me concentro en la respiración, llenando por completo los pulmones de aire en cada inhalación y soltándolo lentamente. Tengo las manos cubiertas de verdugones sangrantes, pero continúo, ignorando la sensación de mareo. Mi cuerpo ansía el desayuno —estúpidos horarios de comida— y pierde sangre por todas partes, así que mi mente queda relegada a un segundo plano.

El silencio de la habitación retumba en mis oídos, o tal vez sean los latidos de mi corazón. No hay reloj, solo el tenue resplandor de la luz del amanecer iluminando fragmentos de mi trabajo. Se refleja en las paredes cubiertas de plástico blanco, calentándolas, de modo que su hedor sintético inunda el taller y me revuelve el estómago. Todo resulta brillante, cegador en su artificio. Mi sangre cálida sobre los fríos hilos de acero es lo único que contrasta con el brillo chillón de la estancia. Pero a pesar del dolor punzante, logro tejer tres cuartas partes del carrete antes de que Maela regrese.

Sonríe al ver mis manos heridas.

—Te quedan dos horas, Adelice —se inclina sobre mi trabajo y continúa—: He estado pensando en lo desconsiderado que ha sido por nuestra parte no darte más noticias sobre tu hermana.

Descuido la manera en la que agarro el alambre y abro un nuevo corte en la palma de mi mano.

—Normalmente permitimos el envío de alguna carta o comunicamos alguna noticia durante la instrucción inicial —dice, aún inclinada sobre mí—. Aunque, por lo general, no solemos hacerlo con los traidores.

—Sí, soy consciente de lo que reservan para los traidores —respondo.

—Entonces sabes que podemos ser clementes —replica con inocencia. Me gustaría enrollar el alambre en torno a su delgado y pálido cuello—. Por desgracia, tus padres cometieron traición, a lo que hay que añadir por supuesto el asunto del contrabando hallado en tu casa —me explica—, así que sus hebras han sido extraídas.

—Cormac me lo dijo —respondo. Aunque ya lo sabía, siento el calor de las lágrimas cuando parpadeo. No tengo fuerzas para contenerlas.

—Ya veo. También sabrás que tu hermana, por ser menor, fue retejida. Está en Cypress, donde cada año hallamos a muchas de nuestras mejores candidatas. Como probablemente comparta tu talento, es posible que nos resulte útil en un futuro. La estamos vigilando muy de cerca.

—Amie no tiene ninguna destreza —murmuro, deseando que sea cierto—. Están perdiendo el tiempo.

—En absoluto —asegura Maela mientras enciende un cigarro—. Tenemos que seguirle la pista por ti. Hay que tener contenta a la última adquisición de la Corporación.

—Me da igual. Apenas nos relacionábamos —miento—. Nos separan muchos años y ella ha estado siempre más preocupada por ser popular y estar al día —tan pronto como estas palabras abandonan mis labios me arrepiento de haberlas dicho.

Por la manera en que Maela alza una ceja, podría asegurar que la información le ha encantado.

—Entonces, son diferentes. Tal vez ella tenga lo que se necesita para triunfar como hilandera cuando llegue su momento, si es lo que desea.

¿Lo que desea? Vacilo un instante.

—¿Y su nueva familia?

Pienso en la mirada paranoica de su madre adoptiva.

—Viste a su nueva madre. Son una familia excelente, y leal —afirma Maela—. Existen bastantes parejas sin hijos, así que los huérfanos son a menudo retejidos en otras secciones dentro de estas familias que lo merecen.

El alambre se ha hundido casi un centímetro en mi pulgar antes de darme cuenta de lo fuerte que lo estoy apretando. No sé por qué me contengo. Nadie echaría de menos a Maela.

—Gracias por las noticias. Aún me queda mucho por hacer —me obligo a regresar al trabajo y escucho el suave chasquido de la puerta al cerrarse tras Maela.

Al mediodía, Maela entra en la estancia con aire despreocupado y está a punto de atragantarse con el cigarro cuando comprueba que he terminado.

—Supongo que no te di suficiente hilo —comenta en voz baja—. Parece que te hubieras aburrido.

—Tal vez posea el talento que tú no me quieres reconocer —contraataco, manteniendo mis ojos fijos en los suyos e ignorando el entumecimiento que invade todo mi cuerpo. Si pensaba que distrayéndome me apartaría de mi propósito, estaba equivocada—. ¿Vendrá alguien a supervisar mi trabajo?

Maela entrecierra los ojos, pero responde con voz tranquila.

—Por supuesto. Más tarde.

—Infórmame de lo que digan —exclamo con toda la arrogancia de la que soy capaz, mientras sangro profusamente. Mi lacónico escolta nuevo me devuelve a mi aposento; trato de no salpicar sangre sobre las caras alfombras de la parte alta de la torre.

No hay nadie en la habitación. Ni siquiera Enora, de la que esperaba, al menos, que se lanzara a abrazarme tan pronto como entrara. Así que me pongo a llorar y mis lágrimas fluyen junto a la sangre que empapa mi falda. No me atrevo a examinarme las manos y al buscar en mi cavernoso cuarto de baño no encuentro nada para curarme. Finalmente, solicito vendas y un médico a través del panel comunicador. Ninguna de las peticiones es denegada.

Una eternidad después alguien toca la puerta. ¿Quién será? Aquí nadie llama. La sirvienta, el personal de cocina, mis esteticistas, todos entran y salen a conveniencia. De este modo descubro que mi puerta dispone de una mirilla. Al otro lado del diminuto círculo de vidrio me encuentro con un único ojo azul eléctrico. Por un instante, me quedo paralizada. Podría ser Erik o Jost, y me doy cuenta de que no sé a cuál de los dos tengo más ganas de ver, o si resulta seguro que deje entrar a cualquiera de ellos. Finalmente respiro hondo y abro la puerta.

TRECE

Maela no me enviaría a sabiendas a la persona a la que me muero por ver y al mismo tiempo deseo evitar, pero encargar a Jost que se ocupe de mí sería el colmo de la mezquindad. ¿Sabrá que me están castigando por besar a Erik? O tal vez sea solo que ha estado pensando en mí, él también. La idea de que pudiera desear verme me acelera tanto el pulso que mis dedos heridos palpitan. Este no es el mejor momento para preocuparse de eso. Me ha visto en situaciones peores, así que lo dejo entrar. Jost mantiene la cabeza girada para no mirar hacia la puerta abierta.

Me aclaro la garganta para captar su atención.

—No estoy desnuda, ¿sabes?

—Trataré de ser menos educado la próxima vez —dice él.

—¿Qué haces aquí? —pregunto mientras envuelvo cuidadosamente mis manos ensangrentadas con una toalla limpia.

—Pediste asistencia médica —alza un pequeño botiquín.

—Exacto. ¿Aquí no hay una clínica? —consciente de que mi exasperación podría interpretarse de manera equivocada, ya que prefiero estar aquí con él que sobre una mesa de exploración, añado rápidamente—: Me alegra que atiendas llamadas a domicilio, pero ¿cuál es *exactamente* tu cometido?

—Hago el trabajo sucio, ¿recuerdas? Estoy preparado para hacer arreglos médicos básicos. A menos que te estés muriendo, te atiendo yo. La clínica está reservada para otras cosas —su tono implica que la historia es mucho más larga, pero en este momento soy incapaz de asimilar más información. Anoto mentalmente sacar de nuevo el tema cuando no esté sangrando a borbotones.

—¿Así que tú limpias lo que yo ensucio? —pregunto, ladeando la cabeza para verlo mejor. Por desgracia, el leve movimiento me produce un terrible mareo.

Jost me sujeta a tiempo.

—Exactamente.

Me ayuda a llegar hasta los enormes cojines del suelo y toma mis manos con cuidado. Mientras me las inspecciona siento las suyas, cálidas y ásperas, sobre mi muñeca. Su ligero tacto no me ayuda mucho con el mareo, pero me tiene sin cuidado.

—¿Me cuentas lo que ha sucedido? —pregunta.

Sacudo la cabeza.

—Maela se ha aficionado a mí.

—¿Y lo de pasar desapercibida? —pregunta Jost, antes de lanzar un gruñido para reafirmar su desaprobación.

—Me gusta llamar la atención.

A pesar de su clara frustración, sonríe un poco.

—Vamos a limpiar esto. Será necesario enjuagarlas —dice, agarrándome del codo para que pueda ponerme en pie. Aparentemente no le hice gracia. Pero si no pudiera bromear con él, no estaría segura de cómo comportarme con Jost.

En el baño abre el grifo por completo. El torrente de agua produce eco sobre el mármol.

—Ponlas aquí —dice Jost.

Le devuelvo una mirada burlona, pero él simplemente toma mis manos. En vez de colocarlas bajo el grifo abierto, toma un poco de agua en el hueco de su mano izquierda y la vuelca sobre las heridas, limpiando con delicadeza la sangre. Ya estoy acostumbrada a que la gente haga las cosas por mí —que me peine, me maquille e incluso me vista—, pero la bondad de Jost me recuerda a los cuidados de mi madre cuando estaba enferma. Entonces, el dolor que se extiende por mi pecho es pura nostalgia.

Abre la bolsa que trae y saca un pequeño recipiente con bálsamo.

—Esto te va a quemar.

—He soportado cosas peores —mientras lo aplica sobre los cortes abiertos me arrepiento de mi bravuconería. Tengo que morderme el labio para no gritar.

—¿Cómo vas? —pregunta con amabilidad.

—He estado mejor —admito, y respiro hondo para distraerme—. ¿Así que la Corporación te ha encargado curar a las tejedoras, además de tus tareas como mayordomo? ¿Por qué has venido exactamente?

Se inclina más hacia mí y me susurra al oído.

—¿Pensabas que podríamos hablar en tu habitación? No necesito la excusa de mis múltiples tareas para saber por qué estoy aquí.

—Supongo que no esperaba que me dieras... —mi mente deja de formar pensamientos coherentes cuando su aliento roza mi cuello.

—¿Una respuesta sincera? —retrocede, rompiendo el hechizo.

—Una respuesta controvertida —admito al fin—. Pensé que eras simplemente un trabajador esclavizado.

—Gracias —responde él—. Eso suena solo un poco ofensivo.

—Lo siento. No era mi intención.

—Lo sé. Supongo que paso más desapercibido de lo que pensaba —añade, colocando gasas sobre la mano limpia—. ¿Qué es esto?

Desliza un dedo sobre la marca de mi muñeca y no sé qué decirle exactamente.

—Una reliquia del pasado —respondo con un suspiro—. Mi padre me marcó antes de...

Jost baja apenas la cabeza para indicarme que lo sabe y que no hace falta que lo exprese en palabras, aunque retumban en mi cabeza: *antes de que muriera.*

—¿Por qué un reloj de arena? —pregunta, observando la marca.

—No lo sé —murmuro, concentrada en el roce de su mano—. Se supone que me recordará quién soy.

—¿Y funciona? —musita, mirándome a los ojos.

—Supongo que sí —le observo y reflexiono—. ¿Por qué estás aquí, Jost? Me refiero a sirviendo en el coventri.

—Ni siquiera sé por dónde empezar a responder a eso —dice, concentrándose en la otra mano.

—¿Por el principio? —sugiero en voz baja. Jost alza la mirada y sus ojos normalmente brillantes aparecen vacíos.

—Tenía una familia —hace una pausa y devuelve su atención a mis manos—. Pero ya no.

El espacio entre nosotros se va reduciendo, pero ahora solo veo el ancho abismo que nos separaba antes.

—¿Qué ocurrió? —pregunto.

—Me casé cuando tenía dieciséis años con una muchacha de mi pueblo. En nuestra ciudad la segregación no es tan estricta en los años anteriores a las pruebas, y nos aseguramos de que la descartaran.

Me ruborizo ante su confesión, pero trato de ignorar mi desasosiego. Algo se retuerce en mi pecho movido por esta revelación. No me gusta la idea de que estuviera casado. En absoluto. Aunque ya no lo esté.

—¿A los dieciséis? Y yo pensaba que a los dieciocho ya era un horror —tan pronto como digo esto me arrepiento.

—Sí, a los dieciséis —y para mi alivio, se ríe—. La conocía desde que éramos niños. Vivíamos en una pequeña aldea, Saxun, que se encuentra entre los sectores Oeste y Sur. Procedo de una familia de pescadores con una larga tradición. Es una población tan pequeña que las asignaciones de trabajos se rigen por el negocio familiar, así que, como mi hermano había conseguido un pase fronterizo para salir de la aldea, yo era el único que podía encargarme del barco de mi padre.

—¿Así que no les repartían los trabajos? —el día de asignación mensual era un acontecimiento importante en la ciudad de Romen. La mayoría de las veces se cubrían las necesidades de la ciudad, en ocasiones enviaban a alguien a una ciudad vecina, pero de vez en cuando la Corporación necesitaba personal para algún puesto en el coventri o en diversos departamentos del sector, lo que significaba conseguir un pase fronterizo. Casi siempre se asignaban a chicos, pero la ciudad entera vivía esperando esa oportunidad. Nadie se perdía el día de asignación.

—Cuando tienes un montón de dinero o nada en absoluto, las cosas funcionan de otra manera —me dice con ironía—. El sistema no se te aplica del mismo modo.

—En tamaño, Romen es la tercera ciudad del Sector Oeste —le explico—. Es la clase de lugar donde todo es normal: las casas, las asignaciones, la gente.

—El término medio es donde la Corporación prospera.

—Entonces, ¿te casaste antes de venir aquí? —intento que mis palabras suenen tranquilas, pero me siento un tanto descolocada y no quiero que note los celos en mi voz.

Jost asiente con la cabeza y empieza a vendarme las manos.

—Se llamaba Rozenn. Vivía con su padre y su hermano. Yo estaba trabajando para comprar un barco nuevo y... —hace una pausa, como saltándose algo demasiado doloroso para compartirlo, pero continúa, con una voz apenas audible sobre el ruido del grifo—. Debería haber sabido que algo iba mal, pero nunca se me ocurrió.

Reposo una mano vendada sobre su hombro y sus músculos tensos se relajan.

—Su hermano, Parrick, era un solitario, estaba descontento con el trabajo que le habían asignado y no mostraba interés por las chicas. Estaba a punto de cumplir dieciocho. Yo lo aguantaba porque se convirtió en familiar mío cuando me casé con Rozenn, pero el carácter de él era completamente distinto. Ella era un día de primavera, estaba llena de vitalidad. Parrick también destacaba, pero por su frialdad. Era capaz de desvanecer la alegría de una conversación. A la gente no le gustaba estar cerca de él. A mí tampoco —admite—. No comprendía por qué se mostraba tan distante, por qué se aislaba.

—Se suponía que estaba de aprendiz con su padre, pero empezó a tomarse largos periodos de descanso. Un día desapareció y no regresó hasta la caída de la noche. A Rozenn le preocupaba que su padre perdiera la paciencia con él y me pidió que interviniera. Pensó que yo podría hablar con Parrick, hacerme su amigo tal vez. Él se negó a relacionarse conmigo y yo no lo intenté demasiado, pero empecé a seguirlo.

—¿Adónde iba? —pregunto en voz baja, dejando que el temor desvanezca los celos.

—Se reunía con personas de nuestro pueblo y otras ciudades cercanas. Hablaban de cambios y revolución. Pensé en delatarlos, pero las historias me detuvieron.

—¿Qué historias? —mi voz es apenas un susurro.

—Historias terribles. Familias aniquiladas, pueblos retejidos. Eran rumores, relatos compartidos entre hombres desesperados. Me encontraba ante un dilema, así que no hice nada —una vez que ha terminado con mis manos, Jost se sienta en el borde de la bañera. Sus ojos azules arden como el extremo de una llama, mirando más allá de esta habitación hacia las ruinas de su pasado.

—¿Se lo contaste a tu esposa? —me atasco en la última palabra, y la incertidumbre de si Jost se encontrará en estos momentos aquí me sube por la garganta y forma un nudo.

Sacude la cabeza, pero su mirada permanece distante.

—No, no quería preocuparla. Debería haberlo hecho, pero me asustaba demasiado repetir lo que había escuchado. Al final he descubierto que hice lo correcto. Hay hilanderas especializadas en localizar conspiraciones y grupos anti-Corporación.

—Sí, nos hablaron de ello durante la instrucción. El tapiz empieza a sangrar y se mancha. Cuando la gente es leal, sus hebras mantienen el color original.

—Apuesto a que la hebra de Rozenn era la más hermosa que se pueda imaginar —dice con veneración.

Mis ojos se inundan de lágrimas calientes cuando pronuncia su nombre.

—Me pregunto cuál sería el aspecto de Saxun cuando decidieron intervenir.

—No puedo decírtelo. Nunca he visto una de esas manchas —admito—. Mis padres me prepararon durante ocho años para fallar durante las pruebas, y nadie vino por nosotros. Ignoro lo extendida que tiene que estar una mancha para que sea localizada.

—¿Tus padres mostraban una actitud abiertamente anti-Corporación?

Sacudo la cabeza. A pesar de lo que hicieron, no podría afirmar que fueran unos rebeldes.

—No, nunca hablaron en contra de la Corporación. Eran muy cuidadosos en ese aspecto. Y además, mi madre y mi padre eran una simple secretaria y un mecánico.

—¿Eran?

—Yo no fui la única a la que castigaron —digo en voz baja—. Supuse que lo sabías.

—Lo imaginaba —responde él—. De todas maneras, el pueblo de Saxun estaba lleno de rebeldes y tus padres eran solo dos personas.

Pienso en los túneles bajo mi casa. Tenían que conducir a algún sitio. Hay todavía muchas cosas que desconozco de mis padres.

—Supongo que una pequeña traición puede pasarse por alto.

—Pero solo si es pequeña —murmura.

—Sí —mi sonrisa se deshilacha por los bordes—. ¿Qué sucedió?

—La Corporación ordenó un castigo ejemplar —la voz de Jost se desvanece y me inclino para poder oírlo—. Arrancaron las hebras de nuestras hermanas, de nuestras madres, de nuestras hijas...

—De sus esposas —añado, y él asiente con la cabeza.

Deja caer la cabeza y la distancia entre nosotros desaparece. Cuando habla de nuevo, sus palabras suenan rotas.

—Lo vi, Adelice. Ni te imaginas lo que es eso.

Recuerdo cuando en el hospital me obligaron a salir de la habitación de mi abuela. La enfermera cerró la cortina y esperó de espaldas, como si no soportara mirar.

—Estaba en el muelle, aguardando con las demás mujeres que regresáramos para comer. Simplemente se desvaneció. Primero se borraron sus piernas, y parecía tan confundida que pedí ayuda a gritos, pero no había nada que pudiéramos hacer. Los que estábamos en los barcos vimos cómo sucedía. Luego desapareció su boca, y ya no pudo pedir auxilio. Su cuerpo fue lo último que se disipó —parece que se atraganta y me doy cuenta de que está llorando—. Llevaba en brazos a nuestra hija.

Comienzo a llorar con él. Por su pérdida y por la confusión que siento. Este no es el muchacho de sonrisa ladeada que me dio de comer papas dulces, y mi dolor no es solo por lo que la Corporación le hizo, sino por lo diferentes que somos. Lloro porque soy una niña estúpida que no puede dominar los celos y la inferioridad que siento al pensar que Rozenn lo consiguió primero. Y por la distancia que siempre existirá entre nosotros. Él era esposo y padre; yo no soy nada y nunca lo seré. Supongo que, después de todo, la Corporación nos asignó estos roles.

—Fue la última vez que las vi a las dos. Ella tenía dieciséis años y mi hija, tres meses.

No tengo palabras para consolarlo, así que tomo su mano y la reposo con suavidad sobre mis dedos vendados.

—Estoy aquí porque es el último lugar en el que buscarán —confiesa, respondiendo por fin a mi pregunta.

—Buscarán, ¿qué? —pregunto, sin estar segura de querer saber la respuesta.

—La revolución.

CATORCE

Sueño con mis seres queridos. Tengo cinco años y mi madre se está maquillando sobre el lavabo del baño, pero cada cosmético que se aplica apaga su belleza en vez de realzarla. El rímel borra sus pestañas, el rubor hunde sus mejillas y el labial elimina su sonrisa. Se cepilla la melena color cobrizo y los mechones desaparecen en el aire. Su cuerpo decapitado se vuelve hacia mí, me hace una seña para que le dé el visto bueno y pregunta, como hacía cada día: «¿Cómo me veo?».

Amie es un bebé y me aferro a ella, pero cuanto más fuerte la agarro, más se desvanece. Soy incapaz de protegerla. Ahora la veo retejida, como una joven con ralas trenzas rubias. La saludo con la mano, pero no me ve. Yo soy la que ha desaparecido. Yo soy el fantasma.

Una enorme pastel blanca del tamaño de un telar descansa sobre una mesa; debajo de ella, mi padre se deshace en un líquido negro y pegajoso formando un charco que se acerca cada vez más a mis pies desnudos. Pide ayuda a gritos, pero me preocupa demasiado mancharme, así que contemplo cómo desaparece.

Y como telón de fondo de todos los sueños, aparece Jost congelado. El parpadeo de sus ojos es lo único que indica que sigue vivo, esperando a que lo ayude. Pero cuando me acerco, la veo a ella, más hermosa que yo, sonriente y embarazada, sujetando su mano, así que aparto la mirada. Cuando me vuelvo otra vez, se transforma en Erik, cuyos brazos se extienden hacia mí, animándome a que me acerque a él.

Mientras duermo borro y reconstruyo el mundo, y por la mañana trato de recordar cómo reconstruirme a mí misma. Cada día me pregunto si seré capaz de regresar al telar. ¿Podré seguir tejiendo después de lo que sé? No puedo borrar el pasado de Jost. Yo no tuve la culpa, pero eso no cambia nada. Sigo siendo una hilandera.

Jost acude a diario para aplicarme una crema regenerante en las manos, que se curan con rapidez, pero no viene ninguna estilista. Ha pasado una semana y ni siquiera he visto a Enora, así que me pregunto si no la habré metido a ella también en problemas. La comida sigue llegando a las horas previstas. Permanezco en camisón, tendida junto al fuego, ansiando que llegue el momento en que Jost viene a cuidarme. Hoy trae el almuerzo y comemos juntos. Nuestras conversaciones parecen triviales, pero es que hablamos en clave. Podemos compartir abiertamente algunas de nuestras historias, sin embargo las cosas que de verdad quiero saber no pueden preguntarse en voz alta porque la vigilancia podría captar nuestras palabras. Solo podemos permanecer cierto tiempo en el baño —donde el ruido del agua corriente tapa nuestras voces— sin levantar sospechas, pero a pesar de mis intentos para conducir cada conversación hacia sus planes, él parece más interesado en mí.

—No fue una pelea de verdad —me río mientras continúo con una historia sobre mi vecina Beth—. Ella estaba acosando a Amie y yo me cansé, así que la tiré al suelo.

—Pero tú querías a tu hermana pequeña, ¿verdad? —insiste Jost—. Da la sensación de que se estuvieran metiendo siempre en problemas.

—Amie respetaba las normas más que yo, así que cuando yo hacía algo que podía traernos problemas, perdía el control —le explico—. Cuando me peleé con Beth le preocupaba que me enviaran a terapia por mal comportamiento.

—Pero no te enviaron —dice él.

—A mí no, pero a Beth sí —no me había acordado hasta ahora. Es uno de esos recuerdos que permanecen en tu memoria aunque intentes arrinconarlos o ignorarlos. Beth se fue cuando teníamos doce años y al regresar, era otra. Seguía igual de antipática, pero no solo conmigo, sino con todo el mundo.

—Mi hermano mayor me llevaba diez meses —me cuenta, devolviéndome a la conversación—. Mi madre decía que éramos unos vándalos.

Sonrío, pero al hacer las cuentas abro los ojos de par en par.

—¿Diez meses?

Su sonrisa se ladea un poco más.

—No hay mucho que hacer en una pobre aldea de pescadores.

Sé más sobre bebés y esas cosas que la mayoría de las chicas de mi edad. Bueno, supongo que las demás adolescentes de Romen habrán empezado ya con los cursos de preparación al matrimonio. Ahí es donde te hablan de sexo. Por supuesto, mis padres me contaron hace años todo lo referente a la procreación con todo lujo de turbadores detalles. Otro de sus magníficos planes para asegurarse de que comprendiera el mundo que me rodeaba. Pero aquí sentada, con un chico que provoca cosquilleos por todo mi cuerpo, en el coventri, donde los «privilegios del matrimonio», como mi madre los llamaba, están fuera de mi alcance, esa información resulta bastante inútil. Y además, está la cuestión de que él posee una experiencia de primera mano que yo jamás tendré. Definitivamente ha llegado el momento de cambiar de tema de conversación.

—Así que, ¿eras cazador? —pregunto, retomando nuestro lenguaje en clave y llevándome arroz a la boca de forma descuidada; los vendajes de mis manos siguen resultando un estorbo para las habilidades motrices complejas, y para agarrar tenedores.

Jost asiente con la cabeza, poniéndose de nuevo serio.

—Me interesaba la caza mayor. El tipo de piezas con las que se alimenta a mucha gente y que dan dinero.

—¿Qué animales son los de caza mayor? —pregunto sin alterar el tono indiferente de mi voz. De esta manera, ningún panel comunicador detectará nada extraño, o siquiera interesante.

—Sobre todo los osos y los pumas.

—¿Se comen los osos y los pumas? —hago una mueca, fingiendo asco.

—Ad, si tienes hambre suficiente, te comes cualquier cosa —Jost sonríe y señala un muslo de pollo.

La conversación decae y permanecemos en silencio mientras comemos. El hambre no es un tema adecuado para una discusión, ni siquiera en clave. Roza la traición, ya que la Corporación asegura que no existe. Yo vivía con mi familia en los alrededores de una gran ciudad y tanto mi padre como mi madre tenían trabajo asignado, así que, aunque nuestras raciones de alimentos no fueran nunca abundantes, siempre teníamos qué comer. Jost, sin embargo, trabajaba duro para conseguir alimento y muchas personas en su pequeña aldea carecían de él, excepto lo que conseguían de la generosidad de los pescadores, aunque incluso eso estaba limitado a lo que les quedaba después de haber entregado sus cuotas a la Corporación.

Por supuesto, Jost no ha salido de caza ni una sola vez en su vida. Trabajaba quince horas al día para alimentar a su familia y a un puñado de vecinos, pero en el mar. Lo sé porque, durante los breves momentos relajados de los que podemos disfrutar, hemos establecido algunas palabras en clave. Ha sido a base de ensayo y error y con más de un malentendido, pero estamos mejorando en los dobles sentidos. Los osos son los oficiales ministeriales, y los pumas, las tejedoras. Jost está buscando al responsable de los ataques a las mujeres de Saxun. Todavía no hemos acordado una clave para que me explique lo que planea hacer cuando lo encuentre, aunque tampoco estoy segura de querer saberlo.

—¿Alguna vez un puma ha atacado a un venado? —estoy tratando de preguntarle por Erik, pero por más que lo intento de distintas maneras, Jost no entiende lo que quiero decir.

—Seguro que sí —se encoge ligeramente de hombros, disculpándose por no saber a qué me refiero. Ojalá mis preguntas fueran tan fáciles de interpretar como su lenguaje corporal.

En ese instante descubro la solución a nuestro problema. Es tan sencilla que no se me había ocurrido.

—Jost, a la hora de cazar, ¿es más importante la vista o el oído? —pregunto entusiasmada.

—¿A qué te refieres?

—Si estuvieras de caza, ¿preferirías ver u oír a tu presa?

Jost entiende y asiente ligeramente con la cabeza.

—La vista es útil, pero la mayoría prefiere el oído.

Ahí está: el coventri *escucha* en las habitaciones privadas, pero, al contrario que en los talleres, no *observa*. Al menos es lo que Jost piensa, y él sabe mucho sobre cómo funcionan las cosas aquí. Ahora sé qué hacer, si soy capaz, aunque ello implique que romper una promesa.

—Bueno, gracias por traerme el almuerzo —digo al tiempo que lo conduzco hacia la puerta. Jost me acompaña, pero está claro que no comprende mis intenciones. Hemos terminado gran parte de la comida, pero normalmente se queda más tiempo. Cuando abro la puerta y la cierro de golpe sin que haya salido, permanece en silencio, esperando a que ponga en marcha mi plan. Señalo la alfombra que hay delante del fuego. Jost se acerca a ella y yo avanzo tras él, concentrándome con todas mis fuerzas en el tejido de la estancia hasta que brilla a mi alrededor. El tiempo y la materia forman un tejido apretado, así que debo fijarme en las bandas doradas de luz hasta que estoy segura de poder ubicar con exactitud las hebras del tiempo. Es mucho más sencillo verlas en el telar, pero al menos el tiempo se mueve siempre en horizontal, así que podré encontrarlas si me fijo con suficiente atención. Lentamente, alargo los dedos heridos, tiro de las hebras y las retuerzo. El fuego crepita en el hogar y chisporrotea con tal fuerza que el sonido satura mis oídos. A nuestro alrededor, un frío intenso llena el aire de humedad, a pesar de que el climatizador esté encendido. Con las enmarañadas hebras de tiempo tejo una red de luz dorada que forma una bóveda resplandeciente hasta la alfombra que hay bajo nuestros pies. Seguimos viendo el fuego y la habitación a través de la red translúcida, pero ya no escuchamos el chisporroteo de la chimenea. Cuando uno los últimos fragmentos de luz dorada, las llamas que lamen los troncos parecen detenerse hasta quedar congeladas, como en un cuadro.

—¿Qué has hecho? —susurra Jost.

—Tejí un instante paralelo —estoy tan sorprendida como él de que haya funcionado—. No estaba segura de que pudiera hacerlo —esto es lo que hice en las pruebas. Cometí el desliz de agarrar el tejido de la habitación en la que me encontraba, no el del telar, y enmarañarlo un poco. Lo estiré de nuevo al instante, pero eso les bastó. Llevaba suficientes años estudiando el tejido a mi alrededor como para saber que los supervisores de la prueba notarían lo que había hecho. Pero, hasta ahora, nunca había pensado en cómo utilizar esa habilidad.

—¿Qué significa eso? —pregunta Jost. Alarga la mano hacia la red dorada, pero la retira antes de rozarla.

—No lo sé —admito.

—¿Nos pueden oír?

—Creo que no —me muerdo un labio y le hago un gesto para que permanezca en silencio, luego tiro cuidadosamente de las hebras que nos separan del fuego cercano. Crepita de nuevo con fuerza. Las vuelvo a tejer rápidamente y se detiene otra vez.

—Está congelado —murmura incrédulo—. Pero ¿cómo es posible?

—Este momento existe fuera de esa realidad. Realmente no sé cómo explicarlo —Jost me mira como si estuviera loca. No lo culpo. Se supone que no debería funcionar así—. En teoría se necesita un telar para manipular el tejido, pero yo puedo verlo sin él.

Su cara adquiere un nuevo gesto de sorpresa, así que seguramente piensa que estoy loca de verdad.

—¿Siempre has podido hacer esto? —pregunta.

—No exactamente así, pero soy capaz de tejer desde niña.

—¿Sin telar? —pregunta sobrecogido.

—Sí.

—Así que, ¿descompusite la habitación? —veo que le está costando asimilarlo. A mí misma me resulta difícil de comprender.

—Estas hebras —digo tomando entre mis dedos los filamentos de luz— son el tiempo. Se mueven por el tejido siempre en horizontal. Me imagino que porque el tiempo avanza hacia delante.

—¿Se pueden mover hacia atrás? —pregunta en voz baja. Sé lo que está pensando.

Niego con la cabeza. Me encantaría poder retroceder en el tejido y salvar a mis padres, pero por primera vez parte de mí se alegra de que no sea posible. Si pudiera enviar a Jost hacia atrás para salvar a su familia, ¿lo haría? Es una decisión a la que no deseo enfrentarme.

—Pero ¿cómo lo haces sin telar? —pregunta, tratando de ocultar su desilusión—. ¿Cómo puedes siquiera verlo?

—Ojalá lo supiera —respondo con una risita hueca—. Tal vez así no estaría en este lío.

—¿Lo saben ellos?

Hago una pausa, porque no estoy segura. Cormac afirma que me vieron hacerlo en las pruebas, pero aquí he tenido cuidado de no manipular el tejido sin telar. No obstante, no comparto estos pensamientos con Jost.

—Enora me advirtió que no se lo contara.

Jost deja escapar un suave silbido y se pasea por la pequeña bóveda, inspeccionándola de cerca pero sin tocarla.

—Enora es inteligente. ¿Qué sucedería si alguien entrara en la habitación justo ahora?

—Eso es lo interesante —le explico—, que nadie podría entrar. Ese momento —señalo hacia la habitación fuera de mi instante paralelo— está congelado.

—Así que podríamos permanecer aquí —dice lentamente— y no importaría cuánto tiempo pasara, porque ahí fuera no habría transcurrido ni un minuto.

—Exactamente —hago una pausa al darme cuenta de que en realidad no estoy segura—. Bueno, creo. Lo cierto es que no tengo ni idea.

—Entonces es verdad.

Lo miro, tratando de comprender sus palabras.

—Hay rumores de que encontraron a la sucesora de Loricel. Todo el mundo se ha estado preguntando cuál de ustedes era —me explica—. Si tú o la otra.

—¿Pryana? —pregunto, ligeramente ofendida.

Jost asiente con la cabeza, demasiado ocupado observándolo todo para darse cuenta.

—Yo supe que eras tú desde que te metieron en la celda.

—¿Cómo lo descubrieron? —¿fue suficiente aquel desliz para distinguirme como maestra de crewel?

—No lo sé —admite Jost—, aunque la manera que tienen de tratarte, asustados de ti pero con respeto, indica que están seguros de que eres tú.

Pienso en las amenazas expresadas y jamás cumplidas.

—No aparecen maestras de crewel muy a menudo. No pueden perderte —asegura Jost.

—Pero ¿en qué consiste ser maestra de crewel? —toqueteo el tiempo tejido a nuestro alrededor—. Delante de mí, Loricel solo ha trabajado con el telar.

—Las maestras de crewel no solo bordan —Jost se sienta sobre la alfombra y yo me uno a él, a salvo dentro de este instante—. Una vez al año, Loricel visita los yacimientos mineros y separa los elementos del tiempo, de modo que las máquinas puedan depurar y distribuir el material a los coventris para conservar el tejido de Arras. Yo hago de camarero en las reuniones en las que los oficiales programan esos viajes. Sin el don de Loricel, los telares serían inútiles. Por eso les da tantos problemas —hay cierto tono de gratitud en su voz.

—En la escuela nos contaron que las máquinas descubrían los elementos.

—¿Y no te sientes como una máquina? —pregunta él—. ¿Engrasada, bien cuidada y dispuesta a cumplir los deseos de aquellos que te controlan?

No respondo. Lo único que se me ocurre es una advertencia, pero incluso eso suena mecánico y automático.

—No puedes contárselo a nadie.

—No lo haré —promete—. Pero ya lo saben.

—Creen que lo saben —alego.

—Lo saben, Adelice.

Los sueños se han vuelto más vívidos, pero ahora los controlo. Repinto los ojos de mi madre y tejo a mi hermana de nuevo en mis brazos. A mi padre, asesinado de un modo tan violento, todavía no he podido salvarlo. Sigo intentándolo. Mientras tanto, Jost y Erik se turnan para vigilarme y despierto con sus ojos grabados a fuego en mis pensamientos.

Cuando finalmente aparece Enora para darme instrucciones, estoy considerando seriamente la posibilidad de tejerme fuera del complejo. Pero esta vez no hay comentarios divertidos ni conversación trivial: Enora va directo al grano.

—Como sabrás, la Corporación ha realizado increíbles avances en la tecnología del cartografiado cerebral —su voz resulta tan rígida como su postura y no muestra la más mínima amabilidad. Debo de haberla metido en verdaderos problemas para que actúe de este modo—. Y emplearán esta nueva técnica para cartografiar a todas las hilanderas —continúa.

—¿Cómo? —exclamo, saltando de la cama.

Enora apenas parpadea ante mi arrebato.

—Dado que las habilidades únicas de las tejedoras resultan imprescindibles para el progreso continuado de Arras, la Corporación exige que todas las tejedoras pasen por esta prueba.

—En el baile del estado de la Corporación aseguraron que podrían cambiar a la gente. ¿Van a cartografiar o a reprogramar nuestras mentes? —pregunto, observando el apacible comportamiento de Enora. Algo va mal.

—No seas ridícula —exclama, pero sus ojos están vacíos—. No puedes reprogramar una mente que todavía no has cartografiado —no hay familiaridad en su voz, y su tono, habitualmente maternal, es ahora burlón.

—Entonces, ¿lo hacen para eso? ¿Para poder reprogramarnos?

—Sería una locura reprogramar a una hilandera. Todos los intentos realizados hasta ahora han provocado la pérdida de la habilidad de tejer —responde ella.

Cormac me contó que tenían casi perfeccionada la técnica para limpiar y empalmar la hebra de un individuo. O Enora no lo sabe, o me está mintiendo. Froto mis manos entre sí y la miro fijamente. ¿Por qué actúa de este modo?

—Mis manos están mucho mejor —comento, extendiéndolas para que Enora vea los vendajes.

—Me alegra saberlo —responde sin la menor sonrisa.

—Enora, ¿te ocurre algo? —susurro, deseando que los paneles comunicadores no capten mis palabras.

—Estoy bien, Adelice —asegura, parpadeando una sola vez—. He estado enferma, pero los médicos de la Corporación me han ayudado y ahora me encuentro bien.

No es así. Aquí hay algo raro. Mi Enora estaría acariciándome las manos y sermoneándome. Ella no me habría dejado sola toda la semana. Esta mujer es como el cascarón parlante de Enora.

—¿Qué te pasaba? —le pregunto.

—Problemas de ansiedad. Notaba impulsos extraños, así que hablé con Loricel y ella me envió a la clínica de inmediato.

Sus palabras me dejan sin respiración y boquiabierta, aunque reacciono rápidamente. ¿Por qué razón Loricel le haría daño a Enora?

—¿Qué tipo de impulsos? —pregunto, tratando de calmar mi respiración.

—Antinaturales —responde, como si no fuera necesaria más explicación.

—¿Te han cartografiado ya?

—Claro que sí. Pryana y tú serán las últimas hilanderas en ser cartografiadas. Se empezó por las mayores —dice Enora, juntando las manos en su regazo y sonriendo.

—¿Incluso Loricel?

—No lo sé. No tengo acceso a la lista —comenta—. Aunque Loricel debería haber sido la primera.

La primera. ¿Por eso no me ha visitado? ¿Por eso no acudió durante el castigo que me impuso Maela? ¿Fue una nueva Loricel la que le hizo esto a Enora?

—¿Cuándo me toca a mí?

—El viernes —responde—. Casi no duele.

—Estoy segura de ello —digo automáticamente.

La puerta de mi habitación se abre y aparece Jost con una bandeja plateada.

—Enora —exclama—, ¿cenarás con Adelice?

—No, me están esperando en el refectorio —contesta ella—. Ya me iba.

Enora me saluda con una inclinación de cabeza y se marcha. Continúo mirándola fijamente cuando Jost suelta la bandeja y se aclara la garganta. Reacciono y congelo el tiempo creando una burbuja a nuestro alrededor; luego me vuelvo para mirarlo.

—¿Son imaginaciones mías o Enora está rara? —pregunta preocupado y con las cejas fruncidas.

—Definitivamente, no son imaginaciones tuyas —suspiro, tratando de reunir toda la información que tengo.

Jost me indica con un gesto que le acerque las manos. Nos acomodamos en los cojines, retira los vendajes y examina las yemas de mis dedos. Incluso yo tengo que admitir que la crema regeneradora ha hecho maravillas.

—Creo que ya están bien —dice, apartando los vendajes a un lado.

—Vaya —exclamo, tratando de ocultar mi desilusión. Si estoy curada, no hay razón para que Jost siga viniendo a verme.

—Sabía que existía esa posibilidad —me explica—, así que preparé una comida especial.

—¿Tú cocinaste esto? —pregunto con asombro.

—No —responde tímidamente—. Los generadores de comida hicieron gran parte del trabajo, pero yo elegí los platos y los coloqué.

—Está perfecto.

Como con las manos. Adoro el tacto de los alimentos —grasiento, resbaladizo, rugoso, cremoso—. Jost se ríe y me lanza bayas de color violeta a la boca. Me pregunto si todavía amará a Rozenn. La vergüenza que me produce este pensamiento me quema las mejillas. Deja de darme bayas.

—¿Estás lista para regresar al trabajo? —pregunta.

—Me imagino que tendré que hacerlo.

—Podrías quedarte aquí —sugiere, recorriendo el perímetro de la burbuja con la mirada.

—¿Y perderme cuando los de seguridad se den cuenta de por qué has estado visitándome todos los días? —me burlo.

—Me quedaría contigo —dice en voz baja.

Hay un millón de cosas que me gustaría decirle en este momento, pero lo único que soy capaz de articular es la pregunta que ha estado torturando mi mente desde que pronunció la palabra *revolución*.

—¿Cuál es tu plan?

—No es tan simple —responde él.

—Olvídalo. No debería habértelo preguntado.

—Lo siento. Es solo que... —Jost hace una pausa, luchando por encontrar las palabras adecuadas.

—No confías en mí —digo yo—. No importa, no tienes ninguna razón para hacerlo.

—Confío en ti, Adelice. Por favor, créeme —alarga la mano y la coloca sobre mi rostro, abrasando con su palma mi pómulo ya caliente—. Pensé que nunca más volvería a confiar en alguien.

—No estás solo —murmuro, inclinando la cabeza hacia su mano extendida. Jost suspira.

—Lo sé —sus palabras suenan más a confesión que a afirmación—. Ad, tú no eres la única persona que sabe por qué estoy aquí.

Tardo un instante en entender sus palabras, pero cuando lo consigo levanto la cabeza rápidamente hacia sus ojos.

—¿Cuánta gente lo sabe?

—¿Ahora? Dos personas. Tú y otra —admite, bajando la mano vacía hacia mi pierna. Mi muslo palpita bajo sus dedos.

—¿Quién? —pregunto, mientras trato de ignorar el cosquilleo que recorre la parte inferior de mi cuerpo.

Jost sacude la cabeza.

—Lo siento. Ese no es mi secreto, así que no puedo compartirlo.

—Pero acabas de decir que yo era la única persona en quien confiabas —insisto.

—En esa otra persona no confío —dice él.

—Pero ¿están colaborando?

—No, sin lugar a dudas, pero sabe por qué vine al coventri —hace una pausa antes de añadir—: No sería una buena idea que colaborásemos.

—Pero ¿esa persona está a favor de la revolución?

—No —se apresura a responder.

—Y ¿saben ellos por qué estás aquí? ¿Te delatarán? —me confunde el inesperado giro que ha tomado esta conversación. Estoy obteniendo respuestas, pero del tipo que solo conduce a nuevas preguntas.

—No me preocupa que me delaten —aparta la mirada para indicarme que no añadirá nada más.

Asiento con la cabeza y trato de pensar en cómo cambiar de tema.

—¿Y qué va a ser de nosotros?

Jost retira rápidamente la mano, así que me apresuro a aclarar mis palabras.

—Quiero decir que cuál es tu plan y cómo puedo ayudarte.

—Lo siento —parece avergonzado por su reacción y mueve la mano con nerviosismo, como si quisiera tocarme de nuevo, pero no se atreve—. No lo sé.

—¿Qué has pensado hacer? —pregunto en un intento de relajar el ambiente.

—La verdad es que nunca he tenido un plan —confiesa con los labios a punto de esbozar una sonrisa—. Llegué aquí para vengar a Rozenn, pero nunca he tenido claro cómo lo haría. He estado esperando una oportunidad y entonces tú...

—¿Caí en tu celda? —sugiero.

—Algo así. Aunque más bien fuiste un tanto insolente y yo te dejé caer.

Hago una mueca al recordarlo y me froto la rabadilla.

—Por cierto, creo que me la rompiste.

—Claro, fui yo quien te la rompió y no todos los días que pasaste sentada sobre un frío suelo de piedra.

—Respecto a eso —agrego—, para otras veces ¿crees que podrías llevarme una almohada o algo así?

—¿Para otras veces? ¿Piensas conseguir que te encierren de nuevo?

—Algunas chicas tienen una habilidad especial para meterse en líos —me burlo, sacudiendo la cabeza con dramatismo. Pero antes de que pueda liberar la risa que asciende por mi garganta, la mano de Jost toma mi rostro y lo arrastra hacia el suyo. Recorre suavemente mi barbilla con la nariz y su aliento cálido me cosquillea en el cuello, provocando escalofríos por todo mi cuerpo. Me doy cuenta de que estoy conteniendo el aliento, así que despego ligeramente los labios para tomar aire. Jost desliza sus labios por mi cuello, mi mandíbula y mi barbilla hasta que su boca se encuentra con la mía.

Es un beso distinto al primero con Erik, y aun así siento la misma agitación intensa.

Jost aprieta los labios contra los míos y yo extiendo los brazos sin pensar y lo atraigo hacia mí. Mi mano se enreda en su pelo y la red tiembla a nuestro alrededor. El resto del mundo permanece inmóvil mientras nosotros nos movemos, deshaciéndonos el uno en el otro.

QUINCE

Estamos tumbados el uno junto al otro dentro de la red y contemplamos la brillante luz que nos rodea. Nuestras manos apenas se rozan. No decimos nada. Podría permanecer así para siempre, recordando nuestro primer beso.

Jost finalmente deshace el espejismo, ladeándose e incorporándose junto a mí. Se inclina y me besa la nariz.

—Oye, traidora, ¿tienes hambre? —pregunta, y alarga la mano hacia la bandeja que trajo antes.

—Ahora no —una vez roto el hechizo, la ansiedad me invade de nuevo. Lo último que me apetece es comer.

Le da un mordisco a una manzana.

—Como quieras.

Ha sido un instante perfecto, completamente bajo mi control, hasta que algo me recuerda que lo único que deseo controlar no puede ser tejido: mis propios pensamientos. Cierro los ojos e imagino que estoy en mi casa; que Jost y yo nos hemos conocido a través de un perfil de matrimonio; que Amie está tratando de espiarme durante mi cita de cortejo; que más tarde me meteré con ella en la cama y nos reiremos como tontas de su pelo o le susurraré lo que se siente cuando te mira con esos ojos perfectamente azules; y que después me tumbaré en mi propia cama, diseñando mi vestido de boda. Pero al abrir los ojos, estoy bajo mi bóveda congelada con los planes de Cormac cerniéndose sobre mi futuro, en vez de una boda. El único consuelo es tener a Jost descansando junto a mí, pero incluso eso es un problema.

—Van a cartografiarme —susurro.

—¿Qué? —suelta la manzana y me mira.

—Enora había venido a comunicarme que me lo harán el viernes.

Jost traga saliva y se sienta.

—¿Qué significa eso exactamente?

—Los médicos van a cartografiar mi cerebro. Enora asegura que es para que puedan estudiar las habilidades de las tejedoras.

—O controlarlas —sugiere él.

—Creo que eso es lo que le ha sucedido a Enora. Limpiaron su hebra, aunque no tengo claro por qué.

—Con el cartografiado mental no se podría conseguir algo así —dice él—. Incluso aunque puedan controlar sus capacidades...

—El nuevo método lo permite —le interrumpo—. ¿No escuchaste el discurso del estado de la Corporación?

—No —dice Jost—. Estaba jugando cartas con otros mayordomos en la parte trasera. Alterar y limpiar una hebra es demasiado delicado para arriesgarse a hacerlo en una tejedora —pero no suena convencido.

—Ahora la técnica es mucho más segura. No sé exactamente cómo funciona, pero el primer ministro Carma aseguró que puede acabar con los problemas de conducta, que puede cambiar el modo de actuar y pensar de una persona —le cuento lo que Cormac me dijo sobre aislar zonas problemáticas en la hebra y empalmar material nuevo en el hilo de un individuo. Mientras hablo, cierro los puños—. Se suponía que era un procedimiento reservado para personas con conducta desviada, pero la Corporación parece tener una política bastante flexible respecto a lo que es una conducta desviada.

Jost alarga las manos, toma mis puños y entrelaza suavemente sus dedos con los míos.

—¿Y vas a permitirles que lo hagan?

—No tengo elección. Además, podría ser la única manera de descubrir en qué consiste exactamente el procedimiento —*y me llevaría hasta el ala de investigación del complejo*. Podría encontrar documentos útiles, aunque algo me empuja a guardarme esta información.

—Pero ya has visto lo que le hicieron a Enora —dice bajito.

—Esperemos que me haya equivocado respecto a eso —murmuro—. Y no te preocupes, iré preparada.

El guardia que controla el acceso a los talleres del piso superior me observa con recelo. Nunca había estado aquí antes, así que confío que mi ascenso a aprendiz de crewel me permita entrar, aunque resulta obvio que ignoro por completo el procedimiento de seguridad. La pesada puerta roja que da paso a los talleres no se mueve, así que estudio el panel comunicador que hay junto a ella. El guardia se aclara la garganta.

—Tienes que colocar tu prueba de identidad sobre el escáner —dice, señalando el panel comunicador.

Presiono la palma de la mano sobre el aparato, y aguardo en silencio que se abra la puerta. Ojalá no tuviera público en este preciso momento.

—Adelice Lewys. Acceso concedido —chirría el panel comunicador, y la cerradura de la puerta emite un chasquido.

La abro de un tirón y me deslizo hacia el interior sin volver la vista hacia el guardia. Ya he captado demasiado su atención. No sé exactamente dónde voy, pero tengo una corazonada. Como aquí todo sigue una jerarquía, me dirijo hacia las escaleras. Ascienden infinitamente en espiral y paso por varios pisos con silenciosos talleres antes de llegar al final, donde encuentro la estancia más impresionante que jamás haya visto. Tengo la sensación de encontrarme en la azotea de una torre. Las pantallas de las paredes han sido tejidas para que parezca que no hay nada entre la frondosa vegetación que cubre el exterior del complejo, o el cielo en lo alto, y yo. Al oeste, el oleaje del mar lame la torre, y al darme la vuelta y mirar al norte, las olas chocan contra un litoral rocoso que asciende hacia unas abruptas montañas alrededor del complejo. No es la misma vista que está programada en mi estancia.

En el centro de la habitación, un antiguo telar metálico, más grande y magnífico que cualquiera de los que haya visto hasta ahora, tiembla y brilla mientras sus diminutos engranajes se mueven y producen chasquidos. Sobre él aparecen grabadas intrincadas palabras en un idioma que no puedo leer ni pronunciar. A su lado hay una silla de terciopelo color rubí, cubierta con cojines de seda en tonos esmeralda, onix y zafiro. A mi alrededor el océano ruge, los pájaros remontan el vuelo y nieva, sin embargo lo único que escucho es el tenue zumbido del telar.

—Es precioso, ¿verdad? —dice Loricel a mi espalda. Al volverme la encuentro acariciando un animal con el pelo color jengibre—. En el complejo hay más de ochocientos telares y todos permiten trabajar sobre el tejido de Arras, pero este es el más antiguo. Fue el primer telar instalado en el Coventri Oeste.

—Lo siento. No era mi intención entrar sin permiso —me ruborizo. A pesar de mi conexión con ella, me siento como una ladrona al estar aquí y robarle lo único bello de su vida.

—No te preocupes —me tranquiliza Loricel. Al darse cuenta de que estoy mirando fijamente la criatura que lleva en brazos, la señala con la cabeza—. Es un gato. Lo tengo como mascota.

—Creía que ya no estaba permitido tener mascotas —de hecho, estoy segura de ello. En la escuela, en la clase de responsabilidades civiles, nos enseñaron que las mascotas fueron prohibidas hace dos décadas. Hoy en día, la palabra *mascota* es un apodo habitual para las secretarias. Sonrío al recordar cómo se enfurecía mi madre cuando su jefe usaba ese término.

—Los ciudadanos no pueden tenerlas —dice encogiéndose de hombros—. Pero es uno de los escasos privilegios de los que me aprovecho como maestra de crewel.

Asiento con la cabeza. Tiene sentido. Si alguien pudiera tener una mascota, esa persona sería Loricel.

—Dime, Adelice, ¿qué ves?

Miro en torno a la estancia y describo las espumosas olas que se alzan sobre la abrupta costa rocosa y las montañas que se cubren rápidamente de nieve.

—Tus pantallas son impresionantes. Tengo la sensación de estar en una azotea. Me siento libre.

—Adelice, ¿cómo era tu casa? —pregunta, observándome atentamente.

Me confunde el cambio de conversación, pero le hablo de mi pequeño barrio a las afueras de Romen. La perfecta avenida salpicada de casitas unifamiliares y jardines. Y mientras hago mi descripción, el manzano del señor Figgins, el que estaba al otro lado de la calle, crece en la pared que hay frente a mí. Ahogo un grito de sorpresa y me vuelvo para encontrar mi propia casa escondida tras el telar. Está tan cerca. Cuando noto la primera lágrima en los ojos, la imagen tiembla y se desvanece en una noche cerrada y sin estrellas.

—Así está mejor —dice Loricel—. Como bien has dicho son pantallas, pero hace años les instalé un programa localizador. Cuando accedes a la habitación, te muestran el lugar que tú quieras.

—Pero yo vi montañas y el mar —le digo.

—Es la opción por defecto —me explica—. Cualquiera que entre verá eso. Tienes que describir el lugar para que cambie. Al igual que nosotros, el programa no puede leer las mentes. Es muy similar al sistema de rastreo que la Corporación emplea para localizar a los ciudadanos.

—Cormac me enseñó a mi hermana una vez en uno de esos —de algún modo, parece una confesión, como si le estuviera revelando una debilidad en vez de un hecho.

Ella sonríe y describe brevemente una playa soleada y solitaria.

—Yo prefiero los climas más cálidos.

Resulta desconcertante estar entre montañas nevadas, en la calle de mi infancia y junto a un océano cristalino sin moverse, así que me dejo caer sobre la alfombra trenzada que hay junto al telar para reflexionar.

—¿Qué hay realmente ahí fuera? —pregunto por fin.

Loricel no responde. Se acerca al extremo de la pantalla, pero no cambia el programa. En vez de eso, abre cuidadosamente una grieta en la ilusión y veo que las imágenes de la pared son también una especie de tejido. Me pregunto si contemplaré la vista del mar que diviso desde mi cuarto o incluso una ventisca de nieve como la que acabo de ver hace unos instantes, aunque jamás habría imaginado lo que la abertura me descubre. Entre las fibras del tejido, aparece un estallido informe de luz y color.

Lo que hay detrás de las pantallas del taller de Loricel no es lo que imaginaba. Y aunque haya estado toqueteando el tejido que me rodea durante años, es ahora cuando descubro la verdad. El tejido que manipulamos en los telares o la habitación que hay delante de nosotras son una mera fachada. Detrás existe otra capa, más brillante incluso que la primera.

—Nada de esto es real —susurro.

—Depende de lo que signifique para ti *real* —responde Loricel—. Puedo tocar el suelo. Te puedo tocar a ti. También puedo comer los alimentos que me sirven en las comidas. ¿Cómo no va a ser eso real?

No puedo replicarle, porque tiene razón. El cosquilleo del agua cuando entro en la bañera, la forma en que la almohada sujeta mi cabeza, las manos de Jost acariciándome la cara.

¿Cómo no van a ser reales esas cosas? Y aun así, al contemplar la materia prima fluyendo hacia el olvido, nada puede ser de nuevo real.

—Así que es esto. Esto es la realidad —susurro con palabras que apenas resultan audibles al abandonar mis labios.

Loricel frunce los suyos como si no estuviera segura de por dónde empezar.

—Sí y no. Esta es nuestra realidad, pero no es la realidad en el sentido más estricto.

—No entiendo —admito.

—La Corporación no desea que lo comprendamos, pero si vas a tomar el control de esto, debes hacerlo —gesticula hacia el magnífico espacio de trabajo.

No puedo apartar la mirada de la grieta; me tiemblan las manos; quiero tocarlo. Finalmente, Loricel la cierra y me conduce hacia un pequeño sofá.

—¿Lo fabricamos todo? —pregunto.

—Fabricamos Arras —responde ella—. Pero solo creamos un manto, una cubierta, si lo prefieres. La materia y el tiempo existen en otro planeta y nosotros simplemente los aprovechamos. Los telares nos permiten tejer y crear Arras. Nuestra realidad está superpuesta sobre otro mundo: la Tierra.

—¿La Tierra? —la palabra me suena extraña y desconocida, pero arranca un recuerdo enterrado hace largo tiempo.

—Bajo Arras se encuentran los restos de ese antiguo mundo, un mundo que ya no está habitado —me explica—. Quedan pocas personas que recuerden el nombre de la Tierra y resulta peligroso que hablemos de ella lejos de la seguridad de mi taller. Lo que has visto es la materia prima que fluye en-

tre nuestro antiguo hogar y Arras —Loricel dirige la mirada
hacia el muro donde se encontraba la fisura.

—Entonces —pregunto—, ¿hemos creado nuestro mundo
sobre otro, pero nadie lo sabe?

Loricel sonríe.

—Claro que no, hay algunas personas que lo saben, Adelice, pero no comparten el secreto. Hay formas de alterar la verdad para adaptarla a los propósitos de los que gobiernan. Ellos
negarían lo que te estoy contando. La Corporación se ha em-
pleado a fondo para asegurarse de que olvidemos la Tierra.
Solo los oficiales de mayor rango lo saben e incluso a los que
trabajan en las minas se les miente sobre el verdadero propósito de su trabajo. Debo tener sumo cuidado con mis palabras
durante las visitas que realizo cada año a los yacimientos.

—¿Por qué mantenerlo en secreto?

—Te sorprenderías del descontento que existe, del número
de conspiraciones que la Corporación aplasta cada año. Arras
no es tan pacífico como quieren hacer creer a los ciudadanos.
Algunos querrían abandonar Arras, y eso la Corporación nunca lo permitiría.

Pienso de nuevo en mis padres, que claramente aborrecían
a la Corporación e intentaron protegerme de ella. Hasta que llegué aquí, pensaba que actuaban de una manera un tanto paranoica, pero ahora me pregunto cuánto sabían. Y el cuñado de
Jost, que se relacionaba con rebeldes. Sí, hay personas que lo
saben, aunque comprendo por qué permanecen en silencio.

—Pero tú tienes acceso a alguien que conoce la verdad
—continúa Loricel.

—¿Quién?

—Yo.

—Entonces, ¿qué son? ¿Arras y la Tierra? —tengo cientos de preguntas más, pero cierro la boca para evitar que salgan todas a borbotones.

—Mi predecesora fue la segunda maestra de crewel y aunque ella conocía la historia mejor que yo, gran parte se perdió en el traspaso de información entre su propia maestra y ella. Algunos datos carecen de sentido para nosotros porque hemos perdido el conocimiento correspondiente y con él las palabras y la realidad que describen —me explica.

—En la Tierra, se libró una guerra para acabar con todas las guerras. Muchas de las regiones, antaño llamadas países, se vieron implicadas en esa batalla. Uno de ellos creó un arma tan terrorífica que amenazó con destruir a todo el mundo. La denominaron ciencia, pero era básicamente una creación de los hombres destinada a controlar el mundo. Sin embargo, mientras uno de los países se preparaba para utilizar esta arma, otro científico se le adelantó con una idea alternativa. Aunque él mismo había trabajado en esta bomba, estaba más interesado en el tiempo y la materia que conformaban el mundo. A los componentes básicos de la materia los denominó «elementos».

—¿Elementos? ¿Como las materias primas que utilizamos para trabajar en el tejido?

Loricel asiente con la cabeza.

—Encontró el modo de aislar la estructura celular de su mundo (hierba, árboles, aire, incluso animales) y de ver su relación con el tiempo que surcaba el espacio en el que se encontraba. Sabía que si lograba construir una máquina que mostrara cómo se entretejen los elementos y el tiempo, la gente podría manipular el mundo de forma artificial. Supongo que habrás visto las taladradoras que extraen las materias primas.

Asiento con la cabeza, tratando de visualizarlas mentalmente, pero las recuerdo de forma vaga. Aparecen como bestias monstruosas y potentes que sueltan humo y taladran, pero ¿qué? Las imágenes que vimos durante la instrucción no lo mostraban.

—Con ellas se extraen los elementos de la Tierra que nosotras integramos en el tejido. Los cuatro coventris descansan sobre cuatro yacimientos mineros y Arras se extiende a partir de los complejos. Hay un tejido primario bajo Arras que mantiene separado nuestro tiempo y nuestro entorno. Nosotros existimos en la periferia de ese tejido, por lo que podemos verlo en los telares con mucho más detalle y manipularlo sin riesgo para el propio tejido. El científico que creó las máquinas lo denominó bordado crewel. Las hilanderas llegaron después de que se crearan el manto inicial y el campo protector. Nosotras ayudamos a insertar a las personas en el tejido de una manera muy parecida a como el Departamento de Orígenes introduce a los bebés en Arras.

—Pero ¿cómo pudieron construir Arras sin tejedoras? Las mujeres son las únicas que pueden trabajar en los telares —sacudo la cabeza, e intento transformar mis pensamientos en una explicación racional.

—Prepararon a las mujeres para realizar esa tarea, pero creo que algunos hombres también podrían ser capaces de hacerla —dice, alzando una ceja de manera insinuante.

—Pero ¿por qué encargarnos a nosotras un trabajo tan importante? —pregunto con un tono sarcástico que deja traslucir mi molestia—. ¿Por qué dejárselo a las mujeres?

—A la Corporación le resulta más sencillo controlarnos a nosotras —Loricel se da cuenta de que voy a empezar a protestar, así que alza la mano para que me calle—. Te guste o no, saben perfectamente bien cómo manejarnos.

Me abrasa el resentimiento hacia los oficiales, Cormac, Maela y todo el que participa en esta farsa.

—¿Quién era ese científico de la Tierra?

—Su nombre y los de todos los habitantes de la Tierra han desaparecido de nuestra memoria colectiva. Su verdadera contribución fue lograr que la guerra terminara de forma pacífica.

—¿Me estás diciendo que Arras no quiere rendir homenaje a la genialidad del hombre que lo creó? —pregunto, al recordar la cantidad de días festivos dedicados a oficiales que han realizado contribuciones mucho menores.

Loricel suspira y me mira con el ceño fruncido.

—No seas estúpida, Adelice. Sabes perfectamente que ellos limpian y alteran. Si piensan que cierta información es demasiado peligrosa para la estabilidad de Arras, la eliminan. La Corporación no quiere que la ciudadanía cuestione los telares y sobre todo no quiere que la gente sepa nada de la Tierra. Mi abuela me confió hace muchísimo tiempo que había prestado un juramento de lealtad a Arras para mantener a salvo a nuestra familia. No me di cuenta de que se trataba en realidad de una obligación de guardar silencio hasta que vine al coventri y me convertí en aprendiz de la maestra de crewel. La única manera de sobrevivir a la guerra que habían dejado atrás era prometer que mantendrían el secreto de Arras. Pero eso no fue suficiente para la Corporación. Yo ayudé en la retirada de información de la memoria colectiva.

—Pero ¿por qué? —exijo saber—. Si ellos no pueden hacer esas cosas sin ti, ¿por qué las haces?

—Porque soy la única capaz de ello. Yo no puedo alterar todo Arras en solitario. Te guste o no y, créeme, a mí *no me gusta,* la relación entre las maestras de crewel y la Corporación es simbiótica. Nosotras no podemos realizar nuestro trabajo sin la burocracia y la ayuda de la Corporación. No me arriesgaré a desencadenar otra guerra, no después de lo que nos costó finalizar la última. Arras es demasiado frágil para soportarlo, y por cada hombre como Cormac que hay en nuestro mundo, existen cien mujeres y niños inocentes —su voz no refleja la más mínima rabia ni actitud defensiva.

—Tal vez sea una estupidez —digo yo—, pero ¿cómo consiguió la creación de Arras acabar con la guerra? ¿No hemos arrastrado simplemente nuestros problemas hasta aquí? —ahora que comprendo el origen de Arras, ya no me trago el cuento de que las normas estrictas permiten garantizar la seguridad.

—Una vez que se creó Arras, se reunieron sus líderes para formar la Corporación de las Doce Naciones. La población fue meticulosamente controlada y surgieron los coventris para mantener la paz y la prosperidad. La Corporación, a pesar de su ineficacia y habitual crueldad, coordina estos esfuerzos.

—¿Y todos los hombres que seguían en guerra en la Tierra? ¿Hicieron las paces sin más?

Los ojos de Loricel brillan como muestra de aprobación.

—Por supuesto que no. Arras está formado por las doce naciones de la Tierra que creyeron poder controlar y cuidar el manto al tiempo que mantenían la paz.

—Pero ¿había otros países?

—Fueron abandonados en la Tierra con sus bombas. Se aniquilaron unos a otros hace años.

—Entonces, ¿la has visto? ¿La Tierra? —me pregunto hasta dónde se extiende el poder de Loricel y qué ve en sus viajes anuales a las minas.

—¡No! —por su tono de voz parece que se divierte, pero no se ríe de mí—. Dudo que haya algo que ver.

—¿Cómo estás tan segura? —pregunto en voz baja.

Un leve destello de duda aparece en sus ojos, pero Loricel lo desecha y su mirada se torna de nuevo distante.

—Supongo que le creí a mi mentora. ¿Qué propósito tendría mentirme?

Me encojo de hombros y contemplo de nuevo el oscuro cielo nocturno. Si he aprendido algo en el coventri, es que las mentiras siempre sirven al propósito de alguien.

DIECISÉIS

Sin maquillaje. Sin medias. Sin un peinado elaborado. Y sin ropa. Me siento desnuda en más de un sentido. La fina bata de algodón que me han dado como vestimenta para el cartografiado inicial de mi cerebro se cierra a la espalda, dejando incluso menos a la imaginación que algunos de los vestidos que he usado últimamente. Las paredes completamente blancas de la estancia se reflejan en el pulido instrumental plateado que se distribuye cuidadosamente sobre una mesa, colocada junto a la larga camilla metálica en la que llevo sentada treinta minutos. Noto el trasero entumecido por el frío y el tiempo de espera no hace sino alterar mis pensamientos.

Una mujer vestida con saco blanco y una redecilla en el pelo entra afanosamente en la habitación y regula la camilla para que quede plegada en un extremo. Me ayuda a recostarme en ella y me coloca un brazalete médico digital. Pensé que sentiría alivio cuando todo comenzara, pero me invade el miedo. Si el objetivo de esto es hacerme perder la cabeza, los resultados son bastante buenos.

—Esto controlará tu ritmo cardíaco y tu presión sanguínea —dice la enfermera con los ojos fijos en los números.

—¿Es peligroso? —pregunto, mirando el afilado instrumental médico sobre la mesa que hay junto a mí.

—Casi nunca. Si sufres alguna reacción al procedimiento, te administraremos Valpron para calmarte —me asegura dándome una palmadita en el brazo.

Hay una cuchilla especialmente larga que me hipnotiza. Me veo reflejada en ella.

—¿Duele?

—¿Prefieres que te pongamos el Valpron ahora? —me dice; yo niego con la cabeza—. El doctor Ellysen no tardará en llegar —añade, blandiendo una diminuta aguja—. Vas a notar un piquetito de nada.

Mientras la aguja se hunde en mi antebrazo, inhalo con fuerza y parpadeo sobre mis ojos llorosos.

—Buena chica —dice con voz distraída mientras cuelga una bolsa con un líquido ambarino en un soporte que hay a mi lado. Gotea despacio por un tubo hasta llegar a mi brazo.

Un médico muy joven entra en la habitación con los ojos pegados a su digiarchivo. Resulta un tanto desconcertante que parezca tan joven como yo, aunque, con los arreglos disponibles aquí, tal vez sea mucho mayor de lo que aparenta.

—Adelice, ¿cómo te sientes? —pregunta.

Los doctores de Romen que nos hacían el reconocimiento médico anual eran siempre viejos y gruñones. Los puestos masculinos se distribuyen atendiendo a las aptitudes, sin embargo el carisma no es uno de los requisitos imprescindibles. La juventud de mi nuevo doctor no lo vuelve menos intimidante.

—Bien —miento. La terapia intravenosa de mi brazo me ataca los nervios.

—El procedimiento durará unas dos horas —dice, sin levantar la vista de la pantalla—. Durante ese tiempo tendrás que permanecer recostada y quieta. Puedes dormir, si así lo deseas, o puedo pedirle a la enfermera Renni que te administre un poco de Valpron.

—La paciente lo ha rechazado —susurra la enfermera.

—Muy bien —responde él, y desliza el pequeño aparato dentro de su bolsillo—. Voy a colocar la máquina de cartografiado sobre tu cabeza para que escanee diversas zonas de tu cerebro. Durante el proceso te iré haciendo preguntas y ella controlará cómo elabora tu mente las respuestas.

—Pensé que podía dormirme —rezongo.

—Así es —me asegura—. Te acaban de inyectar un estimulante mental que te permitirá procesar información incluso en estado de inconsciencia.

Me entran ganas de arrancarme la aguja del brazo. De ningún modo voy a dormirme durante un interrogatorio.

—Yo estaré sentado en la habitación contigua, observando el proceso. Me escucharás a través de este intercomunicador —me dice al tiempo que acopla un pequeño aparato negro en torno a mi oreja derecha—. Enfermera Renni, ¿estamos listos para ajustar el cartografiador?

Ella asiente y teclea un código en el panel comunicador. El techo se abre por encima de mi cabeza y de la enorme grieta surgen dos focos. Parpadeo para proteger mis ojos del brillo y veo cómo desciende el cartografiador. Es una gran cúpula, pero al acercarse más me doy cuenta de que no es de una pieza; está formada por una serie de ruedas y engranajes tan firmemente conectados entre sí que parecen fundirse unos con otros. Dirijo la mirada hacia el médico, que se escabulle por la puerta del observatorio, y luego hacia la enfermera, que está consultando mi brazalete médico. Mientras el aparato desciende sobre mi cabeza trato de averiguar cómo funciona, pero se interpone un rayo de luz verde y me ciega.

—Es normal —murmura la enfermera mientras manipula el brazalete médico—. Recuperarás la visión cuando el procedimiento haya terminado.

Arqueo la espalda para incorporarme sobre la camilla y aparto el aparato de mi cabeza de un empujón.

—Respira hondo, Adelice, o tendré que administrarte el Valpron —me advierte.

Esto me obliga a regresar a la oscuridad. El frío de la yerma estancia me provoca un hormigueo en los brazos y las piernas. Sin poder ver me siento atrapada e inmóvil, como una mosca en una tela de araña.

—Adelice —la voz del médico resuena en mi oído—. Vamos a comenzar la prueba.

Tomo aire entrecortadamente y lo suelto poco a poco.

—Adelice, ¿dónde naciste?

—En Romen, en el Sector Oeste.

—Bien. Responde así, de manera concreta —me indica—. ¿Cómo se llamaban tus padres?

Tomo aire de nuevo y respondo.

—Benn y Meria Lewys.

—¿A qué se dedicaba tu padre?

—Era mecánico. Trabajaba para la motoflota de la Corporación, en Romen.

—¿Y tu madre?

—Era secretaria.

—¿Cómo se llama tu hermana?

—Amie —susurro. Cada vez que pronuncio su nombre veo los pequeños rizos detrás de sus orejas.

—Repítelo, por favor.

—Amie —digo con tono más autoritario, notando cómo aumenta la presión en mi pecho.

—¿Viven tus padres?

Tomo aliento y exhalo mi respuesta.

—No —miento.

—Adelice, ¿mantuviste los estándares de pureza antes de las pruebas?

—¿Qué tipo de pregunta es esa? —exclamo, con los puños cerrados.

—Por favor, responde.

—Sí —digo—, mantuve los estándares de pureza.

Como si hubiera otra opción. Los barrios de chicas se encuentran en el extremo opuesto de la ciudad a los barrios de chicos, y los viajes al centro urbano son estrictamente controlados por los padres durante las horas autorizadas de desplazamiento. Pero no siempre fue así. Mi abuela susurraba historias sobre cómo habían cambiado las cosas desde que ella era una niña. Cuando cumplí catorce años, un mes antes de su extracción, le pregunté sobre los perfiles matrimoniales del *Boletín*. Las niñas los llevaban a la escuela y los escondían bajo los pupitres, pasándoselos entre ellas y riendo tontamente al ver las fotografías de los chicos.

—¿Por qué hay perfiles de matrimonio en el *Boletín*? —le pregunté—. ¿Acaso los chicos y las chicas no pueden conocerse en persona en la ciudad cuando cumplen dieciséis años?

Mi abuela tenía unos profundos ojos castaños y dirigió toda la intensidad de su mirada hacia mí, antes de responder.

—Hoy en día no es tan fácil que los chicos y las chicas se conozcan. A los padres no les gusta esa opción y la mayoría de los jóvenes se sienten cohibidos la primera vez que se ven. Por supuesto —se ríe entre dientes—, eso no es muy diferente a como era antes de la segregación.

—Nunca me había planteado que existiera un antes y un después de la segregación —le dije, sintiéndome muy pequeña bajo su sabia mirada.

—Siempre, incluso antes de que apareciera el hombre, ha habido un antes y un después de todo —añadió frunciendo los labios—, y algún día habrá también un después de la humanidad. Pero sí, cuando yo era una niña, los chicos y las chicas vivíamos juntos. No había barrios separados.

—Entonces al abuelo lo conociste, antes... —dejé que mi voz susurrante insinuara una pregunta. Incluso hablar sobre chicos parecía extraño.

—Él creció en la casa contigua a la mía —abrió los ojos fingiendo sorpresa al hacerme esta confesión—. Creo que entonces era más sencillo satisfacer las exigencias del matrimonio. Las chicas no se casaban con completos extraños.

—Pero los estándares de pureza... —no pude terminar la frase. Resultaba demasiado embarazoso.

—Oh, sí, eso —respondió haciéndome un guiño—. Eran más difíciles de mantener.

No le pregunté si ella los había mantenido; parecía una pregunta demasiado personal, incluso para una abuela, y su guiño me hizo sentir realmente incómoda.

—Mis padres se conocieron a través de un perfil, ¿verdad?

—Sí, nuestros hijos fueron la primera generación segregada —me explicó con un ligero tono de arrepentimiento en las palabras.

—Pero ellos se querían cuando se casaron —le aseguré, sin comprender la tristeza de su voz—. Así que no pasa nada.

—Sí, se querían —afirmó en voz baja, y yo sentí una sensación de paz en el pecho. Aquel día no hice más preguntas. Ahora lamento las respuestas que me perdí.

—¿Qué rango obtuviste en la escuela? —la voz del médico se filtra entre mis recuerdos y me doy cuenta de que he estado respondiendo a las preguntas del cartografiado sin escucharlas. Maldito estimulante mental.

—Cuarto superior.

—¿Te castigaban a menudo? —pregunta él.

—Tienen mi ficha, así que lo saben —respondo, conteniendo un nuevo impulso de golpear el cartografiador.

—Estamos estudiando la manera en que tu cerebro procesa cada pregunta y cada respuesta —me recuerda.

Cuando el médico me pregunta por mi profesora de quinto curso, empiezo a sentirme aburrida e incómoda. La forzada postura en la que estoy tumbada me provoca espasmos en los músculos de la espalda y el láser hace que me lloren los ojos. Respondo rápidamente, tratando de mantenerme despierta. Estoy segura de que están reservando las preguntas más jugosas para cuando me quede dormida.

—Adelice —continúa el doctor—, ¿cuándo descubriste que podías tejer?

—En las pruebas, cuando lo hice en el telar.

Hace una pausa, y yo me muerdo el labio. ¿Cuánto puede decirles ese dato?

—¿En ningún momento anterior mostraste esa habilidad?

—No tenía acceso a ningún telar.

—Mmm —murmura algo que no entiendo—. Y tu hermana, Amie, ¿ha mostrado alguna vez el talento?

Agarro con fuerza el borde de la camilla.

—No.

—Está bien —dice el médico—, vamos a pasar a hablar de tu periodo en el coventri. ¿Cuál es tu platillo favorito de los generadores de comida?

Suspiro y relajo los dedos, regresando al modo de respuesta automática. Me pregunta por mi vestuario, dónde trabajo, cuáles son mis tareas y cuál de ellas me supone un mayor desafío. No menciona a Maela, así que logro mantener mi presión sanguínea a un nivel normal.

—Gracias, Adelice. La enfermera Renni te retirará el cartografiador y la terapia intravenosa —me comunica al oído.

La mano de la enfermera Renni regula el brazalete médico y luego retira la aguja de mi brazo. Espero unos instantes, pero el casco no se levanta de mi cabeza. Me contengo para no chillarle que me lo quite.

—¿Puedes quitarme esto? —le pregunto.

—Espera un momento —murmura.

—Adelice —dice el doctor, captando de nuevo mi atención a través del intercomunicador—. Lo siento, pero tengo algunas preguntas adicionales.

—¿Adicionales? —mi mente se acelera y, aunque no puedo verla ni oírla, estoy segura de que Maela le está indicando qué más preguntarme. Probablemente alargue esto durante otra hora.

—Solo tardaremos un momento —me asegura él—. ¿Has aceptado algún regalo de miembros del personal o de otras tejedoras desde que estás aquí?

Pienso en el diminuto digiarchivo que Enora me dio antes del recorrido por Arras. Algo me dice que se está refiriendo a él.

—No, no realmente. El embajador Patton envió flores a mi habitación después del baile del estado de la Corporación.

El joven doctor se aclara un poco la garganta y noto que vacila después de haber mencionado a Cormac.

—¿Has mantenido alguna relación sexual desde tu llegada al coventri?

—¿Lo preguntas en serio? —exploto—. Besé a Erik. Ella lo sabe.

Que Maela se ocupe de explicar lo de su mascota.

El médico continúa, ignorando mi reacción.

—¿Alguna otra persona se te ha insinuado?

—¿Te refieres a los guardias? —pregunto.

—No, Adelice —dice él—. Me refiero a las otras hilanderas.

—¿Las otras tejedoras? —pregunto lentamente—. No comprendo.

—Lo tomaré como un no.

—Está bien —respondo, confusa. ¿Me estará preguntando si tengo conducta desviada?—. ¿Algo más?

—No en esta sesión —responde él, y el intercomunicador se desconecta.

—¿En esta sesión? —gimoteo, pero el cartografiador se está levantando ya de mi cabeza. Lo veo todo blanco. La enfermera introduce un brazo bajo mi espalda y me incorpora suavemente hasta que quedo sentada. Un instante después un espeso gel me escuece en los ojos y lanzo un aullido.

—Parpadea rápido —me ordena.

A pesar del escozor consigo enfocar poco a poco la habitación y estiro las piernas entumecidas, saboreando el delicioso dolor que siento.

—Te trasladaré a observación —me dice la enfermera Renni.

—¿A observación? —pregunto—. ¿Cuándo podré irme?

—Queremos asegurarnos de que ni los escáneres láser ni el estimulante neuronal te provoquen ningún efecto secundario —me explica, mientras me ayuda a ponerme en pie y a salir de la habitación.

La sala de observación tiene las paredes de color verde pálido y varias camas cubiertas con sábanas blancas, pero tengo los ojos todavía cubiertos de gel y no puedo distinguir mucho más. La enfermera me alcanza una suave bata que me pongo sobre el fino vestido; luego me siento en la cama más cercana y las sábanas se arrugan en torno a mis piernas. Me recuesto y noto un plástico debajo de mí. No se parece en nada a la blanda y cómoda cama a la que estoy acostumbrada en mi habitación, pero es una gran mejoría respecto a la camilla de exploración.

Aprieto los párpados, los abro de nuevo y repito la operación para intentar sacar el gel de mis ojos. Quiero ver dónde estoy. Cualquier zona del complejo donde trabajen personas externas es territorio que me gustaría explorar. Pero antes de que pueda examinar siquiera la estantería que hay en el rincón, la enfermera reaparece y ayuda a Pryana a tenderse en la cama junto a la mía.

—Chicas, pensé que les gustaría estar juntas —dice la enfermera alegremente.

—Qué amable —respondo y ella me devuelve una sonrisa antes de salir apresuradamente de la estancia.

Pryana mantiene la mirada al frente, ignorándome.

—Bueno, fue divertido —digo en tono coloquial.

—Qué humor más retorcido —responde Pryana sin mirarme.

—Tal vez, pero han sido las dos mejores horas de mi vida.

—¿Dos horas? —pregunta ella—. ¿Contigo tardaron tanto?

Frunzo el ceño. ¿Qué quiere decir?

—Yo estuve lista en media hora —añade, dirigiendo los ojos un instante hacia mí.

—Bueno —digo yo—, probablemente hubiera menos que cartografiar.

—Probablemente no necesito que me reprogramen —espeta.

—Claro, eres justo como ellos quieren —respondo.

Entrecierra los ojos, pero toma un catálogo y comienza a ojearlo.

—Madilyne me aseguró que, a menos que los escaneos iniciales registren la necesidad de una reprogramación, el procedimiento completo dura menos de una hora —me dice insinuando una sonrisa.

—¿Quién es Madilyne? —pregunto.

—Mi mentora —responde, como si fuera obvio—. ¿La tuya no te dijo nada?

—Me dijo lo suficiente.

—Sabes —añade Pryana con una sonrisita—, yo buscaría una nueva mentora. Está claro que la tuya no está haciendo su trabajo.

—¿Te estás ofreciendo como voluntaria? —pregunto.

—Ten cuidado, Adelice, o pensarán que quieres algo conmigo.

A pesar de lo mucho que detesto a Pryana, me giro y la miro directamente.

—¿Te preguntaron sobre eso?

—¿Sobre qué? —exclama, pero luego suspira y me mira a regañadientes.

—Sobre otras hilanderas, ya sabes...

—Que hayan tratado de ligar conmigo —se encoge de hombros—. Sí, me pareció raro.

Pryana regresa a sus compras. Parece muy poco interesada en las preguntas del proceso de cartografiado. Aunque, si me dijo la verdad y se trata de un procedimiento de solo media hora, tiene muy poco de que preocuparse.

Probablemente no sea buena idea fisgonear con ella aquí, así que trato de no decepcionarme por no poder echar un vistazo a esta ala del coventri. De todas maneras, está vigilada. Hojeo un catálogo, pero no encargo nada. Mientras tanto, Pryana ladra pedido tras pedido en el panel comunicador. Con que su armario contuviera la mitad que el mío, no necesitaría nada de eso, pero sin duda es el tipo de chica que desea aprovechar todo lo que le ofrece su posición. Por fin la enfermera Renni regresa con nuestra ropa. Nos vestimos rápidamente, dándonos la espalda. Un guardia nos espera en la puerta y nos guía a través de los yermos pasillos. Nada distingue una puerta de la otra. Ningún cartel sugiere lo que sucede en las habitaciones junto a las que pasamos. Ni siquiera el ruido de los médicos trabajando. Mi brillante plan de usar la sesión de cartografiado para obtener más información no ha servido de mucho.

Pero mientras el guardia nos conduce hacia el vestíbulo principal, veo a una enfermera poniendo al día afanosamente su digiarchivo al tiempo que desaparece tras una puerta gris de vaivén. Es el único personal médico que he visto, aparte del doctor y la enfermera Renni. Al acercarnos más a la puerta, vislumbro algunos detalles mientras oscila lentamente hasta cerrarse —un largo pasillo, azulejos grises, una pequeña puerta de seguridad y sobre ella la palabra INVESTIGACIÓN—. Menos mal que no estoy conectada en este momento al monitor, porque el corazón ha dejado de latirme.

—Señoras —dice el guardia, y nos espera como un caballero junto al mostrador de entrada. Salimos de la clínica y nos devuelve a la torre alta. Mientras caminamos, memorizo los giros y cuento cada paso que doy. Regresaré, si tengo la oportunidad. Aunque primero tendré que conseguir una autorización para acceder a la zona de investigación. Nuestro escolta nos deja en el ascensor metálico e inclina ligeramente la cabeza antes de marcharse.

—¿A qué piso? —pregunta Pryana.

—Qui-qui-quince —pastelmudeo, sorprendida por su amable gesto.

Abre los ojos con sorpresa.

—¿En qué piso estás tú? —pregunto.

—En el cuarto.

Alargo la mano para pulsar el botón de su piso, pero me la aparta de un manotazo.

—No seas estúpida —susurra—. Tengo que subir contigo en el ascensor, quiero ver la torre alta.

—Tú vives en la torre alta —le recuerdo.

Me fulmina con la mirada.

—No, yo vivo en las habitaciones inferiores y el ascensor no me permite pasar del piso del salón.

Por primera vez le echo un vistazo a los botones del ascensor. Hay cinco pisos por debajo del salón, incluido el de Pryana.

—Vaya, supuse...

—Sí —responde ella—, ese es siempre tu problema.

—Oye... —exclamo con las mejillas encendidas, pero antes de decirle dónde puede meterse su comentario, llegamos a mi planta y las puertas se abren.

Hay otras dos puertas lacadas de color ciruela en este piso, pero nunca he visto a ninguna otra tejedora, así que decido no empujar a Pryana dentro del ascensor para obligarla a regresar a las estancias inferiores. No hay nada que no pueda ver, y tampoco la voy a invitar a mi habitación a una pijamada. Pero tan pronto como salimos del ascensor, me arrepiento de mi decisión. Hay dos mujeres en el pasillo. Buen trabajo, Adelice. Te acaban de descubrir presumiendo.

Están de espaldas a nosotras, aunque luego me doy cuenta de que solo una de ellas está volteada. Tiene el pelo rubio recogido en un moño francés. No comprendo lo que estoy viendo. Unos brazos rodean su cintura y ascienden por su espalda. Unos esbeltos brazos aceitunados con brillantes uñas rojas.

—Arras mío —Pryana ahoga un grito y la pareja rompe su abrazo.

Es suficiente para hacerme reaccionar. Empujo a Pryana dentro del ascensor abierto y pulso el botón que cierra las puertas. Me vuelvo de nuevo hacia las mujeres y contemplo a Enora y a Valery, que se han quedado paralizadas. Ahora comprendo por qué el médico me hizo aquellas preguntas. Y Pryana también.

DIECISIETE

Enora huye rápidamente por el pasillo hacia la escalera del fondo, que rara vez se utiliza. Valery se gira sobre sus tacones y abre la boca, pero no dice nada. Nos miramos la una a la otra. Me cuesta creerlo. Valery y Enora. No es que me parezca mal, solo diferente. Además, una pequeña parte de mí se siente traicionada, como si debiera haber sabido que las dos personas más cercanas a mí compartían este secreto. La injusticia de tal pensamiento me obliga a apartar la mirada, avergonzada. ¿Quién soy yo para juzgarlas? Yo tampoco he sido muy honesta respecto a Jost.

Soy yo quien rompe el silencio.

—¿Es por esto por lo que está actuando de forma extraña?

—No —responde Valery, sacudiendo apenas la cabeza—. Esto no tiene nada que ver con su comportamiento.

Hago una pausa y luego respiro hondo.

—Vamos. No conviene que nos quedemos aquí. Además, hacía horas que te esperaba para que me arreglaras el pelo.

Si Valery está desconcertada, no lo demuestra. Simplemente me acompaña hasta la puerta. Mientras la abro, veo que mira hacia la salida que da a la escalera. Tiro de su brazo para animarla a entrar en mi habitación.

En el baño abro el grifo, como Jost me enseñó hace semanas. Valery empieza a reunir su material de trabajo: un mandil, champús y tónicos capilares. Le quito todo de las manos y la empujo hacia la silla de maquillaje. Me apoyo contra la pared y la observo. Valery. La amable y silenciosa Valery. Se parece mucho a Enora.

—No tienes que contarme nada —le digo.

—Es una larga historia —responde con amargura.

—Hay muchas de esas por aquí. Oye, no puedo decirte lo que hará Pryana, pero tu vida no es asunto mío.

—Oh, ellos ya lo saben —me asegura Valery. Le tiembla la voz, pero mantiene la barbilla alta—. Por eso Enora está rara.

—¿Le preocupa que la echen?

—En absoluto. Actúa de manera distinta desde que la cartografiaron. Está... distante.

Sé exactamente a qué se refiere.

—Lo había notado. Apenas me contó nada de ello.

—Fue dos veces.

¿Dos veces? Un escalofrío me recorre la espalda.

—Y estás segura de que el coventri sabía que ustedes dos... —ni siquiera sé cómo definirlo.

—¿Teníamos una relación? —sugiere—. Sí.

—Lo siento —añado mirando hacia la bañera—. Es que nunca...

—No te preocupes —responde Valery, pero su voz suena rota y enfadada—. El coventri corta estos asuntos de raíz.

—Pensé que habían atrapado a la mayoría de las personas con conducta distinta —comento, sintiéndome ingenua. Sobre esto me estaba preguntando el médico. Pryana sabía exactamente lo que significaban sus insinuaciones, pero yo no, porque nunca había notado nada entre Valery y Enora.

—Que haya normas contra algo no implica que desaparezca —dice ella—. Hay más como nosotras ahí fuera, pero intentamos pasar desapercibidas. Es solo que resulta más difícil cuando...

—¿Te enamoras de una hilandera?

—Exacto. Conseguimos mantenerlo en secreto durante mucho tiempo, pero últimamente la vigilancia ha sido más estricta, en especial sobre Enora.

Porque aparecí yo.

—¿Piensas que le hicieron algo? —le pregunto.

Rememoro el baile del estado de la Corporación y las palabras de la propia Enora resuenan en mi cabeza: *No seas ridícula.*

—Era como si no me conociera —añade Valery en voz baja—. La arrinconé...

—La reprogramaron.

Sacude la cabeza.

—Pero no pueden reprogramar a las hilanderas. Es demasiado peligroso. ¡Solo se lo hacen a los criminales y a las personas inestables! Podría perder la habilidad para tejer.

—Créeme —respondo, colocando mi mano suavemente sobre las suyas—. Hay una nueva técnica.

—¿Por qué? ¿Por lo nuestro? —su voz se quiebra y sus ojos se inundan de lágrimas—. Ni siquiera tiene permitido casarse. No está poniendo en peligro a la población.

—La Corporación se toma muy en serio las amenazas al equilibrio de Arras. Sé que no resulta un consuelo, pero tal vez pensaban que podían cambiarla...

—¿Cambiarla? ¿Es eso lo que piensas? ¿Que necesitamos que nos cambien? —la voz de Valery se eleva por encima del ruido que produce el agua del grifo.

Agarro con fuerza su mano y hablo en voz baja.

—Ninguna de nosotras necesita que la cambien, pero la Corporación se está protegiendo a sí misma.

Valery clava sus ojos en los míos durante un largo minuto y luego retira la mano como si la hubiera mordido.

—Van detrás de ti.

—Supongo que sí —admito.

—Nunca probarían su nuevo protocolo en su preciada captura —añade—. Enora te estaba protegiendo. No dejaba de obstaculizar los castigos de Maela.

—Lo sé —podría argumentar que no se me puede responsabilizar de lo que le ha sucedido a Enora, ni de que murieran la hermana de Pryana y mis propios padres, pero no puedo negar que soy el factor común.

—Entonces, sabes que esto es culpa tuya.

Valery se pone de pie y, tras un último sollozo, se seca los ojos. Sin dirigirme una sola mirada, sale, y me deja a solas con mi culpa.

No acude a vestirme para la cena. Un persistente dolor en el estómago me dice que jamás volveré a verla y, por mucho que lo intente, soy incapaz de alejar esta extraña sensación. En la mesa, donde me siento junto a las demás tejedoras, el asiento de Enora permanece vacío, lo que no hace más que aumentar mi temor. Me absorbe de tal modo que casi ni me doy cuenta de que Jost está sirviendo la mesa esta noche.

—¿Más vino? —me ofrece. Nuestros ojos se encuentran, y los suyos adquieren una expresión preocupada.

—Prefiero agua.

Regresa un instante después con la jarra del agua. Sigue mi mirada hasta donde debería estar Enora.

—Mayordomo —le digo mientras llena el vaso—, el auto-encendido de mi chimenea no funciona bien.

—Lo revisaré más tarde —responde, y se retira para atender a las demás mujeres.

Al mirar hacia el extremo opuesto de la mesa, Pryana capta mi atención y alza su copa de vino. Sonríe e inclina la cabeza como si estuviéramos brindando por algo. Aparto la mirada y no tomo ni un solo bocado de los otros seis platos que nos sirven.

Cuando regreso de la cena, Jost está manipulando los botones en la repisa de la chimenea. Me quito los tacones de una patada y me pongo delante de ella. Pulsa un botón y el fuego se enciende con un rugido.

—Parece que funciona perfectamente —dice él.

—Qué tonta.

—¿Necesitas algo más? —pregunta, arqueando las cejas.

Es la señal. Un instante después, he tejido un momento paralelo dentro de la habitación. Antes de decir nada, me pierdo entre sus brazos. Aprieto la cabeza contra su pecho, sin saber por dónde empezar.

—Yo no...

—Shhh —me obliga a callar. Toma mi barbilla con la mano y atrae mi rostro hacia el suyo. Con sus labios pegados a los míos, todo se desvanece. Mi pulso se acelera y rodeo su cuello con los brazos. Podría permanecer aquí para siempre.

Jost se aparta. Suspiro mientras la brillante cúpula y la habitación congelada resurgen a nuestro alrededor, junto a todos los problemas del mundo real.

—Enora —empiezo a decir.

—No estaba en la cena —continúa él.

—Ha estado comportándose de un modo extraño y creo saber por qué.

—Porque...

—Está enamorada —confieso.

—Lo sé —Jost hace una pausa—. Está enamorada de otra mujer.

Lo miro fijamente. Tal vez Valery estaba en lo cierto y todo el mundo conocía su historia. ¿Cómo no me había dado cuenta?

—Hay pocas cosas que pasen desapercibidas para el mayordomo jefe —añade, leyendo mis pensamientos.

—¿Lo sabe todo el mundo? —pregunto con un tono demasiado agrio.

—Probablemente ahora sí, aunque hacía mucho tiempo que se rumoreaba —me explica, animándome a sentarme en el suelo—. No es la primera vez. Las hilanderas no son lo que se dice inocentes. Pero la Corporación está dispuesta a pasar por alto ciertas cosas, si una chica posee el don.

—Entonces, ¿por qué ese interés tan repentino?

Permanece callado un instante, sin mirarme a los ojos.

—Para serte sincero, últimamente la han vigilado con más atención.

—Por mi culpa —me duelen sus palabras, pero sé que tiene razón.

—Y con la nueva técnica de reprogramado...

—No tuvo la más mínima oportunidad —termino su frase, y entonces un pensamiento horrible surca mi mente—. ¿Crees que Pryana denunciará a Valery por lo que vio?

—No lo sé —responde, lanzando un suspiro—. Es posible, y Valery carece de la protección que tienen las hilanderas.

—¿Por qué les importa? —refunfuño—. Ella no puede ser la única que se esté viendo a escondidas con otra persona. Quiero decir, fíjate en nosotros.

Jost se ríe como si hubiera dicho algo terriblemente divertido. ¿Es eso lo que piensa de nuestra relación? ¿Que somos una broma? No sé si debería pegarle o llorar.

—¿Qué? —pregunto, mientras trato de mostrarme desafiante y confío en que mi rubor no resulte demasiado obvio.

—Por supuesto que les importa, Adelice. ¿Qué pasaría si las mujeres se casaran entre ellas? ¿O los hombres entre ellos?

En una fracción de segundo paso del alivio a la vergüenza. Por supuesto, Jost se refería a ellos. Pero entonces algo se remueve en mi pecho y recuerdo cómo me gritó Valery.

—No hay nada malo en ello. No le hacen daño a nadie.

—Me entendiste mal —dice Jost—. Tú preguntaste que por qué les importa. A la Corporación. Y yo te estoy diciendo que les asusta. Una mujer sin marido...

—Yo no tengo marido —señalo.

—Lo tendrías en un año o dos si no te hubieran traído.

—Pero las tejedoras no se casan, y no parece que le demos miedo a nadie.

—Claro. No se casan, pero permanecen encerradas en complejos amurallados. Y además —añade con tono burlón—, si tienen suerte, pueden colgarse del brazo de algún oficial.

Monto en cólera. ¿Es eso lo que piensa de mí? Tengo ganas de golpearlo. Ya lloraré más tarde.

—La verdad es que las tejedoras no son ni mucho menos unas puritanas. ¿Por qué crees que tienen sirvientes masculinos? ¿Para que hagan el trabajo duro? —continúa, sin darse cuenta de que me he apartado de él.

—¿Tienes mucha experiencia al respecto? —le pregunto, sin estar segura de si en este momento estoy furiosa por la actitud de las otras chicas o por la mía.

Jost entrecierra los ojos y me observa con atención.

—¿Esto es sobre nosotros o sobre Enora?

—Sobre Enora.

—Habría pensado lo contrario.

—Si pasan por alto que estamos cortejando en secreto a la mitad de los guardias, ¿por qué les importa que Enora esté enamorada de Valery? —estoy gritando y no me importa.

—¿Me dejas acabar? —pregunta Jost—. A ellos, a los oficiales, les asusta que una hilandera sea leal a alguien más.

—Valery me dijo que había otras —añado, tranquilizándome un poco—. En Arras.

—¿Has conocido a alguna?

—No —admito.

—Lo mantienen en secreto para que las dejen tranquilas, o se arriesgan a ser reprogramadas. No obstante, no les sucede solo a ellas. Si una hilandera se enamora de un hombre, incluso de un oficial, la Corporación pone fin a la historia.

—¿La reprograman?

—No, hasta ahora jamás han hecho eso. En ocasiones lo reprograman a él o arrancan su hebra, si es alguien sin importancia. Otras veces los amenazan. Pasa más a menudo de lo que te imaginas —Jost sacude la cabeza—. ¿Cómo crees que he llegado a mayordomo jefe? Evitando meterme en líos.

Una combinación de entusiasmo y miedo me encoge el estómago. Así que no hay nadie más.

—Y si descubren...

—¿Lo nuestro? —termina la frase en voz baja cuando me callo—. Yo no soy importante.

—Sí, lo eres —aseguro—. No podrán controlarme.

—Tienen a tu hermana.

—Pero no tienen mi corazón.

Y eso es todo. Lo máximo que nos hemos acercado a una conversación sobre lo que quiera que haya entre los dos.

—No puedo perderte —dice con voz suave.

—Eso no va a ocurrir.

—Para mí es incluso arriesgado estar aquí —añade, levantándose y recorriendo la bóveda dorada.

—Ellos no saben que puedo hacer esto.

—Todavía no.

—Lo sé —suspiro y me pongo en pie. Nos estamos aproximando peligrosamente a un punto sin retorno y no estoy segura de poder continuar con esto sin su ayuda, ahora que Enora está tan distinta—. Necesitamos un plan, pero antes debemos descubrir algo.

Jost arquea una ceja.

—Lo que le ha sucedido a Enora —le recuerdo.

Ignoro dónde se encuentra la habitación de Enora, pero Jost sí lo sabe, así que desmantelo la bóveda y aliso las bandas del tiempo para colocarlas de nuevo en su sitio dentro del tejido de la habitación. Sin la protección de la burbuja de tiempo, estamos tentando nuestra suerte, pero salimos de la habitación y subimos dos tramos de escalera hasta el pasillo de Enora.

—El ascensor está más vigilado que la escalera —me explica mientras ascendemos—. Nadie la utiliza.

El pasillo de Enora es similar al mío, pero las puertas están pintadas de color violeta, en vez de ciruela. Jost golpea con los nudillos en la primera y espera, pero no hay respuesta.

—¿Estás segura de que quieres hacerlo? —me pregunta.

Asiento con la cabeza. Seré incapaz de dormir esta noche a menos que hable con ella.

Jost coloca el pulgar sobre el escáner y la puerta se abre con un chasquido, dándonos paso a una habitación en silencio. Grandes cuadros con marcos dorados cubren las paredes de todo el apartamento. Desde la puerta se diría que son representaciones de flores, pero a medida que nos acercamos a ellos se desdibujan en un remolino de sutiles colores y pierden la belleza. Junto a la chimenea apagada hay una pequeña cama con dosel —con las sábanas estiradas y los cojines perfectamente colocados—. La habitación parece abandonada.

—No está aquí —dice Jost desde la ventana.

Un intenso frío asciende hasta mi garganta, pero lo empujo de nuevo hacia abajo. No pueden haberla extraído sin más.

—Vamos a ver en el baño.

Jost me sigue sin decir una palabra. El baño de Enora es más pequeño que el mío y, con las luces apagadas, apenas puedo distinguir la zona de maquillaje, excepto por la silla blanca de plástico —exactamente igual que la mía— que emite un ligero resplandor cuando entramos en la estancia vacía.

—No sé dónde puede estar —dice Jost—. Podría activar un localizador para buscarla desde el puesto de mayordomos.

—Espera —tomo aliento al escuchar el goteo del grifo. Alargo la mano en la oscuridad, buscando el escáner de encendido. Al deslizarla sobre él, la luz inunda el diminuto espacio y parpadeo.

Los ojos de Jost se adaptan con más rapidez.

—¡Maldición!

Veo cómo corre por el suelo de mármol, pero no me atrevo a mirar hacia dónde se dirige. Hay algo en su voz. No quiero ver lo que está viendo. Si aparto los ojos ahora, podré regresar a la habitación silenciosa, salir al pasillo vacío y no saberlo jamás.

Pero Jost la está levantando y es demasiado tarde.

El agua de la bañera rebosa, chorreando roja sobre la porcelana blanca. Tiene los brazos pálidos, pero no con el tono marfil que se consigue en la silla de la esteticista, sino con la blancura de un papel intacto, decolorado hasta la ausencia. Jost lucha con su cuerpo, jalándola por las axilas. El agua ensangrentada golpea contra sus pechos desnudos y cae por sus clavículas, y soy incapaz de retirar la mirada. Incluso desde aquí, veo los hinchados cortes rojizos en sus muñecas.

—Detente —ordeno con voz monótona.

—Ayúdame, Adelice —exclama Jost, tirando aún del pesado cuerpo de Enora.

—Es demasiado tarde —le aseguro. El agua caída se extiende por el mármol y veo cómo se acerca a mis zapatos de satén.

Jost me mira, pero no dice nada. Un instante después, suelta los brazos de Enora y deja que su cuerpo se sumerja de nuevo en el agua. El movimiento produce otra ola sobre el borde de la bañera y el charco de agua me moja los pies. Debería retroceder.

—Maela —exclama Jost en voz baja.

—No —respondo yo, sacudiendo la cabeza—. Lo hizo Enora.

—Ella no...

—La Enora que nosotros conocíamos no lo habría hecho.

—Entonces, han sido ellos —afirma. Todavía habla en susurros, pero sus palabras muestran una actitud claramente desafiante. Los audiotransmisores deben de estar controlándonos, pero ¿por qué no viene nadie?

—Por supuesto que han sido ellos; siempre lo son —me vuelvo hacia la puerta.

Tan pronto como traspaso el umbral, me derrumbo, pero Jost está ya ahí para recogerme.

—Tengo que comunicar lo que ha sucedido —susurra.

Me ayuda a llegar hasta el único sillón de la habitación y espera a que me recueste, pero me inclino hacia delante sobre el borde del asiento, con los codos sobre las rodillas, y me cubro el rostro con las manos. En el extremo opuesto de la habitación, Jost habla en voz baja sobre el panel comunicador. Llegarán en unos momentos y entonces será necesario dar explicaciones. No sé qué decir. Mi mente es incapaz de formar palabras y se ha quedado fija en las ondulaciones del agua en torno a los pechos de Enora.

—Deja que hable yo —susurra Jost, arrodillándose a mi lado.

Giro la cabeza y contemplo sus ojos azules. Ojalá pudiera sumergirme en ellos y alejarme flotando.

Primero llegan los guardias, luego algunas sirvientas y por último entra en la habitación Maela.

—¿Dónde está? —pregunta, como si no escuchara el ruido sordo procedente de la estancia contigua.

Jost responde, algo que agradezco, porque no estoy segura de recordar cómo se habla.

—Tú —me dice a mí—, quédate ahí.

Alzo la vista y la miro. No hay muchas posibilidades de marcharse a ningún sitio.

Maela desaparece en el baño y aguzo el oído. Creo que alguien está llorando. Probablemente una de las sirvientas. Alguna pobre chica rechazada hace años.

Espero una eternidad y Jost permanece en cuclillas junto a mí. No decimos nada.

—Adelice —dice Maela, regresando a la habitación—, ¿la encontraste tú? —enciende un cigarro y me envuelve con el humo.

—Sí —respondo en tono cortante.

—¿Y ya estaba muerta?

Aprieto los dientes y asiento con la cabeza.

—¿Cuándo la viste por última vez?

—Ayer —miento.

Entrecierra los ojos y abre la boca, pero antes de que pueda hablar, Loricel entra en la habitación.

—He informado al Departamento Médico —le dice a Maela—. Y también a la oficina central. No tardará en llegar un investigador. Ya no eres necesaria aquí.

Maela se vuelve hacia Loricel y alza la barbilla.

—Yo decidiré eso.

—No —responde Loricel en voz baja—. Yo lo haré. Enora estaba en el Departamento de Manipulación. Puedes retirarte.

Maela me lanza una mirada fulminante, pero sale de la habitación.

—¿La encontraste tú? —pregunta Loricel.

Suspiro y cierro los ojos con fuerza. Si Loricel fue quien la envió a que la reprogramaran, no debería sentirme tan contenta de verla.

—¿Cuándo fue la última vez que la viste? —pregunta Loricel.

Abro la boca, dispuesta a repetir la información que le di a Maela.

—La vi...

—Dime la verdad —interrumpe Loricel. Ya se ha lavado la cara, así que, sin la cuidadosa capa de maquillaje, sus arrugas resultan más visibles. Tiene los ojos hundidos y los párpados caídos.

—La vi esta mañana —susurro—. Estaba con Valery.

—Gracias —responde con voz cansada.

—Loricel —añado—, tienes que proteger a Valery.

Aprieta los labios hasta reducirlos a una delgada línea y aparta la mirada. No quiero escuchar sus excusas. Me pongo en pie y me abalanzo hacia la puerta, lejos de ella y de Jost, pero me llega su respuesta.

—Me temo que es demasiado tarde para eso.

Claro, es lo que suponía.

Desciendo un tramo de escalera antes de que Jost me alcance. Sus botas golpean los escalones a mi espalda, pero no me detengo hasta que su fuerte mano aprisiona mi brazo. Me arrastra hacia su pecho y me fundo con él. Cuento los latidos de su corazón, cada uno de ellos más valioso que el anterior, hasta que estoy segura de que mi propio corazón se va a romper. En cuanto me suelta el brazo, retrocedo.

—Ad...

—No —alzo la mano para impedir que hable—. Esto tiene que acabar ahora mismo. Ya has visto lo que le hicieron a Enora.

—Ella misma se lo hizo.

—Porque la incitaron a ello. Deformaron su mente, Jost.

—Experimentaron con ella.

—Exacto —susurro—, para atraparme a mí. Y a cualquier otro que se cruce en el camino.

—Entonces, ¿fingimos que no ha sucedido nada entre nosotros? —pregunta.

—Es la única opción que tenemos.

—No puedo resignarme a eso.

—Siempre hemos sabido que esto no llegaría a ninguna parte —susurro.

Jost retrocede un paso y me mira fijamente. Resisto el impulso de lanzarme a sus brazos y lo aparto para dirigirme al siguiente tramo de escalones. Tiene que haber otra manera de hacerlo. Si le rompo el corazón de nuevo...

—No podré vivir sin ti —susurra, y sus ojos lo dicen todo: desesperación, traición, dolor. Incluso con estas emociones surcando su rostro, alarga la mano. Lo arriesgaría todo, hasta su propia vida, por nosotros. Pero no puedo permitir ese sacrificio. Si la Corporación descubriera lo nuestro, lo mataría a él también. No puedo perderlo, así que debo dejarlo ir.

—Inténtalo —respondo con tanta frialdad como puedo y antes de que replique, desciendo los escalones a toda velocidad.

DIECIOCHO

Me salto el desayuno. Y el almuerzo. No salgo de la habitación. Valery no acude a arreglarme, así que paso el día tirada en la silla de maquillaje, bebiendo una botella de vino. A Valery le hubiera gustado; siempre me estaba diciendo que me relajara mientras me arreglaba. Va por ti, Val. Me tomo otro vaso por Enora. Y luego uno por mi madre, aunque ella no lo aprobaría. Resulta que hay un montón de personas por las que brindar, así que me esmero.

Dedico la segunda mitad de la botella a Jost, que no está muerto. Aún. Estoy segura de que implicarlo en este lío solo conseguiría engrosar mi lista personal de muertes. Y por mucho que beba, ese pensamiento me despeja de inmediato. No puedo permitirles que maten a Jost, o a Amie o incluso a Loricel. No puedo permitir que nadie más sufra por mi culpa. Lo que me deja dos opciones: levantar el ánimo y sacrificarme por los demás o escapar de aquí. El problema de Arras es que todo está vigilado y controlado por la Corporación, hasta mi secuencia de identidad personal. Incluso si lograra salir del complejo, un rastreador utilizaría esa secuencia para darme caza antes de que hubiera dejado atrás la estación de transposiciones. O tal vez Cormac se saltara lo de perseguirme y ordenara directamente mi extracción.

A media tarde no se me ha ocurrido nada. Pero como nadie se preocupa de obligarme a trabajar me visto con unos pantalones de lino y una suave túnica de algodón —las únicas prendas de todo mi armario que no requieren abotonado, cremallera o medias—. Es la vestimenta perfecta para tumbarse y perder el tiempo. Al mirar por la ventana desde mi cama, veo cómo las olas empapan la orilla. Hoy no hay nieve en la montaña. Todo está en calma, programado para contrarrestar la tragedia de anoche. El vino me revuelve el estómago vacío mientras contemplo el apacible paisaje, y siento de todo menos tranquilidad.

Se abre la puerta a mi espalda, pero no volteo. Le pedí a Jost que no viniera, de modo que pueda ocuparse de las insignificantes tareas que inventó como excusa para verme. Además, probablemente en este momento yo huela como Cormac, lo que no resulta muy romántico. Pero no se dirige hacia la chimenea o el baño, ni me llega el exótico aroma de un almuerzo tardío. Solo se aproxima a mí y permanece quieto; continúo dándole la espalda.

—Márchate —por suerte, mis palabras suenan claras.

—No puedo —es la voz de Jost, pero habla con tono firme, seguro de su derecho a estar aquí—. Me han ordenado recogerte para acudir a una reunión con el embajador Patton.

La voz parece la suya, pero al mismo tiempo suena distinta. Más profesional y arrogante. Se enciende una luz en mi cerebro y me giro sobre mí misma. Grave error. Veo las estrellas y me mareo. Tal vez esté algo borracha.

—Estoy lista en un minuto —exclamo.

—Pensé que era mejor... —empieza a decir Erik.

—¿Mantenerte alejado?

—No quería forzar la situación.

—Creo que esa línea ya la cruzamos —respondo con una sonrisa fría.

Erik tensa la mandíbula y la relaja de nuevo. Alargo la mano y me ayuda a levantarme. Mantengo el equilibrio con dificultad, pero el siempre caballeroso Erik toma mi brazo sin decir una palabra. Resulta extraño volver a tocarlo. Veo mi brazo en torno al suyo, mi piel roza su chaqueta de lana, incluso mi puño toca su muñeca desnuda, pero no se producen chispas. Mis nervios no reaccionan. Recuerdo nuestro beso en el jardín. Mi primer beso. Pero ahora me siento como una espectadora, no como partícipe de ello. Si significó algo, Maela lo destruyó, junto a las yemas de mis dedos. O tal vez sea el efecto adormecedor del vino que tomé.

Caminamos en silencio y Erik avanza con paso decidido: conducirme a la reunión, ese es su único objetivo. Será un alivio cuando me deshaga de él. El delicioso entumecimiento ha desaparecido cuando llegamos a la puerta cerrada. Erik hace un ademán con la cabeza a un guardia alto y corpulento, con esa manera que tienen los hombres de saludarse entre ellos.

Retira mi brazo del suyo y me indica que entre. No me acompaña, pero al despedirse con una inclinación de cabeza, escucho un simple «lo siento».

Un poco tarde para eso.

Dentro están Loricel, sentada al final de una larga mesa circular de roble, y Maela, encaramada a una silla con respaldo de cuero junto a la puerta. Cuando entro en la habitación,

Maela se yergue y adelanta la barbilla. Estoy bastante segura de que su intención es mostrarse arrogante, pero en realidad parece estreñida. Y mi viejo amigo Cormac se encuentra en el pequeño bar que hay en un rincón, sirviéndose una copa.

—Me alegra ver que todo ha vuelto a la normalidad —digo.

Desde su asiento en el extremo opuesto de la estancia, la sonrisa de Loricel se transforma en un gesto de reproche.

—Adelice —exclama Cormac mientras remueve un vaso achaparrado de cristal—, siempre es un placer verte.

Qué diplomático.

—Toma asiento —dice Loricel.

Respiro hondo y me dejo caer en una silla. Voy a cruzar las piernas, pero entonces recuerdo que llevo pantalones, así que me inclino hacia delante con las piernas separadas y lanzo a Maela una sonrisa provocadora. Mantiene el rostro sereno, pero sus nudillos palidecen.

—Me quedé horrorizado cuando me informaron del desafortunado incidente con tu mentora —dice Cormac, tomando asiento junto a mí.

—¿De verdad? —pregunto con los ojos abiertos de par en par.

—Así es —responde con tono desafiante—. En ocasiones, las responsabilidades de una hilandera pueden ser abrumadoras y, con el trabajo tan importante que realizamos aquí, podemos llegar a descuidar a los nuestros.

—Yo me he sentido muy cuidada —le aseguro.

Maela se aclara la garganta.

—Enora tuvo que enfrentarse a...

—Ahórratelo —le suelto—. Sabemos perfectamente a lo que tuvo que enfrentarse Enora.

—Recuerda tu lugar...

—Es suficiente —dice Loricel en voz baja—. Adelice conoce su lugar y tú harías bien en aprender cuál es el tuyo, Maela.

—Apenas ha trabajado en el telar —exclama Maela.

—Ella posee más talento en su dedo meñique izquierdo que tú en todo tu cuerpo —responde Loricel.

Tengo que aguantar la sonrisa.

—No seas arrogante —dice Loricel, volviéndose hacia mí—. Maela tiene razón. Con todas estas tonterías políticas, no has recibido una verdadera instrucción.

—El coventri necesita mostrar un aspecto poderoso —comenta Cormac, tras tomar un sorbo de su bebida—. Y Adelice es imprescindible para eso.

—Cormac, tú preocúpate de la política y yo mantendré este mundo en marcha —responde Loricel, golpeando la mesa con las manos—. Si pretendes que ocupe mi puesto, necesita que la enseñen, no que la adoctrinen.

—¿Es necesario que esté yo aquí para esto? —pregunto.

—Ten cuidado con lo que dices, niña —gruñe Cormac.

—Yo me comportaría mejor con mi futura maestra de crewel, Cormac —dice Loricel—. Tal vez ella no se muestre tan indulgente como yo.

—La cuestión es que no está preparada —les recuerda Maela, y ambos la miran.

—Estoy suficientemente preparada.

—Sabes lo fundamental —dice Loricel—, pero tienes mucho que aprender antes de poder asumir mi puesto.

—¿Y qué si no quiero?

—Yo no me plantearía eso en estos momentos —dice Cormac, sacudiendo la cabeza—. Estás bajo presión por la pérdida de tu mentora, pero lo hemos organizado todo para que te evalúen y recibas ayuda. La muerte de Enora nos recuerda lo exigente que este trabajo puede llegar a ser.

—Me imagino que no todo son cenas y vestidos elegantes —respondo con frialdad.

—No, no todo —dice él—. Ahora te necesitaremos más que nunca.

—¿Loricel piensa irse de vacaciones?

Cormac vuelve los ojos hacia Maela y luego sacude la cabeza.

—Loricel ha optado por renunciar a más tratamientos de renovación.

Miro alternativamente a Cormac y a Maela, pero sus ojos aparecen vacíos.

—¿Qué significa eso?

—Significa que voy a morir —dice Loricel suavemente.

Tomo aire y lo suelto poco a poco. Cormac me observa desde la silla contigua y trato de alejar el miedo de mi rostro. Sin Loricel... Bueno, ni siquiera me atrevo a pensar cómo será este lugar. ¿Cree Loricel que podré hacer frente a Cormac?

—¿Así que necesitan una nueva maestra de crewel? —pregunto después de una larga pausa.

—Te necesitamos a ti —contesta Cormac.

No respondo.

—Estarás a las órdenes de Loricel durante todas las horas de trabajo hasta que...

—Hasta que muera —finalizo la frase.

—Sí, y es fundamental que estés preparada para asumir la responsabilidad cuando llegue ese momento.

—Especialmente porque ya se han quedado sin una ayudante de crewel.

Cormac entrecierra los ojos.

—Ella no era ni la mitad de tejedoras que tú, Adelice.

—Y yo soy la mitad de persona que ella —respondo encogiéndome de hombros y con la voz ligeramente quebrada—. Así que imagino que eso lo equilibra.

—Hay otras tejedoras —interrumpe Maela, pero Cormac le lanza una mirada que la obliga a callar.

—No es necesario que te preocupes por Adelice —le dice Cormac a Maela—. Ya has malgastado bastante tiempo.

—Esa niña no tendría ninguna preparación si no fuera por mí —responde ella, apuñalando el aire en mi dirección.

—Esa niña —añade Cormac en voz baja— estaría muerta, si fuera por ti. Estás a punto de sobrepasar tus límites.

—Y todos sabemos lo que les ocurre a las chicas que sobrepasan sus límites —añado yo.

Nadie se ríe.

—Adelice, acudirás al taller de Loricel por la mañana. Le comunicaré a ella la fecha programada para tu evaluación —me informa Cormac, levantándose de la silla y abotonándose el saco del esmoquin.

—Cormac —dice Loricel—, una cosa.

Le indica con un gesto que la acompañe y me quedo sola con Maela en la mesa.

—Siento lo de Enora —dice ella.

La miro fijamente. No puede decirlo en serio.

—No, de verdad —añade Maela—. Hemos tenido nuestras diferencias...

—Es una manera de decirlo.

—Pero —continúa, ignorándome—, Enora fue una buena hilandera.

—¿Te lo contó Pryana?

Maela frunce los labios.

—¿Contarme el qué?

—Lo de Enora.

—Me avisaron como parte de la respuesta de emergencia.

—No, lo de Enora y Valery. En el pasillo.

—No, no me lo contó, pero hay algo que tienes que entender —dice ella—. Si crees que Pryana es mi marioneta, te vas a llevar una desagradable sorpresa. Ella ha tomado sus propias decisiones.

—Que tú le dictaste...

—Que yo impulsé —me corrige—. No te mentiré, Adelice. Deseaba que se enfrentaran, pero Pryana nunca habría sido tu amiga.

—No estoy tan segura —respondo yo—. Estábamos congeniando.

—Pryana apuñalaría a su propia hermana por la espalda, si le conviniera.

—Parecía bastante disgustada cuando arrancaste a su hermana.

—Escucha —exclama Maela, levantándose y bajando los ojos hacia mí—, yo tendría cuidado de con quién hablas sobre tu hermanita. Pryana no es de las que perdonan. Créeme, te hice un favor.

—En el futuro, mejor que guardes tus favores para ti misma —respondo.

Maela me mira con expresión aburrida y se marcha. Por nada del mundo me creería su compasión fingida ni su repentino interés por mí. Puesto que voy a convertirme en la próxima maestra de crewel, está simplemente haciendo ciertos arreglos sobre el daño infligido.

—¿Lista? —pregunta Erik, asomando la cabeza por la puerta.

—¿Tengo escolta otra vez?

—Cormac quiere asegurarse de que no te ocurra nada.

—Vaya, estupendo —respondo con un suspiro—. ¿Vas a acampar en mi habitación?

—Más bien junto a tu puerta.

Hago una mueca. Supongo que esta noche no podré salir a hurtadillas para recorrer la clínica.

—No te enfades —dice, tomando mi brazo—. Así te despertarás y te irás a dormir a mi lado.

A pesar del resentimiento que siento por su modo de actuar después de besarnos, me río. Sigue tan seguro de sí mismo como antes.

—El sueño de toda chica —respondo, ladeando la cabeza.

—¿Cómo dices? —pregunta entre dientes.

—Nada. No te preocupes.

—Sé lo que te hizo Maela.

—Déjalo, Erik.

—Habría sido peor si hubiera ido a verte.

—Sí, probablemente tengas razón —respondo yo—, pero supongo que nunca lo sabremos.

—¿Y eso es todo?

Suspiro y suelto su brazo. No está facilitando mucho las cosas.

—Erik, nos besamos. Yo estaba un poco borracha. Ya lo superé.

—¿Y qué pasa si yo no? —pregunta, aminorando el paso. Camino más deprisa, arrastrándolo conmigo.

—Por muy poderosa que yo sea, o que vaya a ser después de este ascenso, no va a suceder nada.

—¿Ascenso? —repite Erik.

—Estoy preparándome para sustituir a Loricel —le explico, encogiéndome de hombros—. Supuse que lo sabrías.

—No, pero imagino que eso explica el cambio de actitud de Maela.

—Oh, ¿te refieres a que ahora somos grandes amigas?

Erik me ofrece una sonrisa ladeada.

—Yo no diría tanto, pero definitivamente está tratando de arreglarse contigo.

—Al menos no trata de matarme.

—De nuevo, yo no diría tanto —añade él.

—Los mismos perros con distintos collares —mascullo.

—¿Me perdonas? —dice él. Refunfuño ante la circularidad de sus pensamientos. Es como un cachorro persiguiendo su cola, solo que es la mía detrás de la que corre.

—Te perdono —digo—, pero eso no cambia nada.

—Puedo esperar.

—Erik —exclamo, luchando contra todo lo que deseo compartir—. No es solo eso. No soy la misma que hace unas semanas. Las cosas han cambiado y estarías perdiendo el tiempo si me esperaras.

Me observa como si estuviera viendo arder mis neuronas y yo me encojo ante su penetrante mirada.

—Debería haberlo sabido —dice mientras una sonrisa se insinúa ligeramente en sus labios y luego se desvanece.

Me muerdo el interior de la mejilla y mantengo los ojos fijos en el suelo. Algo en su voz me pone la carne de gallina, pero es imposible que lo sepa...

—Oye —dice Erik—, lo entiendo. Pero hay algo que deberías considerar. Yo tengo más recursos a mi disposición y cierto valor para la Corporación. Él no. Conseguirás que lo maten.

Trago saliva y alzo la mirada hacia sus inquisitivos ojos.

—¿Es lo mejor que se te ocurre?

—No estoy tratando de convencerte para que vuelvas conmigo —responde, bajando la voz—. Conozco a Jost mejor de lo que crees. No quiero que nadie resulte herido.

—Es muy considerado de tu parte —murmuro.

—Piensa lo que quieras —dice él. Hemos llegado a la puerta del ascensor metálico. Erik alarga la mano, pulsa el botón de subida y cuando la puerta se abre, la sujeta. Entramos. Mientras la puerta del ascensor se desliza para cerrarse, se inclina hacia mí. Puedo sentir su aliento cálido detrás de mi oreja.

—¿Recuerdas lo que te dije aquella noche en el baile?

Sus palabras descienden hormigueantes por mi oído y mi cuello, pero logro asentir con la cabeza.

—¿Te acuerdas de lo del plan? Pues si por fin tienes uno, es el momento de ponerlo en práctica.

El hormigueo se transforma en corriente eléctrica y noto cómo se me acelera el pulso como loco en el pecho, las muñecas, los oídos.

—No tengo ninguno —susurro.

—Entonces invéntatelo —añade Erik sobre mi pelo.

Permanece un rato en esa postura y cierro los ojos, preguntándome si aquel beso no significó en verdad nada para mí. Suena la campanilla del ascensor y las puertas se abren de golpe. A mi lado, Erik se endereza y extiende el brazo para sujetar la puerta corrediza —protegiéndome— mientras cruzo el umbral.

DIECINUEVE

Las hebras de luz que se entrelazan en el vacío me fascinan. He encontrado la grieta en la pantalla de Loricel y la he abierto. Mantengo el brazo derecho pegado al cuerpo y mis dedos ansían estirarse y descubrir el tacto del grueso y áspero tejido. Me obligo a mantener las manos alejadas de la brecha. Esta habitación ubicada en una apartada torre, donde podemos convocar cualquier lugar de Arras ante nosotras, es el único lugar que parece real.

—Podrías permanecer ahí para siempre —dice Loricel a mi espalda.

El taller estaba vacío cuando llegué, pero sabía que ella no tardaría en regresar. Ahora que ha vuelto, me habría gustado disponer de más tiempo para contemplar la fisura en solitario. De haber sido así, tal vez habría cruzado la línea y tocado la tosca materia prima que se hincha entre la Tierra y Arras.

Loricel se coloca junto a mí.

—Es difícil de entender, ¿verdad?

—Lo veo —digo yo—, pero parece otra ilusión... Tengo ganas de tocarlo.

—Como si tus manos se sintieran físicamente atraídas hacia ello —añade.

—¿A ti también te sucede?

—Sí.

—¿Lo has tocado?

—No —su voz refleja la firmeza de la resignación—. Supongo que no quiero saber lo que sucede. Mientras no lo toque, existen varias posibilidades. Tal vez su poder sea mayor que el mío, o tal vez pudiera manipular la materia prima como hago con el tejido de Arras. No sé cuál de las dos opciones prefiero, así que mantengo los dedos alejados.

—¿Cuándo lo viste por primera vez? —pregunto.

—Kinsey, mi predecesora, me lo mostró —responde, ladeando la cabeza y mirándome con los ojos entrecerrados.

—¿Y todos estos años? Nunca...

—Tal vez soy una cobarde.

—No —sacudo la cabeza—. Es más duro no tocarlo. Yo lo deseo intensamente. Es una compulsión. Admiro tu capacidad para contenerte durante tanto tiempo.

Loricel resopla.

—Tal vez lo haga antes de morir.

Lanzo un hondo suspiro y me dispongo a cerrar la brecha. Me arden las yemas de los dedos cuando están a punto de rozar la materia prima mientras reparo el agujero; es la sensación más intensa que he notado en ellas durante semanas.

—¿Lo sientes? —pregunta Loricel.

—Late. Tiene fuerza —respondo en voz baja.

—Porque está lleno de vida —dice ella—. Sé que te resulta difícil de aceptar.

—¿Cómo cierras los ojos una vez que los has abierto? —le pregunto, ansiosa por descubrir cómo se ha contenido a lo largo de los años.

—Igual que haces por la noche —me explica—. Trabajas en el telar hasta que estás demasiado cansada para continuar y entonces tus ojos se cierran de forma natural.

—¿Por eso rechazaste la renovación?

—Sí, y sé que debe de parecerte increíblemente injusto. Que yo me marche y te deje a cargo, pero...

—No tienes que justificarte —la interrumpo. Incluso ahora siento la carga del tejido primario sobre mí, así que no puedo ni imaginar lo que será para ella.

—No podría dejarlo —continúa— sin tener una verdadera maestra de crewel que continuara mi trabajo. Adelice, debes conocer mis sentimientos hacia la Corporación. Hacia Cormac, Maela y sus marionetas. Pero esa pulsión que sientes, esa corriente eléctrica, no tiene nada que ver con ellos.

Mientras Loricel habla, noto piquetes en los dedos que me recuerdan cuánto deseo tocar la materia prima, pero lucho con todas mis fuerzas para empujar esa sensación hacia lo más profundo de mi ser.

—Nosotras no hacemos esto para ellos.

—No —confirma—. Lo hacemos a pesar de ellos.

—¿Seguirán vigilándome? —pregunto.

—A mí no dejaron de controlarme hasta que tuve setenta años —responde ella—. Cormac tiene muchos defectos, pero fue el primero en darse cuenta de que yo no suponía una amenaza para Arras.

—Supongo que me queda una larga espera.

Cincuenta y cuatro años.

Loricel abre la boca, pero cierra de nuevo sus labios marchitos.

—¿Qué sucede? —pregunto, escrutando la habitación—. ¿Nos están vigilando ahora?

—Las ilusiones de esta habitación son demasiado complejas para rastrearlas.

De repente comprendo que no está segura de si debería contarme toda la verdad, porque tal vez me resulte demasiado duro vivir con ello. Loricel tiene que asegurarse de que Arras dispone de una maestra de crewel antes de su muerte, y si yo me marcho, será imposible.

—Tienes que entender mi dilema —dice por fin—. Este mundo es toda mi vida. Le he entregado todo.

—Creo que sé a lo que te refieres —respondo.

—Ojalá pudieras. Pero hasta que no has entregado tu vida, luchado contra la naturaleza humana y manipulado la materia durante décadas, es imposible. Sería pedir demasiado a una persona —las arrugas de su rostro se vuelven más profundas mientras habla, como si el peso de los años tirara de su piel.

—Pero si yo no...

—Entonces se desvanecerá.

Mis ojos se quedan fijos en el suelo y respiro hondo para tomar fuerzas.

—Entonces, ¿no te quedarás, aunque yo me vaya?

—No —me confirma—. Mi momento ha pasado. Ahora te toca a ti. Por supuesto, espero que te quedes. Creo que sientes la pulsión y comprendes su importancia.

—¿Cuánto tiempo sobreviviría Arras sin una maestra de crewel?

—Disponen de suficiente material almacenado para una década. Tal vez —responde—. Pero sería un caos, un apocalipsis prolongado. Y para entonces Cormac estará a cargo.

—¿Del coventri? —pregunto—. Él actúa como si ya fuera así.

—Ahora supervisa el coventri, pero no tardará en ser elegido primer ministro de Arras.

—Controlará todo —susurro.

—Excepto a ti. Si te quedas.

Tomo asiento en un diván de terciopelo, asimilando esta revelación.

—Bueno, no tienes por qué preocuparte. Mi hermana está aquí. No la abandonaré.

—Ese es el problema —dice Loricel—. Quiero que tomes una decisión meditada. ¿Conoces la nueva técnica de reprogramado?

—Hablaron de ella en el discurso del estado de la Corporación. El otro día me cartografiaron el cerebro —le cuento.

—Cormac nos ha cartografiado a todas...

—¿Incluso a ti?

Asiente con la cabeza.

—Asegura que están intentando descubrir por qué algunas niñas tienen la capacidad de ver y tocar el tejido y otras no. Él está especialmente interesado en saber por qué la mayoría de los hombres no pueden verlo.

—¿La mayoría? —recuerdo que ella piensa que algunos hombres podrían ser capaces de tejer.

—La mayoría no puede. Existen rumores de departamentos en los que los hombres manipulan el tejido, pero la Corporación siempre lo niega.

—¿Tú crees que los hay? —pregunto, mientras advierto que finalmente el relato me ha atrapado.

—Sin duda. El coventri es simplemente la cara visible de la Corporación. Lo que nosotras hacemos es importante, pero hay muchos más trabajando.

Me cuesta imaginar a alguien más poderoso que Loricel.

—¿Más importantes que tú?

—Mi habilidad, nuestra habilidad —se corrige—, es necesaria para aprovechar las actuales materias primas. De otro modo, Arras se resquebrajaría y se desmoronaría desde dentro. Además, necesitan a las hilanderas para los añadidos y el mantenimiento, pero nuestra valía acaba ahí.

—Pero aun así nos necesitan —solo en el Coventri Oeste cien chicas y mujeres trabajan por turnos durante todo el día. No hay manera de que Arras sobrevivira sin las hilanderas.

—Sí, pero si pudieran imitar nuestra destreza, ya no sería así.

—Por eso me están cartografiando el cerebro —susurro.

—Todavía no lo han conseguido —dice ella—, pero el ritmo al que están desarrollando las técnicas de manipulación me preocupa. No tardarán mucho.

—No puedo permitir que me cartografíen de nuevo —exclamo, cerrando el puño sobre mi regazo.

—No te pedirán permiso —responde ella con una sonrisa irónica—. Además, ya tienen programada tu próxima cita.

—¿Ahora Cormac se comunica a través de ti?

—No, mi tarea es mentirte. Cormac supone que no te diré la verdad, ya que piensa que antepondré Arras a ti —hace una pausa y estudia mi rostro un instante—. Porque hasta ahora siempre lo había hecho.

—¿Siempre? —pregunto.

—No me corresponde decidir por ti, sobre todo si tengo en cuenta lo que tienen planeado —Loricel baja los ojos al suelo y cuando los alza de nuevo, fija la mirada en mí y en las paredes del taller.

—No es necesario que me digas lo que tienen preparado —le digo—. Soy más inteligente de lo que parezco.

Se ríe, pero el regocijo desaparece por completo de su rostro.

—Van a cartografiarte de nuevo cuando acudas a la evaluación —sus palabras suenan apresuradas, como si les hubiera resultado difícil escapar.

—Entiendo —murmuro.

—No, no lo entiendes —añade a toda prisa—. Luego planean reprogramarte.

Pienso en las mezquinas mujeres que acudieron al baile del estado de la Corporación, emocionadas ante la posibilidad de reprogramar a sus hijos; estaban entusiasmadas de volverlos más obedientes. Contengo el grito de enfado que amenaza con abandonar mi garganta, y que seguramente alertaría al guardia. *¿Cómo se atreven?*

—Pueden estudiarme todo lo que quieran —exclamo.

—Al final encontrarán la respuesta...

—Y entonces por fin podrán matarme —el corazón ya no me da un vuelco cuando hablo de mi propia muerte. Su inevitabilidad es otra realidad de mi nueva vida aquí. Supongo que me estoy adaptando bien a la idea.

—Tal vez, pero tendrán que reprogramarte primero, para volverte dócil.

—No creo que avancen tanto como para conseguir que sea *dócil* —pronuncio la última palabra con intensa rabia.

—Ya viste lo lejos que Cormac estuvo dispuesto a llegar con Enora —dice Loricel.

—¿Por qué crees que Enora fue la primera en la que probaron el reprogramado? ¿Por su relación con Valery? —conjeturo.

—La condena de su relación fue una treta —dice Loricel—. Les proporcionó una excusa sencilla para experimentar con ella.

—¿Sabía ella lo que planeaban hacerle? —pregunto.

—Lo ignoro. Se la llevaron por la noche y no me lo notificaron.

Siempre acuden por la noche.

Aunque gran parte de lo que Loricel me está contando es mera conjetura, hay un amargo regusto de verdad en todo ello. Será mejor que me prepare.

—¿Cuánto tiempo tengo?

—Aún están realizando pruebas —me asegura—. Para serte sincera, el suicidio de Enora los ha puesto nerviosos. A Cormac le preocupa que tú también te vuelvas inestable.

—¿Cuánto tiempo?

—Una semana —responde ella—, como mucho.

Me pongo en pie, me acerco a la pared y deslizo los dedos sobre la apacible vista del océano en calma. Al tocarla, la imagen ondea, se distorsiona y se enfoca de nuevo. Sigue siendo la misma panorámica, pero ahora con una sombra donde mi mano la interrumpió.

—No hay ningún sitio donde escapar —le digo.

—Lo sé.

—Enora lo sabía —me vuelvo para mirarla—. Por eso se suicidó.

Loricel suspira.

—Enora estaba confundida, Adelice.

—Porque jugaron con ella —exclamo, sacudiendo la cabeza—. Estaba perdida. Lo noté la última vez que hablamos, pero no sabía lo que le habían hecho.

—No habrías podido evitarlo —asegura Loricel.

—Sí habría podido. Me he estado enfrentando a ellos desde que llegaron a mi casa. Si hubiera accedido a venir de buena gana, mis padres seguirían vivos y Amie se encontraría a salvo. No se habría descubierto el secreto de Enora y Valery. Ella y Valery...

—Estarían viviendo una vida a medias —me interrumpe Loricel—. No sobrestimes tu culpabilidad. La muerte es el único escape que tenemos.

—Pero eso es lo que no entiendo —admito—. Maela me dijo que no había forma de escapar, ni siquiera con la muerte.

Loricel aprieta los labios.

—Ignoro a qué se refería Maela exactamente. Su ambición la ha convertido en una mujer poderosa y por ello, sabe mucho más que el resto de nosotras sobre las actividades secretas de la Corporación.

—¿Qué sucede con las personas que mueren antes de que sus hebras sean extraídas?

—Ocurre tan pocas veces...

—Pero ocurre —insisto.

—De vez en cuando. En esas ocasiones, retiramos los restos del hilo —me explica.

—¿Los restos? —recuerdo los cabos fuertemente enlazados que forman cada hilo.

—Cuando alguien muere antes de que la solicitud de extracción se complete, parte de su hebra... —Loricel hace una pausa y me mira a los ojos— desaparece.

Un escalofrío me recorre todo el cuerpo.

—¿Dónde va?

—No están seguros. Por eso se esmeran tanto en retirar ellos mismos las hebras débiles. Y por eso capturan a los enemigos o los arrancan del tejido directamente. La Corporación quiere controlar las hebras que se retiran.

Miles de preguntas se amontonan en mi mente, amenazando con derramarse todas a la vez. Son muchos asuntos que considerar —conspiraciones y reprogramado—. Respiro hondo y decido qué pregunta hacer primero, antes que las demás.

—¿Por qué les preocupa lo que les suceda a los hilos retirados?

Loricel se encoge de hombros.

—No lo sé.

—Entonces, ¿a quién le preocupa lo que ocurre con las partes que desaparecen?

—Cuando yo llegué al coventri, no se realizaban extracciones preventivas. Simplemente arreglábamos el tejido y retirábamos los restos. Hace unos cincuenta años, eso cambió —me explica.

—¿Qué piensas que sucedió? —pregunto. No sé si creerme todo lo que Loricel me contó sobre la Tierra y el origen de Arras, pero aun así, ella sabe más que nadie.

—Creo que parte del hilo que desaparece regresa a Arras.

—¿Al tejido? Pero ¿no nos proporcionaría eso nueva materia prima? —pregunto.

—En teoría —su voz adquiere un toque de desconfianza—, podría reforzar Arras.

—Entonces, ¿por qué retirarlos de manera preventiva? ¿Por qué no aprovecharlos?

—La Corporación no confía en lo que no comprende. Permitir la marcha de esas personas es un acto de fe que no son capaces de realizar.

Sé que tiene razón, pero sigo sin comprender los motivos exactos de la Corporación para realizar extracciones preventivas, y creo que Loricel tampoco. Se trata de algo más que control.

—No entiendo por qué no nos hablan de la Tierra o de los restos de las hebras. Tiene que haber alguna razón por la que quieran mantenernos en la ignorancia. Incluso tú has considerado que era suficientemente importante como para contármelo —señalo.

—Algunas cosas no deberían olvidarse.

—Los recuerdos nunca son inútiles —añado, recordando la sonrisa reposada y sabia de mi madre cada vez que me decía estas mismas palabras cuando era una niña. Deslizo los dedos sobre la marca de mi muñeca.

—Es importante que entiendas de dónde venimos, Adelice. Especialmente si vas a ayudar en las tareas de prospección —continúa ella—. Los recursos de la Tierra no pueden durar para siempre, sobre todo si la Corporación trata de sacarlos sin el apoyo de una maestra de crewel. Pero nada les impedirá intentarlo, aunque no tengan a nadie capaz de ver las materias primas.

—Espera, si estamos extrayendo el material de la superficie —exclamo con los ojos muy abiertos—, entonces ¡la Tierra está congelada!

Loricel ladea la cabeza y me mira pensativa.

—Así que has descubierto la distorsión.

Distorsión —es la palabra perfecta para definirlo—. Los instantes que creé en mi habitación no estaban congelados, sino distorsionados. Respiro hondo y le revelo mi secreto: que soy capaz de manipular las hebras del tiempo sin un telar. Le cuento incluso lo de los momentos paralelos que tejí, pero dejando a Jost fuera de la historia.

—Sí —afirma Loricel—. Sabía que podías hacerlo, pero no tenía ni idea de que lo hubieras *descubierto.*

—Fue cuestión de suerte —confieso. Instantaneamente retrocedo a los instantes robados que he compartido con Jost en mi habitación. Aparto la mirada para que no perciba mi rubor.

—¿Empiezas con la mano izquierda? —me pregunta.

Hago una pausa y medito su pregunta.

—Sinceramente, no lo sé. En el telar nos enseñaron a empezar a trabajar con la derecha, así que creo que no. ¿Hay alguna diferencia?

—Tú eres zurda —dice ella—. Las maestras de crewel siempre lo son. De ese modo el avance continuo del tiempo no limita nuestros movimientos. Es lo que nos ayuda a atraparlo.

—¿Debería utilizar siempre la mano izquierda? —pregunto, flexionando los dedos de esa mano y contemplándolos con asombro.

—No —Loricel sacude la cabeza—. Es muy poderoso. Hasta que hayas perfeccionado tu destreza resulta mucho más seguro distorsionar con la mano derecha, o con ambas manos al mismo tiempo. El hecho de que puedas distorsionar sin empezar con la mano izquierda es impresionante. Pero ten cuidado.

—De acuerdo —digo, respirando hondo.

—Hay algo más que debes comprender sobre la distorsión —me explica, alzando una mano en señal de advertencia—. Es cierto que detiene el tiempo a tu alrededor, pero también te ubica en una nueva línea temporal. Dentro de la distorsión, puedes vivir una vida entera.

—¿Puedo morir dentro de ella? —pregunto. ¿Qué sería mejor, consumirme poco a poco junto a Jost o un reprogramado rápido e indoloro? De todos modos, acabaría muerta.

—Sí.

—¿Y moriría en todos los planos, en la distorsión y en el mundo real?

—Sí —responde Loricel con rotundidad.

—Pero el mundo exterior —me mordisqueo el labio al concentrarme— se queda detenido en ese instante.

—Eso es lo que debes comprender —dice Loricel, inclinándose hacia mí—. Solo está detenido el instante donde has agarrado el tiempo. Esencialmente has creado un campo de seguridad. A su alrededor, el tiempo y la materia permanecen congelados y nadie puede acceder a él. Pero solo en la zona inmediata al lugar en el que has distorsionado el tejido.

—Fuera de ahí, ¿el tiempo sigue avanzando?

—Sí. Y al final la Corporación lograría atravesar la distorsión, aunque tardarían un tiempo.

Es una advertencia para no confiar en exceso en mi pequeña burbuja de felicidad. Solo puede protegerme durante cierto tiempo, y sin duda no lo suficiente para que suponga una diferencia.

—¿Es posible retroceder por la línea temporal de la distorsión? —pregunto con la voz llena de esperanza.

—Ya conoces la respuesta —responde, mientras sacude la cabeza con tristeza—. Es imposible regresar al pasado. Podemos recoger el tiempo y detenerlo en los yacimientos mineros, pero las líneas temporales siempre avanzan hacia delante.

—Entonces, ¿la Tierra? —me apresuro a decir.

Se recuesta sobre su asiento y junta las manos sobre su regazo.

—Hay puntos muertos en las zonas mineras donde se encuentran los coventris. Ahí es donde capturamos el tiempo y los elementos para Arras. Las taladradoras crean en esos lugares distorsiones que congelan la Tierra en torno a ellas.

—Pero fuera de las zonas distorsionadas, ¿sigue intacta? ¡Podría haber personas todavía!

—Lo dudo —responde con cierta tristeza—. Las únicas personas que quedaron en la Tierra estaban empeñadas en su destrucción.

Frunzo el ceño y contemplo cómo se extiende Arras a mi alrededor en la ilusión de la pared. ¿Qué hay debajo?

—Sabes, le prometí a Enora que no le contaría a nadie que puedo tejer sin telar —le confieso.

Loricel me regala una sonrisa desconsolada.

—Te estaba protegiendo. Sabía que te señalaría como maestra de crewel, pero deberías haber sabido que la Corporación estaba al tanto de tu talento.

—No quería preocuparla —admito—. Y creí que si fingía no poder hacerlo, tal vez ellos pensarían que habían cometido un error.

—Tu mentora actuó lo mejor que pudo dada la situación, igual que tú.

La bondadosa y protectora Enora. Solo una cosa de las que he descubierto hoy me consuela.

—Entonces, Enora —digo lentamente— fue reabsorbida por el tejido.

—Parte de ella sí —responde Loricel.

Una parte de Enora escapó. Este pensamiento me anima a sonreír.

—Adelice —continúa Loricel, interrumpiendo mis pensamientos—, te dijo Enora algo antes de...

—No —me concentro en el recuerdo de nuestro último encuentro, repasando mentalmente la conversación—. No obstante, actuó de forma extraña. Me di cuenta de que algo había cambiado.

—Cormac está obsesionado con la razón que la empujó a hacerlo —confiesa Loricel—. No puede confirmar si el suicidio lo provocó el reprogramado o la culpa que sentía por su relación con Valery.

—¿Por eso extrajeron a Valery?

—Cormac estaba furioso —me explica—. El reprogramado debería haber cambiado la personalidad de Enora, pero Valery logró llegar hasta ella. Cormac la culpó de la confusión de Enora, aunque no está seguro de qué fue lo que provocó su reacción.

—Entonces Pryana se los contó —es la única manera de que Cormac se enterara de que Valery se había acercado a Enora después del reprogramado. Su mirada petulante durante la cena me debería haber avisado—. Supongo que la venganza es más importante que la vida de una persona.

—Tampoco pases por alto el poder que tienen las obsesiones. Si esa chica fue educada para convertirse en una candidata ideal, probablemente se haya tragado todas las tonterías que la Corporación les vende a los ciudadanos —sugiere Loricel.

—Eso ya no importa —digo yo—. Pryana y Valery fueron simples peones en manos de Cormac y Maela. Ellos le hicieron esto a Enora —*y pagarán por ello,* añado en silencio.

Loricel se inclina hacia delante y toma mi mano.

—Es imposible saber exactamente lo que sucedió porque no hemos encontrado ninguna prueba. Ni una nota. Ni un diario. Nada.

—Estás insinuando que alguien más...

—No —exclama—, Enora se quitó ella misma la vida. Su cartografiado inicial mostró que se encontraba inmersa en un conflicto, sus pensamientos estaban desequilibrados, pero ninguna de sus respuestas insinuó tendencias suicidas.

—Claro —respondo, soltando la mano de Loricel—. Estaba viviendo una mentira.

—Tal vez, pero, por desgracia, no dejó nada. No podemos preguntar a Valery, así que si no te contó nada a ti —Loricel hace una pausa intencionada, como si esperara que la contradijera—, nunca lo sabremos.

Aunque le esté diciendo la verdad, la mirada de Loricel es tan penetrante que empiezo a sentirme culpable. Me recuesto sobre el diván y aprieto los labios, tratando de pensar una manera de cambiar de tema.

—Entonces, ¿me vas a instruir? —pregunto.

—Tú no necesitas instrucción —responde ella.

—Pero tú dijiste...

—Estaba ganando tiempo a tu favor —su profunda mirada se tiñe de exasperación.

Solo hace que me sienta peor. Loricel está dándolo todo por Arras, pero yo soy tan egoísta que ella ni siquiera espera que me sacrifique. Lo único que se me ocurre decir es gracias.

—Ahora vete a emplearlo —exclama, ahuyentándome del taller.

Salgo de la torre y paso junto al guardia. Me mira con atención, del modo en que los hombres observan a un alfeñique. Lo último que necesito es que me pida un escolta.

—Loricel me ha enviado a buscar algo en los talleres inferiores —miento.

Por la manera en que entrecierra los ojos, estoy segura de que no me cree, pero me deja ir.

Vuelvo a toda prisa a mi habitación antes de que alguien pueda alcanzarme. Tal vez Loricel piense que Cormac no es responsable de la muerte de Enora, pero yo vi lo que le hizo. Aunque se sintiera atrapada aquí, no estaba desesperada. Parecía feliz escogiendo obsesivamente cada conjunto que yo me ponía, incluidos los zapatos. Y se mostraba tan protectora conmigo. Se preocupaba demasiado por mí como para abandonarme sin más. Incluso se molestó en conseguirme un digiarchivo cuando hice el viaje por Arras, y me advirtió sobre Erik.

¡El digiarchivo!

De repente el ascensor parece reducir la velocidad y los botones de cada planta se iluminan en cámara lenta. Quedan cinco. Cuatro. ¡Odio vivir tan arriba! En cuanto las puertas se abren, salgo como un rayo. El digiarchivo descansa seguro bajo mi almohada; lo tomo.

Deslizo los dedos por la pantalla y abro frenéticamente carpetas y programas. Hay juegos. Catálogos. Una aplicación que me conecta con la programación diaria del tiempo en cada sector. No hay nada. Fue solo un regalo.

Resulta estúpido sentirse tan decepcionada. La insistencia de Loricel me empujó a creer que Enora se preocupaba lo suficiente para —no sé— explicarme por qué, o al menos despedirse o algo así.

—No puede ser —murmuro. Erik y Jost se sorprendieron tanto al verme con esta cosa durante el viaje; eso debe significar algo. Ojalá pudiera acudir a Jost en este instante y preguntarle por qué actuaron de aquel modo, pero eso llamaría la atención.

Tomo de nuevo el digiarchivo y empiezo a rebuscar entre los programas con más detenimiento. «Programa de meteorología».

Recuerdo la primera vez que vi a Enora, cuando me atrapó tejiendo una tormenta. Al repasar la aplicación, encuentro un archivo denominado «Precipitaciones». El resto del programa está organizado por fecha y mes. Pulso sobre el archivo y espero a que se cargue, con el corazón desbocado ante la posibilidad de encontrar respuestas o información. Aunque sea una simple despedida.

Adentro hay otro archivo identificado como «Tormenta». Lo abro y aparecen una docena de archivos menores. El primero indica: «Para Adelice».

VEINTE

Saco todos los trajes del armario y los cuelgo en la puerta del baño. El digiarchivo entra en la mayoría de los diminutos bolsillos de las chaquetas, pero algunos tengo que deshilvanarlos. A partir de ahora llevaré encima este pequeño aparato, cueste lo que cueste. Para mayor seguridad le cambié el nombre a la nota de Enora. Al menos ahora sé por dónde empezar, aunque no tenga nada más claro.

El digiarchivo contiene información que podría conducirme a la muerte. Mapas. Sistemas de rastreo. Sin embargo, es la nota de Enora lo que arde en mi mente. Creo que podría soportar que descubrieran todo lo que contienen los archivos, excepto esa nota. Es demasiado personal. Pero, a pesar de haberla leído tantas veces que la he memorizado, soy incapaz de borrarla. La escucho una y otra vez dentro de mi cabeza en la suave voz de Enora. Sus palabras escritas suenan tanto a ella que, al leerlas, siento el mismo dolor que si me estuviera rompiendo en pedazos.

Querida Adelice:

Si tropiezas con este archivo por casualidad, ciérralo. Nada de lo que contiene te hará ningún bien, y ¡ya sabes que no me gusta que te metas en líos!

Pero si estabas buscándolo, significa que te encuentras preparada para obtener respuestas. Supongo que habrás acudido a mí en persona. Así que, en primer lugar, siento haberte abandonado. Ojalá pudiera demostrarte que luché por quedarme. Supongo que eso ya no importa, pero ahora que yo no estoy, la única persona en la que puedes confiar es Loricel. Por favor, ten por seguro que te ayudará cuando lo necesites.

Una vez dicho esto, hay respuestas que has estado buscando y que deberías encontrar por ti misma. Te he facilitado todo lo que he podido para ayudarte en esa tarea, pero protege estos archivos o me temo que irán por ti.

Y por último, Adelice, no estés triste por mí. Soy libre, y mi más sincero deseo es que tú también lo seas. Esa es la razón por la que te he protegido con todas mis fuerzas, y por la que ahora te entrego esto. Eres inteligente. Si te mantienes alerta y confías en tu instinto, todo saldrá bien. Y no olvides quién eres.

Con cariño,

Enora

Sus palabras me ofrecen poco consuelo, pero me dan esperanza. Elijo un traje color lavanda como atuendo para la cena, y cuando estoy deslizándome dentro de la ajustada falda, alguien llama a la puerta. Después de embutirme en la chaqueta, escondo el digiarchivo en el bolsillo izquierdo, justo debajo del corazón.

Cormac está en la puerta, lo que no puede significar nada bueno.

—Adelante —intento que no me tiemble la voz, pero no lo consigo. Suelto una risita nerviosa con la esperanza de parecerme a las histéricas y atemorizadas chicas que formaban mi cohorte. Aunque tal vez sea un poco tarde para convertirme en fanática suya.

Entra sin decir una palabra, deambula por la habitación y se detiene para toquetear los trajes que cuelgan de la puerta.

—¿Estás haciendo el equipaje?

—No —contesto, recogiendo las prendas para meterlas de nuevo en el armario—. Me gusta planificar lo que me voy a poner durante la semana.

—¿En miércoles? —pregunta, poniéndome en evidencia.

Coloco los trajes con los demás vestidos y cierro las puertas del armario de golpe. Respiro hondo y me giro para encararme con él.

—¿Puedo ayudarte en algo?

—No —dice encogiéndose de hombros—. Se me ocurrió que nunca había visto tu habitación.

—Pues aquí está.

—Impresionante lo que la tecnología puede lograr —murmura—. ¿Sabías que cada habitación de la torre alta está tejida según los gustos de la tejedora a la que ha sido asignada? Requiere mucho tiempo hacerlo, pero queremos que estén contentas.

—Me encanta mi habitación —le digo, y es verdad. Esta acogedora estancia con enormes y mullidos cojines es mi hogar. Es el primer espacio que he tenido para mí sola en toda mi vida. Pero lo cambiaría sin dudarlo por el pequeño dormitorio que compartía con Amie.

—Es agradable —afirma, mirando a su alrededor—. Aunque no es exactamente de mi estilo. Yo me inclino por una decoración más moderna.

Vaga por la habitación hasta que se sienta al borde de la cama; anoto mentalmente pedir sábanas limpias en cuanto se vaya.

—¿Puedo ofrecerte algo? —pregunto.

—Un Martini. Solo.

Repito sus palabras en el panel comunicador —sin tener ni idea de lo que es un Martini solo— y me aseguro de que el personal de cocina se entere de que es para Cormac. Luego espero junto a la puerta a que lo traigan. Llega con la rapidez habitual en todo lo que está destinado a un oficial, y dejo que el mayordomo se lo entregue.

Tomo asiento en una silla junto a la chimenea y empiezo a contar cada vez que inhalo y exhalo. Llego a veinte antes de que Cormac diga algo.

—Sin duda Loricel te advertiría sobre nuestra intención de reprogramarte —dice Cormac, pero no espera a que se lo confirme—. Quiero que sepas que existen otras opciones.

—¿A qué precio? —pregunto, manteniendo los ojos al mismo nivel que los suyos.

—Eso es lo que me encanta de ti, que eres pura eficiencia.

Algo en su manera de decir «me encanta» me aplasta contra la silla, pero mantengo la boca cerrada.

—La Corporación necesita asegurarse de que puede contar contigo para servir al pueblo de Arras —dice, colocando el vaso sobre la bandeja—. Ahora mismo tu lealtad es discutible.

—No he hecho nada que los incite a cuestionarme —el tono de mi voz lo anima a contradecirme.

—Huiste —me recuerda.

—Mis padres me obligaron a escapar y estaba lo suficientemente asustada como para escucharlos.

—Entonces, si no hubiera sido por ellos, ¿habrías venido sin más y habrías sido una buena chica? —me pregunta con una mueca.

—Supongo que nunca lo sabremos —es verdad que no acudí inmediatamente a abrir la puerta cuando vinieron, porque esperaba que mi padre lo hiciera. Pensé que llorarían y que yo me sentiría asustada, pero mi intención era marcharme con el escuadrón de recogida. En mi mente no existía ninguna otra opción, hasta que me empujaron hacia el túnel.

—Nunca has sido como las demás —dice Cormac, poniéndose en pie y acercándose al fuego, a unos pasos de mi asiento. Se apoya en la repisa de la chimenea y se cierne sobre mí; yo me encojo aún más en la silla.

—Entonces, ¿cómo demuestro mi fidelidad? —pregunto. O al menos, ¿cómo gano algo de tiempo?

—¿Sabes ya por qué la maestra de crewel es imprescindible para la continuidad de Arras? —pregunta.

Me confunde este repentino cambio de conversación, pero repito mecánicamente lo que Enora y Loricel me han enseñado.

Cormac alza una mano para interrumpir mi discurso.

—Sí, eso es lo que hace una maestra de crewel, pero por qué la necesitamos es algo completamente distinto.

—Para proteger a los inocentes —murmuro.

—Sí, pero ese concepto resulta vago para alguien tan joven como tú, que no ha sufrido una verdadera tragedia —dice él.

Mis padres. Enora. Mi hermana convertida en una extraña. ¿Cómo puede insinuar que no sé lo que es una tragedia?

Observa mi reacción, pero como no respondo, se humedece los labios con la lengua y continúa.

—Crees saber lo que significa perder a alguien, pero antes de que existieran Arras y la Corporación de las Doce, las guerras cubrían la Tierra de sangre. Generaciones enteras de hombres jóvenes murieron para que otros hombres pudieran incrementar su poder.

Me muerdo la lengua y lo miro. Loricel ya me ha contado todo esto, pero para mi asombro, me doy cuenta de que Cormac cree en lo que está diciendo. Como si él fuera diferente de aquellos malvados hombres.

—Los dictadores asesinaban a mujeres y niños por tener un color de piel distinto o diferentes creencias —hace una pausa y se acerca un paso más a mi silla—. Porque no teníamos la capacidad de controlar la paz.

Control —la palabra que me obsesiona—. Esa es la verdadera diferencia entre la Tierra y Arras. Los hombres como Cormac pueden eliminar problemas, alborotadores y diferencias con mucha mayor eficacia que nuestros antepasados de la Tierra.

—¿Y tus decisiones son mejores que las suyas? —pregunto, agarrando con fuerza los brazos de la silla.

—Mis decisiones pretenden el bien de la mayoría —afirma Cormac, pero sus ojos brillan y cambia de táctica—. En Arras, garantizamos la distribución de alimentos y que todo el mundo disponga de ellos. No hay peligro de hambruna. Controlamos el tiempo meteorológico y evitamos las consecuencias negativas de la escasez de agua, además de los riesgos que conllevan unas condiciones climáticas desordenadas. En el pasado, la humanidad sufría los caprichos de la naturaleza, pero ahora la naturaleza nos sirve a nosotros.

—Tal vez existe algún propósito en el orden natural de las cosas —digo en voz baja, pero él me ignora.

—Las familias no asisten al deterioro de sus seres queridos y los individuos se han librado del temor a una muerte inespera-da —continúa—. La tecnología de la renovación nos permite curar la mayoría de las enfermedades graves...

—¿Y las que no se curan?

—En ese caso, mitigamos el dolor de nuestros ciudadanos —responde rápidamente.

—Querrás decir que los asesinan —le acuso.

—Los extraemos del plano consciente donde existirían con dolor. Hemos racionalizado las cargas de la vejez.

Siento dolor en la mano que mi abuela agarró con fuerza, y sacudo la cabeza ante sus mentiras. Es imposible que Cormac sea más joven que ella en aquel momento. Lo que a la Corpora-ción le interesa es eliminar la materia innecesaria del tejido.

—¿Has perdido a alguien? —pregunto.

—No de la misma manera que tú —admite—, por eso de-berías saber mejor que nadie el dolor que provoca una muerte inesperada.

—Una muerte inesperada —es una manera muy diplomá-tica de expresarlo—. Me refiero a si has perdido a alguien de una extracción —aclaro.

—*Extraer* no significa *perder*. Es controlar —le tiemblan los músculos de la mandíbula. Le gusta demasiado esa palabra—. Y sí, mis padres y mi esposa fueron extraídos.

—¿Tu esposa? —pregunto con voz ahogada. Cormac Patton: el soltero de oro. Imaginarle manteniendo una rela-ción estable con una mujer resulta incomprensible.

—Me casé cuando era muy joven —dice con indiferen-cia—. Como sabes, se espera que los ciudadanos formen unidades domésticas al alcanzar los dieciocho años. Yo no fui una excepción.

Salvo que él siempre ha sido una excepción. Aparece en la Continua con una chica distinta en cada evento de la Corporación. Es el tipo al que mi padre describía, medio en broma, como un cabrón con suerte cada vez que nos conectábamos a la cadena.

Trato de imaginar a la mujer con la que se casó. En mi mente aparece como una combinación entre Maela y una de las insulsas azafatas de las estaciones de transposición. Insulsa y malvada; el coctel perfecto para Cormac.

—¿Qué le ocurrió? —le pregunto.

—Enfermó antes de que la tecnología de la renovación pudiera aplicarse a ciertas dolencias psicológicas. Opté por no prolongar su sufrimiento —su voz suena indiferente, solo está exponiendo unos hechos. Sin embargo, los músculos de su mandíbula se tensan y las venas que llegan hasta sus hombros se ponen tirantes. Es algo de lo que prefiere no hablar, así que se convierte en el principal tema sobre el que me apetece discutir.

—Pero no se estaba muriendo —insisto con los labios temblorosos.

—No —afirma él—, pero no era un miembro productivo de Arras y su estado impedía que yo pudiera dedicar todos mis esfuerzos a servir a la Corporación.

Giro la cabeza, temerosa de que mis ojos dejen traslucir la abrasadora indignación que siento. Se libró de ella para promocionarse políticamente y disfrutar de las ventajas de ser un soltero viudo.

—Supongo que por eso coqueteas con tantas mujeres —añado con voz fría.

—Esa es la cuestión, Adelice. Que ha llegado el momento de volver a promocionar la unidad familiar en Arras —asegura, desplegando su sonrisa de político.

—No sabía que hubiera dejado de promocionarse —exclamo, pensando en los perfiles matrimoniales anunciados cada día en el *Boletín*. Yo tendría que estar acudiendo a citas de cortejo y buscando una pareja compatible. Este pensamiento me provoca un temblor en el pecho al imaginar la vida que nunca tendré.

Mi sarcasmo lo anima a continuar con la retórica.

—Nuestras leyes nos ayudan a proteger la familia, pero existe un número creciente de amenazas antinaturales a la tradicional dinámica familiar.

Como Enora.

—Contenemos estas peligrosas tendencias lo mejor que podemos, pero el hecho es que algunas de las mujeres descartadas en las pruebas se están negando a casarse a la edad que establece el reglamento. En el Sector Este, la tendencia se está expandiendo y los hombres jóvenes ni siquiera anuncian sus perfiles de matrimonio —me explica.

—¿Y se lo permiten? —pregunto sin ocultar mi sorpresa—. ¿Con los métodos tan persuasivos que la Corporación tiene a su disposición? —¿será esta la mancha de la que le oí hablar, o un mero síntoma de un descontento mayor?

—Para serte sincero, después de la broma pesada de Enora, me preocupa la seguridad de nuestros actuales métodos. Quizá el procedimiento le provocó algún daño. Los restos de su hebra apenas se mantenían unidos cuando los retiramos del tejido. Tal vez te sorprenda si te digo que no pretendemos reprogramar a toda la población femenina.

—Pero lo *harías,* ¿no es así? —lo acuso, notando cómo me hierve la sangre.

—Por supuesto, no hay nada que no haría por el bien de Arras —asegura, bajando los ojos hacia los míos—. Algún día lo entenderás. En este momento, eres incapaz de ver más allá de ti misma. Si las muchachas dejan de casarse, si, Arras nos libre, vivieran de forma independiente, no podremos protegerlas.

—Entonces, ¿tu intención es cuidar de las mujeres? —pregunto.

—Sí. Cuando las expectativas son claras, son fáciles de cumplir, pero al distorsionar las normas, fomentamos la discordia.

Me doy cuenta de que Cormac cree realmente en lo que está diciendo, pero yo he visto las consecuencias de esas estrictas normas. Mi madre, a la que negaron la autorización para tener más hijos; nuestros barrios escrupulosamente segregados; Enora tratando de vivir una mentira. ¿Es la desesperación callada el precio de la felicidad superficial?

—Tal vez no estén preparadas para casarse —sugiero—. Yo no lo estaría.

Cormac aprieta los labios y me observa un instante antes de responder.

—Siento escuchar eso, Adelice, porque la Corporación ha decidido que la mejor forma de enfrentarse a este asunto es proporcionar ejemplo a esas jóvenes.

—¿Qué tipo de ejemplo? —pregunto con voz firme.

—La Corporación ha logrado que, mediante el trato de favor y los privilegios proporcionados a las hilanderas —continúa—, la mayoría de las candidatas estén ansiosas de ser conducidas al coventri.

Siento mi propio pulso aporreándome los oídos, ahogando cualquier ruido ambiental. Solo se cuela la voz suave y estudiada de Cormac, como un programa de la Continua que estoy obligada a ver.

—Por lo tanto tiene sentido ofrecer a las jóvenes un ejemplo de perfecta armonía doméstica. Lo promocionaremos del mismo modo que hacemos con el coventri: asegurando que estar casada es disfrutar de una vida de privilegios. Y utilizaremos a alguien del coventri como ejemplo.

—Pero las tejedoras no pueden... —me resulta demasiado violento para decirlo en voz alta.

—¿Consumar la relación? —pregunta con una sonrisita en los labios.

Asiento ligeramente con la cabeza, pero manteniendo los ojos en mis pies.

—Tú no eres tonta —dice con un toque de fastidio—. No es posible que te hayas creído todo lo de los estándares de pureza.

—Entonces, ¿por qué nos lo dicen? —la sangre me sube apresuradamente a la cara y se instala en mis mejillas. En general, no me considero necia, pero siempre me había creído «todo lo de los estándares de pureza».

—Familia, Adelice. No podemos permitir que las mujeres anden correteando por ahí. Las necesitamos en casa, pariendo hijos y sirviendo a Arras. Y estoy seguro de que conocerás a mujeres aquí que...

—Pero nos hace perder nuestras habilidades.

—Tú has tenido ciertas experiencias desde que estás aquí —me acusa— y todavía puedes tejer.

El rubor de mis mejillas se intensifica. Menos mal que he tratado de ser discreta.

—Nunca he sobrepasado los límites.

—Tal vez no —se encoge de hombros como si no estuviera convencido.

—Entonces, ¿van a permitir que las hilanderas se casen? —pregunto con una ligera sensación de mareo.

—No —me asegura—. Necesitamos que las hilanderas se dediquen a su trabajo, y además nuestra filosofía de que la primera obligación de una esposa es atender a su marido quedaría socavada por un cambio de política semejante.

Suspiro aliviada. La idea de verme forzada a un matrimonio, o de obligar a Jost a pasar por ello... no imagino una tortura peor.

—Pero a una maestra de crewel se le pueden conceder ciertos privilegios especiales —el corazón me da un vuelco.

—¿Quieres... que... me... case...?

—Considéralo una orden —responde con una sonrisa.

—O me reprogramarás —susurro—. ¿Podré al menos elegir con quién? —me aferro al ligero rayo de esperanza que me ofrece este pensamiento. Nadie podría poner objeción a Jost. Puede que a él no le gustara tener que arreglarse constantemente. Pero por mucho que trate de creer que es posible, incluso si lo fuera, le estaría colocando directamente en el punto de mira de la Corporación. No importa cuánto pueda dolerle; lo mejor sería que me casara con otra persona.

—No creo que eso sea buena idea —responde arqueando una ceja—. Tus decisiones no son tan adecuadas como la Corporación desearía.

—Entonces, ¿elegirán por mí? —pregunto lentamente. Sin duda será una unión política.

—Ya lo hicimos —Cormac despliega una sonrisa cegadora—. A mí.

La sangre que se había arremolinado en mi cabeza desciende de golpe y mi cara palidece; me aferro con fuerza a la silla para mantenerme erguida.

¿Casarme con Cormac?

—Solo tengo dieciséis años —susurro.

—Esperaremos a que tengas diecisiete, como dictan las costumbres en las ciudades más grandes —responde con indiferencia.

Trato de comprender sus palabras. Me incorporo para mirar a través de la ventana.

—Pero ¿cuántos años tienes?

Cormac frunce el ceño.

—La técnica de renovación convierte esa cuestión en algo insignificante.

—No para mí.

—¿Cómo? ¿Piensas que vas a poder salir y casarte con un jovencito guapo? —pregunta elevando poco a poco el tono de voz—. Permíteme aclararte algo: está decidido. La Corporación quiere garantías de que vas a ser rigurosamente controlada.

—Y tú eres el hombre idóneo para esa tarea —exclamo, entrecerrando los ojos.

—Disfrutarás de los mismos privilegios y podrás tener hijos.

Contengo los jugos gástricos que esta afirmación ha lanzado hacia mi garganta.

—¿Tú puedes tener hijos?

—Por supuesto —afirma, estirando la chaqueta de su esmoquin—. Mi material genético ha sido cuidadosamente almacenado desde que era más joven.

Mucho más joven. De todas las oportunidades que lamenté perder cuando me trajeron al coventri, la de tener hijos no se incluía en la lista.

—Entonces, me... —busco la palabra adecuada, pero mis pensamientos se mueven a tal velocidad que no puedo atraparlos— *fecundarán* —si es imposible escapar, mi único consuelo es que no sean necesarios los métodos tradicionales de procreación. Aunque tumbarse en una camilla y dejar que alguien...

—Nuestro equipo de biogenética ha desarrollado un arreglo que me permitirá procrear del mismo modo que cualquier padre joven —sus ojos negros brillan mientras habla.

Retrocedo lentamente, alejándome de él. La imagen de su cuerpo sobre el mío, su hedor a antiséptico asfixiándome, me roba el aliento; ahogo un grito.

—¿Y si me niego? —pregunto, mientras contengo a duras penas la histeria que crece en mi pecho.

—Te reprogramaremos —responde bruscamente— y luego te casarás conmigo.

Cruzo los brazos sobre el pecho y me agarro los hombros; niego con la cabeza.

—Haré lo que quieras menos eso —suplico con las mejillas surcadas de lágrimas calientes—. Seré maestra de crewel. Seré buena.

—Esperaba que atendieras a razones —gruñe, acercándose a mí—. Hubiera preferido una esposa con cierto temple, pero te reprogramaré y me casaré contigo la semana que viene, si me da la gana.

Cormac sacude mi cuerpo y yo únicamente puedo sollozar:
—Por favor. Por favor. Por favor.

Mis súplicas suenan entrecortadas, se pierden en su brusco ataque.

—¿Pensabas —dice con absoluto desdén— que te dejaríamos a tus anchas, revolcándote con los sirvientes y jugando a disfrazarte? Arras exige tu servicio, Adelice.

Consigo liberar mis brazos y escapo de la habitación. Cormac no me sigue. Finalmente me encontrará; sabe que en este momento no es necesario realizar ningún esfuerzo adicional. Me arrastro hacia la escalera, donde estoy a salvo de la vigilancia de los monitores de seguridad, tiro de las hebras del tiempo y tejo a mi alrededor un espacio donde esconderme. Cuando creo que el momento paralelo es seguro, me desplomo sobre el suelo frío y duro y contemplo el reloj de arena que mi padre grabó en mi muñeca. ¿Cómo voy a recordar quién soy si están dispuestos a borrarlo de mi mente?

Estoy fuera del tiempo. Pero, aunque pudiera fugarme del complejo, Cormac me daría caza. Pienso en la resignación de Loricel ante su muerte inminente, y por primera vez realmente comprendo el alivio que debe de sentir. Ojalá yo estuviera muerta.

Permanezco atrapada en mi propia red, incapaz de moverme. Solo existe una persona con suficiente poder para ayudarme en este momento, pero incluso ella carece de un lugar al que huir.

De todos modos, acudo a verla.

VEINTIUNO

Las paredes del taller de la maestra de crewel están en blanco y el telar se encuentra vacío. Loricel debe de estar cenando con las demás. Tal vez supongan que estoy con Cormac y no acudan a buscarme. Las pantallas de la estancia muestran el programa por defecto; respiro hondo y pienso dónde debería mirar en primer lugar. Solo tengo que indicar a las paredes el lugar en el que deseo estar y el programa de rastreo me lo mostrará. Estas paredes pueden enseñarme cualquier punto de Arras, pero ignoro de cuánto tiempo dispongo, así que será mejor que lo aproveche.

—Estoy en el gran salón, cenando —ordeno, sintiéndome un poco estúpida.

Las paredes brillan y el gran salón aparece tejido en el espacio. Me encuentro en el centro de la estancia, con la mesa a mi alrededor. En el extremo más alejado está sentada Loricel, sin hablar con nadie. Mientras tanto, las demás tejedoras disfrutan de una animada conversación que no escucho. La piel de cada mujer parece una pálida versión de su tono natural: blanco tiza, chocolate descolorido o miel apagada. Contemplo cómo una chica inclina la cabeza hacia atrás y escucho mentalmente el cacareo de su risa mientras las demás aplauden y agitan las manos con gestos exagerados. Así es como terminan el día: en una larga mesa repleta de postres, carne asada y delicados panes elaborados con nata. Algunas apuran de un trago el vino tinto. Una chasquea los dedos y aparece un hombre joven para rellenar su copa. Su rostro se muestra inexpresivo, excepto por la ligerísima repugnancia que transmiten sus ojos azul eléctrico.

Lo observo. Vestido con traje, se parece muy poco al muchacho desaliñado que me llevó al hombro en la celda de piedra, pero sus ojos son los mismos del día que nos conocimos, del día que me vendó las manos, del día que nos besamos. Como siga mirándolo, atravesaré la pared para lanzarme en sus brazos.

A mi alrededor, todos los ojos se fijan en mí. Me siento desprotegida, pero entonces me doy cuenta de que me encuentro en el lugar donde estará colocado el plato principal: una gran pierna de cerdo o pavo o pato. Una por una, las hilanderas sentadas cerca de este lugar empiezan a alargar las manos hacia mí, retirándolas con cuchillos y tenedores repletos de carne blanca y humeante. *Me están devorando viva.*

Me muerdo el labio para evitar reírme y me concentro en lo que ya sé. He localizado a Jost y a Loricel. Me gustaría seguir a Jost, pero esta es mi única oportunidad de encontrar la información que necesito para llegar hasta Amie, si quiero encontrar su ubicación en el telar.

—Muéstrame las oficinas —ordeno, y la escena cambia a un bullicioso edificio donde hombres y mujeres vestidos con elegancia caminan de aquí para allá con montones de papeles.

Es una escena del exterior del coventri. Mi orden ha debido de ser demasiado vaga.

—Muéstrame las oficinas del coventri —aventuro, pero la imagen oscila y no refleja nada.

Saco el digiarchivo del bolsillo y abro el programa secreto; me alegro al descubrir que Enora incluyó un plano del complejo. Muevo la imagen y la recorro hasta que encuentro lo que estoy buscando: los laboratorios. Junto a ellos hay una habitación el doble de grande. Está identificada como ALMACÉN. Tanto unos como otro se ubican cerca de la clínica donde me cartografiaron. Pido que aparezcan los laboratorios en la pared y veo a varios hombres ataviados con trajes de una sola pieza que trabajan afanosamente con tubos y telares. Su jornada de trabajo no debe de finalizar a la hora habitual. Cierro los ojos y digo entre dientes:

—Almacén.

No puedo mirar. Algo en esa amplia sección del plano me pone los pelos de punta. Poco a poco, abro los ojos. Me encuentro con grandes estanterías de acero alineadas en perfectas hileras simétricas y cubiertas con miles de diminutas cajas metálicas. Me acerco algo más, las examino y descubro que cada una incluye una secuencia de catorce números y letras. Tardo un rato en darme cuenta de que estoy conteniendo la respiración.

Catorce.

03212144 WR LM LA

La secuencia que me grabaron en la cabeza cuando era una niña.

«Así te encontraremos si alguna vez te pierdes», me dijo mi madre.

Es el modo de localizarnos a todos nosotros.

Fecha de nacimiento. Sector. Ciudad. Iniciales de la madre. Iniciales del niño.

Contemplo la caja que hay delante de mí. ¿A quién pertenecerá esa secuencia?

Alargo la mano para abrirla, pero mis dedos golpean la pantalla de la pared.

—Es una ilusión —me recuerdo a mí misma. Las imágenes de las pantallas parecen tan reales que, por un instante, pensé que podría extender la mano y rebuscar entre las cajas.

El digiarchivo está a punto de resbalarse de mis manos sudorosas mientras busco información en el plano, pero por suerte está ahí: una lista de coordenadas que me permitirá ver el tejido del coventri en el telar. Tomo asiento junto a la máquina, tecleo los códigos y contemplo cómo aparece la trama del coventri. A un lado, el panel de control parpadea en rojo, lanzando un aviso: parcial dentro del diámetro fronterizo. Significa que estoy viendo un fragmento del tejido que contiene el lugar donde yo me encuentro. Maela ya nos mostró esta pieza, pero mientras brilla la luz de advertencia, me pregunto si no estaré poniendo en riesgo la estabilidad del complejo al manipularlo desde dentro del propio complejo. Pero no puedo pensar en una idea mejor —o más segura—. Además, argumento conmigo misma, ¿para qué me habría dado Enora esta información, si no fuera para utilizarla? Aunque... para ser sincera, posiblemente sea el plan más estúpido jamás ideado. Ignoro si será posible retirar un pedazo del tejido que está en el telar e insertarlo en el tejido del taller. Tal vez nadie ha estado lo suficientemente desesperado para intentarlo. Excepto yo.

Deslizo las manos por la parte superior del telar y mis yemas heridas reaccionan al contacto con el tejido. Ajusto la imagen y la enfoco, mirando de reojo el plano que me dejó Enora en el digiarchivo, y entonces localizo el perfil del almacén. Coloco la yema del dedo delicadamente sobre ese punto y saco algunas hebras con cuidado para no extraer toda la habitación del tejido, lo que seguramente levantaría sospechas de inmediato. Sujetándolas con suavidad con la mano izquierda, alzo la mano derecha y, concentrándome hasta que el tejido de la habitación brilla y se hace visible, separo las hebras de la estancia en la que estoy, mientras confío en que mi teoría sea correcta y que pueda trasplantar los hilos del telar dentro del tejido del taller de Loricel. Si es así, espero crear una fisura entre su taller y el almacén que me permita acceder a la zona vigilada. Inserto las hebras del almacén dentro del hueco y, con cautela, introduzco la cabeza.

No está mal para ser el primer intento, excepto que lo he tejido boca abajo y estoy mirando hacia el techo, con las estanterías suspendidas sobre mi cabeza. No hay manera de que pueda abrir las cajas de este modo, así que regreso hacia el estudio de Loricel y lo arreglo.

Un leve zumbido inunda la otra habitación y tiemblo al acceder a ella. La temperatura aquí es por lo menos treinta grados inferior que en cualquier otro punto del complejo. Me acomodo la chamarra y me dirijo hacia la estantería más cercana; solo hay una manera de descubrir lo que hay aquí.

Las cajas tienen un pestillo en el lado derecho, y debo hacer dos intentos antes de conseguir levantar la diminuta palanca. La parte delantera se desliza y deja al descubierto un pequeño cubo de cristal. Alargo la mano y lo saco. Hay una fina hebra de luz que brilla, suspendida en el centro y anudada con delicadeza. Giro el cubo entre mis manos, pero el hilo no se mueve. Es demasiado fino para pertenecer a la persona con la secuencia de identidad indicada. He visto hebras de personas después de su extracción y están formadas por varios cabos entrelazados; estoy segura de que esto es solo parte del hilo arrancado. En la base, distingo un código grabado con números y barras de varios tamaños. Saco el digiarchivo, abro un programa llamado «Localización» y coloco la pequeña pantalla sobre el código. Inmediatamente aparece un icono parpadeante y luego una serie de datos:

NOMBRE: Riccard Blane

SECUENCIA DE IDENTIDAD PERSONAL: 06022103 EN BH BR

OCUPACIÓN: banquero

FECHA DE EXTRACCIÓN: 10112158 EN

SOLICITANTE: Amolia Blane

PARENTESCO: esposa

ESTADO ACTUAL: activo

¿Activo?

La hebra es demasiado fina para que sean los restos del banquero. Si fue extraído hace dos años, ¿por qué aparece como activo? Levanto el cubo hacia las luces del almacén, pero no encuentro nada más. Guardo los datos en el digiarchivo para repasarlos más tarde y coloco el cubo de nuevo en la caja.

Avanzo de puntitas por el estrecho pasillo, temerosa de que incluso mis ligeras pisadas llamen la atención en esta sección del complejo. Al alejarme del punto por el que entré, empiezo a preocuparme. ¿Qué pasará si Loricel regresa al taller o si alguien entra en el almacén? Mientras retrocedo para investigar más cerca de la fisura, recorro con la mirada las estanterías que hay una hilera más allá. En ellas hay contenedores rectangulares, metálicos y de poca altura, no cajas cuadradas. Me dirijo rápidamente hacia ellos. Todos incluyen una secuencia de identidad, pero dentro no hay ningún cubo de almacenaje, sino una delgada tarjeta de plástico. Manipulo con nerviosismo el digiarchivo, escaneo la tarjeta y espero hasta que los datos se cargan.

NOMBRE: Annelín Mayz
SECUENCIA DE IDENTIDAD PERSONAL: 11262158 NU
MG MA
FECHA DE ALTERACIÓN: 12162159 NU
REUBICACIÓN: EN
SOLICITANTE: oficial Jem Blythe
PARIENTES: ninguno / extracción permanente
ESTADO ACTUAL: saludable

El archivo incluye la fotografía de una niña pequeña. De acuerdo a su secuencia de identidad, hoy tiene solo dos años. Esto es lo que andaba buscando: registros de niños que hayan sido retejidos en familias de acogida. La información de Amie estará también aquí. Devuelvo la tarjeta de Annelín a su contenedor y acciono la cerradura del siguiente. La pequeña puerta se desliza hasta quedar abierta y, antes de que pueda bajar la palanca, sale despedida otra tarjeta. Me agacho para recogerla y escanearla. Tal vez las alteraciones se realicen siguiendo alguna pauta. El primer dato que aparece en el archivo me paraliza. Aunque no se trata de Amie.

Es Sebrina Bell.

Bell.

Pulso los iconos de las imágenes adjuntas. La niña que aparece es un bebé con hoyuelos en las mejillas y rizados mechones negros cayéndole sobre la frente. Parece demasiado pequeña para sonreír, pero se ríe como si estuviera mirando a alguien a quien adora. Alguien como su padre. Sus ojos son de un profundo y chispeante color azul. Reconozco esos ojos al instante. Deben de ser herencia familiar.

Es la hija de Jost, la que desapareció justo delante de él. Ahogo un sollozo. Aprieto la tarjeta contra mi pecho y escaneo los datos en el digiarchivo:

NOMBRE: Sebrina Bell
SECUENCIA DE IDENTIDAD PERSONAL: 02262158
ES BR BS
FECHA DE ALTERACIÓN: 05282158 ES
REUBICACIÓN: EN
SOLICITANTE: embajador Cormac Patton
PARIENTES: padre / desaparecido
madre / extracción permanente / difunta
ESTADO ACTUAL: saludable
NOTAS: asignación de nueva secuencia de identidad personal por extracción colateral

Todo el rencor que he sentido hacia Cormac fluye y se mezcla con esta información. Deslizo la tarjeta dentro de mi bolsillo y me apoyo contra la estantería, tratando de calmar mi respiración jadeante. Guardaré el archivo en un minuto, aún tengo que encontrar a Amie.

Nació el 24 de julio. Su secuencia empieza por 0724. La información de las otras niñas estaba archivada de acuerdo al sector de reubicación. Recorro cada hilera de archivos hasta que localizo los contenedores del Sector Norte. Reviso a toda prisa la fila, echando un rápido vistazo a los diminutos compartimentos y viendo cómo las fechas van avanzando. He llegado al 0618 cuando escucho el chasquido de una puerta al norte. Contengo la respiración mientras el eco de unas pisadas inunda la silenciosa estancia.

Me arrastro hasta el extremo de la estantería y asomo la cabeza. No hay nadie. Me deslizo por un lateral y regreso sin detenerme hasta la abertura que he dejado entre el almacén y el taller de Loricel.

Suena de nuevo el chasquido de la puerta al abrirse. Espero, suplicando que el intruso se haya marchado, pero escucho la voz de otra persona y a la primera dirigiéndose hacia la puerta. Me apoyo contra el borde de la estantería, sin atreverme a seguir adelante. El eco de dos voces masculinas inunda la estancia, pero no presto atención a sus palabras. Escucho cómo sus pisadas se aproximan a mi escondite. Me deslizo hacia el siguiente grupo de estanterías y me detengo, jadeando y calculando lo cerca que se encuentran de mí. Luego avanzo hacia el siguiente. Y hacia el siguiente.

He alcanzado la grieta cuando uno de ellos grita. Tomo la tarjeta dentro de mi bolsillo; olvidé cerrar la puerta de su contenedor. Atravieso la fisura al tiempo que se encienden las luces del almacén; me están buscando. Arranco los hilos del almacén del lugar donde los entretejí con el taller de Loricel y aprieto las hebras contra mi pecho. Tan pronto como devuelvo las hebras del almacén a su lugar, completando el tejido del complejo, el telar emite un zumbido y retira la pieza. Me desplomo sobre una silla y escucho a unos guardias que se aproximan. Nadie sabe que puedo hacer esto excepto Loricel, pero ¿cuánto tardarán en sospechar? Y aunque no sea a mí a quien busquen, este será el primer lugar al que acudan para descubrir al responsable.

No aparece nadie, así que me tranquilizo. Es entonces cuando la distingo recostada sobre su palanquín, acariciando un sedoso gato color jengibre.

—Loricel —exclamo. Su nombre surge como un grito ahogado de disculpa y sorpresa.

—Márchate.

No me mira a los ojos.

—Loricel, yo...

—Déjame sola, Adelice. Necesito reflexionar.

Quiero preguntarle a qué se refiere, pero responde a mi pregunta antes de que la formule.

—Tengo que pensar cómo arreglo esto.

—Lo siento —levanto los ojos del suelo para buscar los suyos.

Ella mantiene la mirada fija en el gato y continúa acariciándolo. Un instante después, me pregunta:

—¿Encontraste lo que estabas buscando?

La diminuta tarjeta de plástico pesa como un trozo de plomo en mi bolsillo, pero niego con la cabeza.

—Estás poniendo en peligro a tu hermana al dirigir la atención hacia ella —me advierte, mirándome por primera vez.

—Necesito saber dónde está —respondo.

—Cormac te la enseñó sana y salva —replica Loricel—. Es mejor que dejes las cosas como están, a menos que...

—No voy a ir en su busca —aún no.

—En cuanto Cormac la considere una amenaza, la extraerá —Loricel empuja al gato para que abandone su regazo y se pone en pie.

Tardo un momento en darme cuenta de que está leyendo las coordenadas que dejé en el panel comunicador.

—Ingenioso plan —exclama—, pero me pregunto cómo encontraste las coordenadas para que el telar te mostrara el tejido del almacén.

Me muerdo el labio y aprieto un brazo en torno a mi cintura, con la esperanza de que no distinga la silueta del digiarchivo en mi bolsillo.

—No voy a delatarte, Adelice —asegura, volviéndose hacia la pared falsa—. Te dije que la elección era tuya, y fui sincera, pero estás entrando en un juego peligroso.

Noto la boca seca.

—No pretendo entrar en ningún juego —respondo.

—De todos modos, ten más cuidado.

No dice nada más, así que salgo de la habitación con los brazos aún en torno a la cintura, guardando mis secretos: la verdad sobre la hija de Jost y un pequeño fragmento de tejido de la pantalla del taller.

Veintidós

Logro pasar a hurtadillas junto al guardia, que está ocupado fumando a unos metros de la puerta de acceso a los estudios superiores, pero no regreso a mi habitación. Tan pronto como lo pierdo de vista, adquiero una actitud confiada, con los brazos a ambos lados del cuerpo y la espalda recta. Me están vigilando y no quiero levantar sospechas. Con dedos temblorosos, saco del bolsillo el fragmento de pantalla de la pared de Loricel y lo escondo en la palma de la mano. Tiene solo unos centímetros de ancho y es tan ligero como una pluma, pero muestra un pedacito del paisaje por defecto de las paredes del taller.

Pronuncio una única palabra:

—Jost.

Una imagen parpadea en mi mano y la miro con ansiedad. Veo grandes mesas de acero que se extienden a lo largo de una estancia y chicas con vestidos cortos y ajustados que transportan bandejas con platos hasta unas profundas pilas metálicas en la pared. De pie en un rincón apartado, Jost da indicaciones a un grupo de muchachos. Tan pronto como desaparecen, Jost cierra los ojos y se aprieta el puente de la nariz. Parece cansado mientras se apoya contra la pared y yo estoy a punto de añadirle más presión. Pero si no se lo digo ahora, tal vez no vuelva a encontrar la fuerza necesaria para hacerlo. Con la mano que tengo libre, saco el digiarchivo y consulto el plano. Estoy justo encima de la cocina. Por un instante, considero darme la vuelta. Ya he arruinado todo lo que había entre nosotros, y nada volverá a ser lo mismo una vez que descubra lo de Sebrina. Pero pienso en Amie y, aunque no es lo mismo, sé que no puedo ocultárselo. Continúo hacia la derecha y me escabullo por la escalera más cercana. Ni siquiera tengo tiempo de pensar lo que voy a decir antes de que las escaleras me conduzcan cerca de una puerta.

La sirvienta que está más cerca de mí gira la cabeza de golpe y me mira boquiabierta. Otras dejan de fregar los platos, pero solo una se seca las manos cubiertas de jabón en el mandil y se acerca a mí.

—¿Señorita? —pregunta, mirándome con recelo—. ¿Puedo ayudarla en algo?

—Necesito hablar con el mayordomo jefe —respondo, alzando la barbilla con toda la majestuosidad que puedo.

Ella aprieta los labios y entrecierra los ojos de manera insinuante.

—¿Con Jost?

—Si ese es su nombre —respondo, despidiéndola con gesto de desprecio. Me siento como una verdadera arpía, pero cuanto más actúe como una tejedora, menos interés despertaré en ellos.

La sirvienta hace una reverencia y se aleja hacia los generadores de comida, pero la descubro lanzando una miradita a otra chica que deja escapar una risa nerviosa. Un vistazo a mi rostro es suficiente para que se le borre la sonrisa de la cara y regrese apresuradamente a su trabajo. Deben odiarme.

Jost asoma la cabeza por una puerta en la parte trasera y sus ojos reflejan cierta sorpresa, aunque mantiene el rostro inexpresivo. Intercambia algunas palabras con la sirvienta que envié y luego se dirige hacia mí.

—¿Puedo ayudarte? —pregunta. No hay ni rastro de amabilidad en su voz.

—Sí, necesito tus servicios —respondo, indicándole con un gesto que me siga.

—Puedo enviar a uno de mis hombres contigo —sugiere con los ojos vacíos—. Yo tengo otras responsabilidades. No estoy aquí para entretenerte.

—Me indicaron específicamente que fueras tú —repito.

Algunas de las chicas que nos rodean alentan su trabajo para escuchar a hurtadillas nuestra conversación.

—Para futuras ocasiones, solicita la ayuda a través del panel comunicador —Jost se vuelve para alejarse de mí.

—No creo que necesite ayuda en el futuro.

Eso lo detiene. Estoy segura de que, para los demás, mis airadas palabras sonarán consentidas y mezquinas, pero Jost me conoce demasiado bien para obviarlas, aunque quisiera.

—Adelante —dice con un suspiro.

En la escalera, lo detengo.

—Tenemos que hablar.

—Te escucho —responde, cruzando los brazos sobre el pecho.

—En privado —susurro.

Jost descruza los brazos y respira hondo. Le tiembla un músculo del cuello, pero asiente con la cabeza y desciende hacia el sótano. Al franquear una segunda puerta, reconozco el frío suelo de piedra.

—Hacía mucho tiempo que no pasaba por aquí —murmuro, deslizando la mano por la húmeda pared de roca que distingue la zona de celdas.

Jost me conduce al interior de una celda y saca una pequeña linterna que lanza un intenso resplandor hacia la estancia. Se reclina contra una pared y levanta una ceja.

—Sé que te he hecho daño...

—No —me interrumpe—, por la manera en que lo dices, sé que no tienes ni idea, Adelice.

—Te estaba protegiendo —me acerco a él.

—No necesito que me protejas.

—Eres todo un hombre, ¿no? No confías en lo que una chica pueda hacer.

Trato de alejarme, pero él me agarra de la muñeca.

—No necesito que me protejas —repite suavemente—. Necesito que confíes en mí.

—Claro que confío en ti, idiota —exclamo.

—Entonces, ven aquí —me arrastra hacia él.

—Hay más cosas de las que preocuparse aparte de ti y de mí —replico, aspirando su aroma a humo y sudor y algo dulce como madreselva. Me gustaría estirar las hebras del tiempo a nuestro alrededor y quedarnos así para siempre. A salvo y contentos, aunque no felices. No estoy segura de que ninguno de los dos pueda recuperar la felicidad.

—Tal vez —susurra sobre mi pelo—, pero ese es su problema. Nosotros debemos preocuparnos de ti y de mí.

—Aquí no hay lugar para los dos —replico. Tengo el cuerpo acurrucado entre sus brazos y aprieto la cabeza contra su pecho, escuchando los firmes latidos de su corazón.

—Es lo único que tenemos —dice él, alzando mi rostro para que lo mire a los ojos. Siento de nuevo un impulso eléctrico cuya intensidad amenaza con abrumarme.

Jost se inclina para besarme, pero retiro la cara.

—Ni siquiera tendremos esto por mucho tiempo —digo en voz baja.

Sus brazos dejan de rodearme y yo me enderezo, conteniendo las ganas de refugiarme en su pecho.

—¿Por qué estás aquí? —pregunta, sin contener la rabia en su voz.

Le cuento lo que he descubierto de Enora y que planean reprogramarme. Lo que me ha enseñado Loricel sobre la Tierra y el manto de Arras. Mientras hablo, la frialdad de su rostro se desvanece, y cuando le relato la última visita de Cormac, sus manos han encontrado de nuevo las mías.

—Lo siento —interrumpe mi explicación—. He sido injusto.

Sacudo la cabeza.

—Lo merecía.

—Estabas haciendo lo que creías que era mejor y yo...

—Jost —lo interrumpo al notar culpabilidad en su voz—. Todo eso pertenece al pasado.

Mis palabras son tiernas y sinceras, aunque tal vez no reflejen lo confusa y esperanzada que me siento. No son ni las preguntas que quiero hacer, ni lo que deseo decirle, pero es suficiente.

Despliega una amplia sonrisa y me envuelve con sus brazos.

—Tienes razón.

Esta vez lo dejo que me bese. Empieza lentamente, pero me acerco más a él y agarro sus hombros. Él me rodea la cintura y luego sus manos, cálidas y fuertes, suben lentamente por mi espalda. Donde me rozan, mi cuerpo ansía más. Mueve los labios suavemente, pero deslizo los brazos en torno a su cuello y lo arrastro hacia mí. Él responde, abriendo su boca sobre la mía, y entonces siento un temblor que recorre todo mi cuerpo. Por fin, Jost retrocede y, con nuestras frentes aún juntas, jadeamos el uno delante del otro. Siento su aliento caliente sobre la cara y trato de recordar lo que quería decirle.

—Tenemos que marcharnos —pronuncio estas palabras con esfuerzo antes de sucumbir al dolor que invade mi pecho, que suplica el roce de sus labios.

—¿Dónde podemos ir? —pregunta, enderezándose pero sin retirar las manos de mi espalda.

—Aún estoy trabajando en eso.

—Pero solo dispones de unos días —dice Jost, y luego me besa la parte superior de la cabeza.

—Podría tejer un instante paralelo —sugiero aún apoyada sobre su cuello.

—¿Y no salir jamás?

—Algo así.

—¿Tengo que explicarte por qué no funcionaría?

Me alejo de sus brazos y suspiro.

—Eso es lo que hizo la Corporación, y aquí estamos —exclamo.

—A una escala mucho mayor —replica él—, y no es que esté funcionando muy bien.

—Lo sé. De todas formas, no puedo marcharme sin encontrar a Amie.

—Amie está a salvo —dice él, entrelazando sus dedos con los míos.

Deseo creerle tanto como escapar junto a él y olvidar lo que sé de la Corporación. Pero no puedo dejar a Amie en Cypress, y sé que lo sugiere porque no tiene nada que perder, excepto a mí. Aunque eso está a punto de cambiar.

—¿Abandonarías a alguien a quien quieres? —pregunto, toqueteando con la mano que tengo libre el digiarchivo guardado en mi bolsillo—. Si escapara, la Corporación podría...

Es demasiado terrible para considerarlo siquiera.

—¿Por qué? ¿Por pura venganza? No tienen razón alguna para causarle daño.

—Cormac me dijo algo una vez —le confieso—. Piensa que podría serles útil. Esperan que tenga mis destrezas.

—Pero no han demostrado que la capacidad de tejer sea genética.

—Lo sé, aunque eso no les impedirá llevársela. No estoy insinuando que deba encontrarla ahora mismo, pero tengo que seguirle la pista hasta que sepa qué hacer —sin darme cuenta, he agarrado con fuerza la camisa de Jost y estoy tirando de ella. Él afloja mi mano suavemente y la toma en la suya.

—No hay ningún lugar al que podamos ir —me recuerda—. Solo tienen que rastrear nuestras secuencias e incluso si pudieras tejer un momento paralelo, ¿cuánto tiempo tardarían en atravesarlo?

—No lo sé —respondo. Loricel me aseguró que era inevitable, pero es el único plan que se me ocurre.

—Necesitamos más tiempo —se queja.

—Menos mal que estás con una maestra de crewel —le ofrezco una media sonrisa.

—De todos modos, ¿cómo vas a encontrar a Amie? Podrías tardar décadas en peinar todo el tejido buscándola.

—Conozco su secuencia, aunque los localizadores geográficos serán distintos. Cambian esa información cuando realizan una alteración —le explico.

—Pero, aunque tuvieras esa información, no dispones de autorización para localizarla en el tejido mediante la secuencia de identidad personal, ¿verdad? —pregunta.

—No, pero Loricel sí —respondo.

—¿Y crees que te permitirá hacerlo? —el tono de su voz es dubitativo.

—No pensaba preguntárselo. ¿Cómo crees que conseguí esta información?

—Necesitamos un plan mejor que ese —masculla. Suelta mi mano y desliza la suya entre su enmarañado pelo castaño.

—Todavía no te he contado todo —admito. Deseo contarle apresuradamente lo que encontré, pero me contengo. Puedo ignorar su pasado, porque el tiempo nos separa de él, pero esa distancia está a punto de desaparecer.

Jost entrecierra los ojos y toma aire.

—De qué se trata.

—Sé cómo encontrar a Amie —agarro con fuerza el digiarchivo y lo saco del bolsillo.

—¿No te regaló eso Enora?

—Sí, y también me dejó cierta información útil —abro los archivos meteorológicos y le muestro el plano.

Jost mira la imagen digital y la examina atentamente.

—¿Es el complejo?

Asiento con la cabeza.

—Acompañado de coordenadas. Y ya he entrado en el almacén.

De golpe, Jost aleja la mirada de la pantalla.

—¿Que hiciste qué?

—Que entré en el almacén —repito. Trato de actuar como si no fuera una gran hazaña, porque me está mirando con una expresión de *¿has perdido la cabeza?*—. Puedo encontrarla.

—¿Qué hay en el almacén? —pregunta, mirándome fijamente.

—Bases de datos. Información sobre extracciones y alteraciones —no le cuento nada sobre las delgadas hebras en los cubos ni los escalofríos que me producen. Suena demasiado increíble.

—¿Y has visto esos datos? —insiste.

Asiento con la cabeza y deslizo la mano de nuevo hacia el bolsillo. La tarjeta sigue ahí, pero soy incapaz de dársela.

—¿Qué incluyen?

—Información básica: identidad, fechas de extracción —abro el primer archivo para mostrarle los datos de Riccard Blane—. El digiarchivo incluye un programa de rastreo que lee las bases de datos.

—¿Cómo crees que consiguió Enora este programa? —pregunta, caminando impaciente por la pequeña celda.

Me encojo de hombros.

—Alguien debió ayudarla.

—Me pregunto... —empieza a decir.

—Tengo algo más que decirte —exclamo, soltándolo antes de perder el impulso.

Jost se calla y espera.

Lo miro un instante antes de hablar. No estoy segura de si reconoceré al Jost que surja después de saber esta información.

—Toma —digo finalmente, alargándole la tarjeta.

La toma, me mira y frunce el ceño.

—¿Qué es esto?

—Escanéala —le ofrezco el digiarchivo.

Contengo el aliento mientras los datos se cargan; está claro cuándo han aparecido. Su frente se relaja y abre la boca, pero permanece callado. Simplemente se deja caer al suelo y contempla la pequeña pantalla.

—Está viva —digo con voz suave, ya que él no encuentra las palabras adecuadas.

La mayor parte del tiempo Jost parece un muchacho. Incluso cuando no se ha afeitado o se viste de traje, las curvas de su rostro son suaves y sonríe con facilidad. Pero aquí, realzada por la luz de la linterna, su mandíbula aparece angulosa y se le marca hasta la más leve arruga al fruncir el ceño para examinar la pantalla. Un instante después, cuando aparece una sonrisa en sus labios, no es la mueca infantil que adoro, sino algo que surge desde una parte más profunda de su ser. Parece un hombre.

—La encontraste —susurra. Cuando alza la vista, dirige su sonrisa insondable hacia mí.

—Está bien —*por ahora,* añado para mí misma.

—Está viva —musita, como si repetirlo lo volviera más real—. Mi hija está viva.

—Amie está ahí también —digo.

—¿Podemos volver a entrar? —pregunta, incapaz de apartar los ojos de la imagen.

—Creo que sí —respondo—. Pero necesitaré tu ayuda.

—Pídeme lo que sea —me asegura.

—Jost —me arrodillo a su lado—, no sé si podremos llegar hasta ella.

Me rodea la cara con las manos y me besa. En sus labios palpita una nueva energía y su tacto deja rastros de fuego en mi cuerpo, como si me estuviera transmitiendo esa vitalidad renovada. Hasta ahora, ignoraba el dolor que le había producido su pérdida.

—Encontraremos la manera —asegura—. Las encontraremos a las dos.

Asiento con la cabeza y retiro suavemente el digiarchivo de su mano. Al no tenerlo delante, reacciona y me anima a compartir mi plan. Le explico que necesitaré su ayuda para regresar a los talleres superiores, y que desde allí podré acceder al almacén y buscar más información.

—¿Y luego? —pregunta.

—Luego pensaremos cuál será nuestro siguiente paso —es un plan horrible, pero es el único que tenemos.

Jost finge escoltarme por el complejo. Es perfectamente normal que el mayordomo jefe acompañe a una hilandera, pero con Cormac merodeando por ahí, siento cómo se forma una fina película de sudor en mi frente y en las palmas de mis manos. Me esfuerzo por parecer aburrida, pero el pulso se me acelera y noto calor en las mejillas.

Cuando alcanzamos la puerta de seguridad de los estudios superiores, el guardia nos mira de arriba abajo.

—¿Él tiene autorización?

—Cormac ha ordenado que disponga de un escolta en todo momento —le aseguro, suplicando que no me tiemble la voz.

—Debería consultarlo...

—Oye, tú —gruñe Jost, apartándose de mí—, me gustaría irme a la cama, así que cuanto antes podamos dejar a Su Majestad arriba, mejor.

El guardia sonríe; debe de tener experiencia con el turno de noche.

—*Ella* está autorizada, así que no te alejes de su lado —le ordena.

Jost asiente con la cabeza y hace un ligero gesto con los ojos para sellar su camaradería.

Una vez que hemos cruzado la puerta, le doy un codazo.

—Puedes irte a la cama en cuanto quieras.

—Es la manera más segura de moverse por aquí —dice con un guiño—. Que parezca que te fastidia acompañar a una tejedora.

Simulo estar dolida y él toma mi mano con la suya.

—Tú eres la tejedora menos fastidiosa que he conocido —asegura con solemnidad fingida.

—Ten cuidado, Josten Bell —le advierto.

Jost asciende la escalera de caracol detrás de mí, pero no deja de mirar a su espalda y está a punto de tropezar conmigo.

—No llegaremos a ninguna parte si no te apresuras —siseo.

—Lo siento, Su Majestad —responde con una sonrisa.

Cuando llegamos al final de la escalera, me cuelo en el taller, casi esperando encontrar a Loricel sentada en él, pero está vacío.

Le hago una seña a Jost para que se reúna conmigo, me instalo en el telar y saco el digiarchivo.

—¿Qué haces? —pregunta, mirando por encima de mi hombro.

—Aprendí un truco nuevo —respondo.

La pieza de tela del complejo aparece lentamente en el telar y me vuelvo hacia Jost para contemplar su reacción.

—¿No es hermoso?

—¿Qué? —pregunta, frunciendo el ceño.

—El manto —exclamo, deslizando el dedo sobre el tejido.

—No veo nada —admite tímidamente.

—Lo siento. No pretendía...

—No te preocupes —me interrumpe—. Este es tu campo.

Fijo mi atención en el tejido y vuelvo a extraer cuidadosamente varias hebras del almacén. Jost permanece a mi espalda, en silencio, pero se acerca un poco más cuando me pongo en pie para abrir la fisura entre las dos estancias.

Con Jost aquí, tengo que concentrarme más intensamente en el tejido de la estancia para poder enfocarlo, pero cuando aparece, deslizo dentro de él las hebras que tengo en la mano, creando la abertura. El almacén, silencioso y oscuro, se extiende delante de nosotros.

—Cómo... —pregunta Jost detrás de mí.

—Buen truco, ¿eh? —no puedo evitar disfrutar ligeramente de su asombro—. He tomado un fragmento del tejido en el telar y lo he insertado en el tejido de la habitación. Lo he trasplantado para crear un pasadizo. Es igual que en las transposiciones, cuando una hilandera traslada nuestro tejido de un punto a otro, solo que yo lo he hecho con una habitación.

—De acuerdo, creo que lo entiendo —dice él—. Entonces, ¿entramos ahí y echamos un vistazo?

Me muerdo un labio y sacudo la cabeza.

—Quiero que te quedes aquí y hagas guardia. Si viene alguien, avísame.

Y si me atrapan, corre, añado para mí misma, deseando que lo haga si se da la circunstancia.

—Deberíamos permanecer juntos —replica con voz firme.

—Yo sé cómo está organizado todo ahí dentro —le aseguro—. Solo tardaré un momento y además, soy más silenciosa que tú.

—No con eso —asegura, señalando mis pies.

Hago una mueca y me quito los zapatos de tacón. Doy unos saltitos con las medias para asegurarme de que no hacen ruido; él cuadra los hombros y asiente con expresión reacia. Le acerco los zapatos, lo beso suavemente en la mejilla y me deslizo a través de la abertura.

Sin el zumbido de las lámparas, la habitación permanece en silencio. Levanto el digiarchivo delante de mí para tener algo de luz. Justo a tiempo, porque casi tropiezo con la primera estantería. Me deslizo a un lado para evitarla y de repente, me alegro de llevar puestas estas resbaladizas medias. Me dirijo hacia las estanterías donde encontré el archivo de Sebrina y empiezo a buscar a Amie. Los contenedores individuales están organizados por fecha dentro de cada ubicación geográfica. Tengo que encontrar los archivos de Cypress.

Reviso rápidamente el primer pasillo y paso al siguiente; cuando encuentro las secuencias que incluyen la N del Sector Norte, empiezo a buscar Cypress. Estoy ansiosa por encontrarlo cuando mi dedo se desliza sobre un contenedor con su fecha. El resto de los datos, incluidas las iniciales de mi madre, coinciden, así que saco la tarjeta y escaneo el código. Contengo el aliento mientras parpadea el icono que indica que se está cargando la información. Ahí está: Amie Lewys.

No me atrevo a leer las razones de su retejido, aunque sepa que en su mayoría son mentiras. Guardo los datos en el digiarchivo y devuelvo cuidadosamente la tarjeta al contenedor. Durante un instante, considero si llevarme los archivos supondría un obstáculo para el coventri en el caso de que fueran detrás de Sebrina o Amie, aunque si disponen de copia de seguridad podría servirles de aviso. Saco la tarjeta de Sebrina y me dirijo en silencio al lugar donde la encontré. Tengo que consultarla dos veces para recordar su secuencia, ya que mi primer descubrimiento fue una absoluta casualidad. Estoy metiendo la tarjeta de nuevo en el contenedor cuando escucho unas botas que se acercan. Por el paso firme de las pisadas parece Jost. Llevo bastante tiempo aquí y puede que estuviera preocupado, pero no voy a esperar a descubrirlo. Me escabullo hacia el lateral de la estantería, me apoyo contra ella y asomo la cabeza.

Nadie a la vista.

Respiro hondo y me deslizo hacia el siguiente grupo de estanterías. Los pasos se han desvanecido y después de echar un vistazo al siguiente pasillo, me dirijo rápidamente hacia la fisura. Estoy a solo unas estanterías de ella cuando veo que titila y desaparece. Apenas distingo a Jost mientras unas manos tiran del agujero desde el otro lado. Abandono mi cautela y corro hacia la abertura. Se está cerrando rápidamente, pero creo que puedo conseguirlo. Estoy a punto de llegar cuando una mano me agarra la muñeca. Grito, luchando contra mi captor, pero me jala y me cubre la boca con su mano. Luego me arrastra hacia la oscura y silenciosa habitación, impidiéndome escapar.

VEINTITRÉS

Pataleo y golpeo al hombre que me sujeta en la oscuridad del almacén; se cae de espaldas con un gruñido, y me deja libre. Sin perder un instante, vuelo hacia donde la grieta se ha cerrado y pego desesperados tirones en el aire, con la esperanza de encontrar algún resto del taller. Mientras tanto, escucho cómo mi captor avanza hacia mí.

Abandono la búsqueda y huyo hacia una estantería cercana. Resulta difícil ver en la oscuridad, así que me pego a la estantería y me arrastro junto a ella. Las pisadas del hombre suenan ahora más lentas, con paso tranquilo. Me está buscando. Mi única esperanza es la puerta del almacén. Podría tejer un instante paralelo y congelar el almacén, pero eso no protegería a Jost, así que debo volver junto a él.

Serpenteo entre las hileras de estanterías, manteniéndome cerca de ellas, temerosa de alejarme demasiado y delatarme. Desde la última hilera, veo la puerta. Ojalá hubiera examinado el plano con más detenimiento para saber adónde conduce. Esta estancia comunica de algún modo con los laboratorios, así que podría aparecer directamente en una sala llena de científicos. Mi única esperanza es que se hayan ido a sus casas a dormir, aunque no puedo confiar en ello. Y para llegar hasta la puerta, tendré que salir directamente al pasillo central y descubrirme ante mi atacante, que sin duda alertará a cualquiera que esté en la zona. Es una calle sin salida, pero quedarme esperando me volverá loca. Así que respiro hondo y salgo corriendo hacia la puerta.

No soy suficientemente rápida. El hombre aparece entre las sombras al final de la estantería adyacente y me atrapa por la cintura. Aprieta su mano contra mi boca y me sisea al oído:

—Deja de luchar conmigo, Adelice.

Relajo los músculos y me suelta. Entonces, me giro hacia él y le golpeo con fuerza en el pecho. Se tambalea y, en la oscuridad, distingo a duras penas el fastidio que refleja su rostro.

—Recuérdame que no vuelva a salvarte el trasero —exclama Erik, recuperando el equilibrio.

—¿Qué haces aquí? —pregunto en voz baja.

—Rescatarte —responde, frotándose el pecho.

—¿Quién la cerró?

—¿Qué? —pregunta, confundido.

—La abertura para regresar a los estudios superiores —susurro.

—¿Así es como llegaste hasta aquí? —pregunta, igualando el volumen de su voz al de la mía.

Asiento con la cabeza y regreso hacia el lugar donde abrí el pasadizo. Erik me sigue, pero no queda ni rastro de la abertura. No tengo ni idea de lo que puedo hacer para salvar a Jost, pero cada segundo que pierdo es un segundo más que lo tienen en sus garras.

—¿Y este es tu magnífico plan? —pregunta.

—Era —respondo con un suspiro—. Supongo que ha llegado el momento de pasar al plan B.

—¿Y cuál es?

—Todavía no hay plan B —admito.

—¿En qué consistía exactamente el plan A? —me pregunta.

—En conseguir información —respondo.

—¿Eso es todo?

—Sí.

Erik hace una mueca.

—Necesitas ayuda con tus planes.

—Tenemos que regresar. Dejé a Jost al otro lado.

Erik se pone tenso al escuchar ese nombre y entonces recuerdo la rígida distancia que suelen mantener entre ambos.

—Bueno, no tardarán mucho en descubrir que estás aquí —dice, arrastrándome hacia la puerta del almacén—. Y has perdido mucho tiempo escondiéndote de mí.

—Podrías haberme llamado —exclamo con tono exasperado.

—Estoy tratando de pasar desapercibido —Erik me mira con los ojos llenos de enfado, y acelera su marcha—. Vamos.

—Tenemos que ir al taller de Loricel —le digo mientras corremos.

—Lo sé —me agarra del brazo y apresura mi paso.

En la puerta, me detiene y coloca un mechón suelto de mi pelo. Mira mis pies y frunce el ceño.

—Está bien —me dice—, esto es lo que vamos a decir. Que te encontré aquí y te llevo ante Cormac.

—Entonces, ¿soy una prisionera? —pregunto.

—Sí, así que pon cara de asustada.

—No creo que me resulte muy difícil —mascullo.

Erik abre la puerta y me agarra el brazo bruscamente, obligándome a cruzarla. Salimos a un pasillo bien iluminado. En el extremo opuesto, dos guardias nos ven y se dirigen hacia nosotros.

—La atrapé —les grita Erik—. Ahora se la voy a llevar a Cormac.

El mayor mira a su compañero. Deben de tener unos diez años más que él, por lo menos.

—Tengo autorización de nivel dieciocho —les indica Erik, sacando una tarjeta del bolsillo lateral del pantalón.

—Sí, señor —vociferan ambos, pero la voz del mayor tropieza en la palabra *señor*.

Bajo los ojos al suelo y dejo caer los hombros mientras Erik me aleja de los guardias. Una vez que hemos doblado la esquina, relaja la mano, pero no me suelta.

—¿Cómo me encontraste? —susurro.

—Cormac se está volviendo loco —dice en voz baja—. Estamos en alerta de nivel tres.

—Pero ¿cómo supiste que estaba aquí?

—Durante el recorrido de bienvenida en el que las acompañé —me dice, lanzándome una mirada fugaz—, Cormac te colocó un aparato de rastreo...

—No, no lo hizo —Enora me contó la intención de Cormac de insertarme un chip comunicador, pero que no pudo.

—Claro que lo hizo —me asegura Erik—. Te lo pusieron en la comida. Está programado para alojarse en tu intestino delgado.

Coloco las manos rápidamente sobre mi estómago y lo miro.

—Entonces, ¿han estado controlando cada uno de mis movimientos durante semanas? —pregunto.

—No —responde Erik, bajando aún más la voz—. Ellos no, yo. Inutilicé su archivo. Yo soy el único que tiene ahora el enlace de rastreo.

—Entonces tú...

—Sí, te he estado vigilando.

—Pero no me has...

—¿Delatado? —termina la frase por mí—. Tenemos similares... *aliados.*

Su última palabra suena tan forzada que casi no le creo, excepto por que está aquí. De repente, algo encaja, algo que estuve a punto de descubrir antes, pero que no puede ser verdad. Recorro su cara en busca de pistas y me fijo en sus ojos azules.

—¿Quién? —pregunto con impaciencia. Las ambigüedades están empezando a enfadarme, pero temo expresar con palabras mis sospechas.

—Ahora no es buen momento —murmura—. Espero que tengas un plan magnífico para sacarnos de aquí.

—Te dije que no tengo ninguno —exclamo.

—Entonces empieza a pensarlo —dice él—. Estoy seguro de que guardas más trucos en la manga, y yo solo puedo llegar hasta cierto punto.

Me quedo en silencio y Erik me arrastra a través de unas puertas blancas de vaivén. Estamos de nuevo en el vestíbulo principal del coventri y mis pies se hunden en la espesa alfombra mientras él tira de mí. Pasamos junto a las salas de reuniones y nos dirigimos rápidamente hacia el acceso a los estudios superiores. Varios hombres con el traje negro de la Corporación bloquean la entrada y cuando nos aproximamos, uno de ellos levanta la mano para detenernos.

—Esta zona está clausurada, señor —le indica con voz muy profesional.

—Lo sé —exclama Erik, empujándome hacia delante—. Aquí está la razón de ello.

—Eh, necesito consultarlo con...

—Cormac me envió en su busca —le informa Erik—, pero adelante, llama. Le encanta esperar.

El guardia nos mira a Erik y a mí, y de vuelta; un escalofrío me recorre los brazos y me pone la carne de gallina. De repente se me ocurre que tal vez Erik no sea mi amigo; que quizás vaya a entregarme directamente a Cormac.

—Adelante, señor —dice el guardia, apartándose.

Continúo en silencio mientras Erik me sigue escaleras arriba.

—¿Alguna idea? —mascula mientras ascendemos en espiral por la torre.

Sacudo la cabeza y él protesta a mi espalda. Si me está engañando, cualquier plan que comparta con él podría volverse en mi contra. Aunque lo cierto es que no tengo ninguno.

Cuando llegamos a la última vuelta de la escalera, Erik agarra mi brazo y me arrastra hacia el taller de Loricel. Las paredes están vacías, sin la imagen por defecto titilando en ellas. Mantengo los ojos fijos en el suelo, pero incluso sin levantar la vista, veo varios pares de zapatos a mi alrededor: unos con cordones y perfectamente abrillantados, zapatos de tacón de satén rojo y varios pares de robustas botas. Entre todos, unas rodillas desplomadas sobre el suelo.

—Querida —dice Cormac con voz irritada—, qué agradable que te hayas reunido con nosotros.

Respiro hondo y levanto los ojos. En un rincón, dos guardias corpulentos mantienen sujeto en el suelo a Jost —junto al ojo izquierdo, tiene un corte del que sale un hilillo de sangre—. No muy lejos de él, Maela y Pryana me contemplan con expresión de triunfo.

—¡Me he quedado sin palabras! —exclama Cormac, entrando en mi campo de visión y tapando a Jost—. Nunca pensé que llegaría el día. Imagino que encontramos su punto débil.

Erik me agarra el brazo con más fuerza, pero no respondo a las provocaciones de Cormac.

—Supongo que esto cambia tu ridículo plan con ella —dice Maela con desdén. Si van a matarme, ya no es necesario fingir amabilidad.

—Procederemos al reprogramado y luego seguiremos con lo que teníamos en mente —explica Cormac con voz queda, pero firme.

—Bueno, así será también mejor esposa —comenta Maela. Ella parece complacida con la idea, pero los ojos de Pryana brillan de furia. No debe haber escuchado el plan completo hasta ahora. ¿Será posible que esté celosa?

Jost, que no se había movido desde que entramos en la habitación, se revuelve contra sus captores y los fulmina con la mirada.

—No te gusta cómo suena, ¿eh? —exclama Maela en tono burlón.

—Cállate, Maela —le ordena Cormac.

Su sonrisa de triunfo se desvanece, y retrocede hacia la pared vacía.

Cormac se da la vuelta hacia Erik, que me mantiene sujeta.

—¿Dónde estaba?

—En la zona de investigación, señor —responde.

Hubiera preferido que me delatara y así, al menos, podría confirmar mis sospechas sobre él, pero la respuesta de Erik es demasiado vaga y sigo sin estar segura de en qué bando se encuentra. Estaba en la zona de investigación, pero ¿por qué no decirles que me hallaba en el almacén? ¿Está ganando tiempo en mi favor?

—Es suficiente —dice Loricel desde el extremo opuesto de la habitación. Me vuelvo hacia ella, pero mantiene los ojos fijos en Cormac y no me mira.

—Tenemos que descubrir lo que estaba haciendo —exclama Cormac, acercándose al telar a grandes zancadas—. Saca la pieza que corresponda del tejido.

Loricel se dirige hacia el panel de mandos e introduce un código. El brillante tejido del complejo aparece de nuevo en el telar.

—Loricel ha sido muy amable al remendar el pequeño agujero que dejaste —me dice Cormac—. Pero me gustaría que me mostraras exactamente lo que hiciste y adónde fuiste.

Sacudo la cabeza, dolida por la traición.

—Pregúntale a ella —prácticamente les escupo.

—Permite que te lo diga de otra manera —añade Cormac en tono comedido—. Hazlo o lo mataré ahora mismo y luego extraeré a tu preciosa hermana.

Uno de los guardias toma un grueso bat negro de cuya parte superior salen disparadas unas puntas de acero al presionar un botón. Lo sujeta sobre Jost. Lo miro a los ojos y él sacude ligeramente la cabeza. Sin embargo, ya no somos los únicos implicados en esta historia. Tenemos que proteger a Amie y Sebrina.

La habitación entera debe de estar escuchando los desbocados latidos de mi corazón, pero hablo con calma, en un intento por permanecer tranquila.

—Está bien —me rindo.

Erik suelta mi brazo y me dirijo hacia el telar. Deslizo los dedos sobre el tejido y arrugo la frente.

—No es aquí —aseguro, ignorando a Loricel para dirigirme a Cormac.

—¿Qué quieres decir? —pregunta él—. Loricel, ¿dónde está?

Loricel frunce el ceño y se inclina hacia el telar.

—Debo de haberlo colocado en un lugar equivocado.

Cormac se aprieta el puente de la nariz y cierra los ojos con fuerza.

—Por esto —suspira— es por lo que te necesito, Adelice.

Mascula algo en voz baja que se parece mucho a «incompetencia» y le hace una seña a Maela para que se aproxime a él.

—Avisa al doctor Ellysen...

—Embajador, se ha marchado ya del complejo para descansar —Pryana, de pie junto a un panel comunicador, interrumpe la orden de Cormac y Maela le lanza una mirada furibunda.

—Entonces —responde bruscamente Cormac—, llámale y dile que organice el reprogramado. No voy a retrasar esto ni una hora más. Si no está dispuesta a hacer lo mejor para Arras, entonces no merece una segunda oportunidad.

—Sí, señor —contesta Pryana.

—Vamos a acabar con esto y a trasplantar sus habilidades todo a un tiempo. Y Pryana —añade él—, coméntale que se prepare para reprogramar a Adelice por la mañana.

Me giro hacia él.

—¿A quién vas a reprogramar esta noche? —pregunto.

—Voy a echar de menos tu forma de ser —asegura Cormac.

Loricel se aclara la garganta con impaciencia.

—No merezco tus atenciones.

Clavo los ojos en ella. No es posible que Cormac tenga la intención de reprogramar a su única maestra de crewel.

—Oh, sí —exclama Loricel asintiendo con la cabeza—. Cormac cree que vale la pena perder su tiempo en reprogramarme.

—No voy a explicarte los complejos principios del reprogramado, vieja bruja...

—Mira quién habla —grita Loricel, irguiendo el cuerpo—. Al menos yo tengo un poco de dignidad.

—Póngala bajo custodia —ordena Cormac, dándole la espalda.

Uno de los guardias suelta a Jost y se dirige hacia Loricel; el otro deja el bat y rodea el cuello de Jost con el brazo.

—Es demasiado peligroso —le recuerdo a Cormac con voz desesperada—. ¿Qué harás sin ella?

—Te tendré a ti —responde impasible.

—Y si me pierdes a mí, ¿estás dispuesto a arriesgar Arras para mantener tu preciado control?

—Tenemos tiempo, y tu hermana estará lista antes de que las materias primas se agoten —dice, mirándome fijamente.

—Ella no puede tejer —respondo, sacudiendo la cabeza—. No te servirá de nada.

—Si tú has desarrollado la destreza, ella podría tener el gen recesivo. Nuestros científicos piensan que es posible acceder al gen latente y activarlo —hace una pausa para permitirme asimilar la información—. La he estado controlando. Será una sustituta adecuada para realizar todas las tareas que Arras demanda —Cormac me regala una sonrisa burlona, pero al lanzar su amenaza final se transforma en el gesto más malvado y cruel que jamás le había visto.

Lo siento como un puñetazo en el estómago. Aunque acceda a sus deseos, Amie sigue sin estar a salvo. Miro a Jost y sus ojos se encuentran con los míos. Incluso ahora, doblegado y herido, hay fuerza en su mirada. No se ha rendido, así que yo tampoco puedo.

Maela se dirige hacia el telar y, tras lanzar un rápido vistazo a Loricel, me sonríe. Se encuentra tan cerca de mí que su abundante perfume me produce náuseas.

—El doctor está en camino y Pryana va hacia la clínica. Y a mí me encantaría ocuparme de ese problema por ti —le dice a Cormac, señalando con la cabeza a Jost.

Descargo mi puño contra su mandíbula y me crujen los nudillos al golpear el hueso. Duele de un modo muy agradable.

—¡Por esto les dije que no estabas preparada, estúpida! —grita Maela, limpiándose la sangre del labio.

Escupe sus palabras cargadas de veneno y puedo sentir el odio en ellas. Alzo una ceja y ella me mira fijamente, pero Erik se adelanta y le agarra el brazo.

—¡Suéltame! —exclama ella, liberándose de su mano—. Estás de su parte.

—Estoy evitando que cometas un error —le advierte Erik en voz baja.

—No me vengas con eso, Erik. ¿Crees que no sé que la estás ayudando? Al principio pensé, «déjalo que se acueste con ella. Así solucionaremos ambos problemas». Confiaba en que arruinarías su vida —Maela se abalanza sobre él y se aferra al cuello de su camisa. Bajo la rabia, sus ojos reflejan las heridas provocadas por la traición.

Erik suelta los dedos de Maela y la empuja suavemente para alejarla de él.

—Ahora no es buen momento.

Maela se gira y me fulmina con la mirada por encima del telar.

—Estás jugando un juego peligroso. ¿Piensas que puedes salvarlo a él y a ti? Tu vida está acabada, Adelice. Has demostrado que jamás podrías asumir el control. No tienes suficientes agallas —brama—, o inteligencia.

Entonces se ríe, y es como si me hubiera inyectado algún tipo de estimulante, porque el tejido de la habitación aparece frente a mis ojos y, agarrando las hebras con la mano izquierda, lo desgarro en dos a mis pies. La habitación se parte por la mitad y Maela suelta un alarido al ver la grieta. Es una visión aterradora: un abismo negro surcado por luces brillantes y entrelazadas. La mayoría de las personas sentiría pánico al verlo. Saldrían corriendo. Palidecerían y se aplastarían contra la pared como Maela. Al contrario, Cormac parece sentir curiosidad, aunque permanece quieto. En silencio. Me gustaría que avanzara, y me imagino empujándolo hacia un destino desconocido, pero es inteligente y se mantiene alerta. Y conserva la vida.

—Tal vez sea *tonta*... —prolongo la última palabra en un intento por captar la atención de Jost; quizá, si se fija bien, pueda prever mi próximo movimiento—, pero veamos si tú puedes hacer esto —reprendo a Maela.

Maela emite un débil sonido siseante, y me doy cuenta de que está conteniendo la histeria. Por un instante, parece que la he vuelto verdaderamente loca, pero Loricel interviene. Está al otro lado de la grieta y el guardia la ha soltado durante el momento de confusión. Veo que sus ojos se endurecen, con determinación. No hay ni un leve rastro de alegría o amistad en ellos. Aparecen fríos, fijos, verdes.

—Adelice, tú tienes el poder para detener esto —me recuerda.

—Lo sé —murmuro—. Solo que no puedo pensar en una buena razón para hacerlo.

—Sabes lo que sucederá —insiste Loricel, señalando hacia Jost—. ¿Lo abandonarás aquí para que muera por ti? ¿Y qué pasará con tu hermana? ¿Y conmigo?

Estoy a punto de reírme, pero me doy cuenta de que está hablando en serio.

—Veamos. Puedo salvar a un hombre que se ha descubierto como traidor ante la Corporación. ¿Para qué? ¿Para que lo torturen en busca de información? ¿Para que lo mantengan vivo, pero agonizante, y mantenerme así a raya? ¡Tú lo sabes, Loricel! ¡Tú sabes de lo que son capaces! —estoy gritando, lo que provoca un temblor en la abertura. Maela se aprieta con más fuerza contra la pared.

—Pero Maela. ¿Es que tienes miedo de la niña mala? —me regodeo, sin esforzarme por ocultar el tono burlón de mi voz.

De una forma o de otra, la farsa entre nosotras acaba esta noche. Podría también lanzarle algunos buenos golpes mientras pueda—. Voy a necesitar que relajes un poco el brazo que tienes alrededor de su cuello —ordeno al guardia que sujeta a Jost, estirando las manos como para destruir otra parte del delicado tapiz de la habitación.

El guardia me mira fijamente un instante; yo sostengo su mirada, sin parpadear, hasta que baja los brazos. Es una señal de derrota más clara que las de los demás. Me acerco a Jost, pero no alargo los brazos hacia él.

Loricel sigue pensativa, y sé por qué. Ella también tiene el poder necesario para cerrar la grieta. Esto plantea la cuestión de por qué no lo ha hecho todavía, y tengo que asumir que aún no ha elegido su bando.

—¿Qué les queda para mantenerte controlada? —le pregunto suavemente—. Van a matarte. Aún peor, van a aprovecharse de tu don.

Sonríe con tristeza y amargura, curvando su marchito labio inferior.

—No les queda nada.

—Lo sé —respondo—. ¿Y a ti?

Sus duros ojos se vuelven abrasadores, por un instante pierden la frialdad.

—Nos has puesto en una situación imposible.

—No es imposible —respondo quitándole importancia—. Solo desafiante. Nada es imposible para una maestra de crewel.

—Excepto la realidad —me recuerda.

—Excepto la realidad —repito. No estoy segura de lo que quiere decir, pero sé que es importante.

Y entonces lo veo claro. Nos resulta imposible controlar la realidad porque trabajamos desde dentro de Arras. Nuestro talento consiste en estirar y cambiar. Fuera de Arras, no somos nada. Solo creamos ilusiones, y el resplandeciente vacío que se abre ante nosotros es un mero fragmento de esa ilusión. Por debajo hay algo más, una realidad que solo yo puedo descubrir. Un lugar al que Cormac no se atrevería seguirme. La Tierra.

Pero no puedo abandonar a Jost. Ni a Loricel. Ni a mi hermana. Porque, aunque estoy segura de encontrar la vía de salida, ignoro si podría hallar la de regreso. Todos los ojos están sobre mí, esperando una respuesta.

—Ya basta —exclama Cormac—. Ya he soportado suficiente de este drama. Adelice, te guste o no, eres responsable de cada vida de Arras. Deja de comportarte como una niña mimada y arregla esto —está sorprendentemente tranquilo, pero sigue firme en su puesto, a una buena distancia del agujero.

—Ese es el problema —le digo—. Nos tratas como a niños. Pero yo sé la verdad.

—Ya no la necesitamos, Cormac —grita Maela—. Vamos a trasplantar las habilidades de Loricel y algunas de nosotras seríamos mucho mejores esposas.

—¿Como tú? —pregunta él con desdén.

Maela se repliega ante la dura contestación. En mi opinión, ni siquiera Maela merece tanta crueldad, pero es justo lo que necesito para colocarla donde quiero.

—Maela —digo con voz suave, cebando la trampa—, ¿sabes hacer algo que no sea mutilar un fragmento de tiempo?

Ella me fulmina con la mirada, apoyada firmemente contra la pared. A su lado, Erik se muestra irritado, pero se mantiene en silencio. Necesito que Maela se mueva, si quiero matar dos pájaros de un tiro. O al menos dejarlos sin sentido.

—¿Recuerdas aquella noche en el patio cuando me descubriste con Erik? —la provoco, pero sigue quieta.

Se pone tensa al recordarlo. Confío en que su carácter extremo juegue a mi favor al menos por esta vez.

—Oh, vamos. ¿Te gusta herir a los demás, pero no aceptas críticas? Sabes, no había pensado en él ni un instante antes de eso. Él me buscó.

Veo cómo Erik fija sus brillantes ojos primero en Maela y luego en mí. Trato de mantener mi atención en ella, porque sé que esta revelación va a ser dolorosa para Jost. Pero no tan dolorosa como la que acabo de tener. He descubierto por qué Erik está atrapado en medio de esta lucha, y no es por mí. La verdad ha estado siempre delante de mis ojos y yo me negué a verla, pero ahora me resulta tan obvia que no puedo creer que los demás no se den cuenta. Debería haber sido suficiente con los ojos, pero había más pistas. Ambos proceden de una aldea pesquera. La expresión apenada que adquirían sus rostros cuando se veían. La aparente sensación de que se odian el uno al otro.

—Bueno, me alegro de que Erik me besara —afianzo un poco más los pies en el suelo—. Así me proporcionó algo con lo que comparar los besos de Jost.

Me arriesgo a mirar a Jost y a Erik. El desconcierto de Jost deja paso a una expresión que refleja que se siente traicionado, sin embargo Erik me observa, tratando de comprender lo que estoy diciendo.

—Hasta ahora no me había dado cuenta de lo similares que son sus ojos —les digo; la mirada de Erik muestra una ligera sorpresa cuando finalmente comprende—. Pero fue eso, y su manera de besar, lo que me ha descubierto que son hermanos.

Mis palabras resuenan en la estancia como una bomba, desgarrando las mentes de todos los que las han escuchado. Algún día le contaré a Jost que tenía que hacerlo para acosar a Maela, y me disculparé, pero ahora no hay tiempo. Maela reacciona de manera violenta y se abalanza sobre Erik por ocultarle esta información. Con su estatura, es imposible que pudiera hacerle daño, sin embargo he dejado un enorme agujero abierto en el centro de la habitación y se están tambaleando hacia él. El guardia, aturdido, se queda quieto y yo me atrevo a lanzar una breve mirada a Loricel. Su rostro lo dice todo: no intervendrá.

Me dirijo rápidamente hacia Jost y lo agarro del brazo al tiempo que Maela empuja a Erik hacia la grieta. No emite ningún sonido mientras cae, aunque veo su boca abierta. Ella se tambalea al borde del abismo, pero no cae. Ya he perdido demasiado tiempo, y cada segundo cuenta. Por suerte, la paliza ha debilitado a Jost y no protesta cuando me lanzo con él al agujero que hay a nuestros pies. Tengo tiempo de ver cómo Loricel se adelanta y comienza a cerrar la grieta. Es rápida y sé que conseguirá terminarlo antes de que puedan detenerla, aunque lo pagará caro. Al final, me permitió elegir.

La luz dorada brilla y se resquebraja a nuestro alrededor, pero ignoro si es porque la grieta se está cerrando o porque caemos demasiado deprisa a través del tejido primario que separa Arras de la Tierra. Jost me ha rodeado la cintura con los brazos, en actitud protectora. Si siente dolor, en este momento es la menor de sus preocupaciones. Debe de confiar realmente en mí para no estar gritándome en el oído; o tal vez aquí no pueda escucharlo, a pesar de nuestra proximidad. Mientras caemos, agarro una hebra y nos impulso con fuerza a través del áspero tejido, acercándonos así a Erik que parece demasiado lejano para alcanzarlo.

En teoría, podríamos estar cayendo eternamente, pero no estoy lo que se dice ansiosa por descubrirlo. No obstante, no puedo dejar aquí a Erik. Ha vuelto la cabeza y nos ha localizado. Al darse cuenta de mi intención, voltea su cuerpo de modo que cae de espalda, mirándonos y observando mi avance. Y entonces sucede algo sorprendente. Tal vez por la textura rugosa y áspera de este tejido o porque, como yo, puede ver las hebras, extiende las manos y trata de agarrarlas hasta que toma una. Sigue cayendo, pero más despacio.

Jost vence su peso sobre mí, obligándonos a acelerar hasta que puede alargar el brazo que tiene libre y aferra la mano extendida de su hermano.

Sería un momento maravilloso, si no estuviéramos atrapados en una especie de vacío entre dos mundos. Al menos tengo un plan —gracias a Loricel—. Bueno, una idea en realidad, y solo puedo esperar que funcione. Ahora que Jost y Erik están a salvo y bajo mi control, suelto la hebra y nos deslizamos más deprisa a lo largo del manto. Cuando golpeamos las hebras, saltan chispas y se deshilachan pedazos. Me puedo imaginar el daño que estamos provocando. Es el tipo de arreglo para el que necesitarán una maestra de crewel. Tal vez Loricel gane algo de tiempo con esto, aunque no sé con seguridad si estaré haciéndole un favor.

La mano de Jost permanece firmemente agarrada a la de Erik, y su brazo continúa alrededor de mi cintura. Tengo las manos libres, así que las introduzco entre las hebras y las desgarro con todas mis fuerzas, hurgando con los dedos bajo el grueso tejido que hay por debajo de Arras hasta que mis manos notan algo fresco. Aire nocturno. Las hebras del tejido primario son gruesas y están tejidas muy apretadas, así que introducir una mano a través de ellas resulta agotador, sin embargo noto una extraña sensación de triunfo cuando me doy cuenta de que hemos detenido nuestra caída.

Por supuesto, ahora estamos flotando en un enorme vacío, así que será mejor no alardear. Nos encontramos fuera de la realidad de Arras y sus leyes físicas y, para ser sincera, no tengo ni idea de lo que nos espera en la superficie de la Tierra. Si Loricel está en lo cierto y no queda nada, estamos todos muertos. No sé si estoy preparada para afrontar esa posibilidad, pero me gusta incluso menos la idea de consumirme poco a poco mientras caemos entre hebras de tiempo.

Tal vez Jost y Erik quieran saber lo que estoy haciendo, aunque no lo preguntan. Aunque aquí no pueda escucharlos, vería el movimiento de sus bocas, pero mantienen los labios apretados. De momento, parecen decididos a permitir que continúe con la manipulación de las hebras y a ignorarse mutuamente. A pesar del amor fraternal que pudiera existir entre ellos, no parecen exactamente emocionados por su encuentro. Pero no hay tiempo para distracciones. Aparto estas preocupaciones de mi mente y me esfuerzo en abrir una nueva grieta. Cuando es lo bastante grande para introducir un brazo, se me ocurre que sería buena idea asomar la cabeza y echar un vistazo. Después de todo, no quiero que caigamos en medio de un océano.

Apenas percibo el grito de protesta de uno de los chicos cuando meto la cabeza a través de las hebras desplazadas. Está oscuro. Una enorme luna llena lanza un débil resplandor sobre los misteriosos objetos que hay a mi alrededor. Estoy colgando sobre una calle flanqueada por una hilera de edificios. La luz rebota contra la oscuridad y, a lo lejos, se difumina en un titilante resplandor dorado. La quietud otorga al paisaje una sensación de irrealidad. Otra ilusión. Pero, como para contradecirme, una suave brisa acaricia mi cara y mueve mi pelo. La escena permanece casi quieta, pero cuando mis ojos se adaptan, distingo los desperdicios que el viento mueve al otro lado de la carretera. Escucho el roce del papel sobre el cemento.

La buena noticia es que no estamos suspendidos sobre un océano y la mala, que no tengo ni idea de dónde nos encontramos ni de lo que nos depara este mundo —la Tierra—. No lo imaginaba tan desolado, aunque este pensamiento resulta estúpido porque sé que no queda ningún superviviente en esta capa. Pero hay cobijo y, si tenemos suerte, tal vez comida. Supongo que pensé que alguien más podría haber escapado, pero ¿cómo, sin una maestra de crewel?

¿Sin mí?

A pesar de todo, es la mejor opción que tenemos. Podría intentar abrir una grieta que nos devolviera a Arras, pero eso sería incluso más peligroso. Puede que Loricel nos haya ayudado a escapar, pero si regresáramos, seguramente no podría protegernos. Ni siquiera sé si seguirá viva, y estarán buscando nuestras secuencias de identidad personal en el tejido. No, no es seguro regresar, así que esta es la única posibilidad. Saco la cabeza del tejido abierto y empiezo a trabajar con mayor rapidez, más confiada ahora que sé que estaremos seguros cuando la entrada sea suficientemente grande. No me molesto en mirar a Jost o a Erik. Tendré que enfrentarme al drama después. Ahora mismo, tengo una tarea que realizar.

El tacto del tiempo es más rugoso en el tejido primario y mis dedos llenos de cicatrices no tardan en sentir el cansancio, a pesar de las callosas yemas que me regaló Maela. Tengo otras dos vidas a mi cargo y necesito desesperadamente pasar al otro lado para pensar qué hacer con Sebrina y Amie, así que hago caso omiso al dolor de mis manos. Están en peligro cada segundo que perdemos fuera de la superficie y, al contrario que en los momentos paralelos que tejí dentro del coventri, el tiempo continuará avanzando en ambas realidades.

Cuando por fin logro abrir un hueco suficientemente amplio, hago gestos exagerados para indicar a mis compañeros que debemos atravesarlo. Jost mueve la boca y entrecierra los ojos con preocupación. Sacudo la cabeza para indicarle que no lo escucho y alargo mi mano libre para animarle a entrar. Su boca forma una palabra bastante fácil de entender: no. De acuerdo. Tarde o temprano querrá atravesar la grieta. Por supuesto, si lo suelto, empezará a caer de nuevo y probablemente nunca vuelva a encontrar este espacio abierto. Me doy cuenta de que me estoy mordiendo el interior de la mejilla, y entonces Erik se impulsa con impaciencia hacia la abertura. Su brazo izquierdo continúa en mi cintura y me arrastra con él, como si estuviera nadando en el aire. Cuando introduce en el agujero el brazo que tiene libre, me suelta y se impulsa hacia adelante, hasta desaparecer por completo. Me vuelvo hacia Jost y alzo las cejas. Aprieta su brazo en torno a mí y frunce el ceño, pero parece darse cuenta de que cualquier cosa es mejor que quedar atrapado en este espacio intermedio. Avanzando más despacio que su hermano, me empuja con suavidad hasta que estamos en la boca de la abertura. Me mira para tranquilizarse, toma aire y nos arrastra a los dos. Aterrizamos en un montón de cemento quebradizo; parece los restos de una carretera. Aparentemente mi agujero no estaba alineado con el suelo del mundo real, pero no ha estado tan mal. Podríamos haber caído desde mucho más arriba.

—Pensé que tal vez me habían abandonado —nos grita Erik. Su voz, habitualmente burlona, suena inexpresiva. Ha llegado ya al borde de las ruinas, y no se detiene a esperarnos.

—Sigue soñando —le contesta Jost con un gruñido.

Y ahí está. Las primeras palabras que se han dirigido como hermanos delante de mí. El intercambio añade frialdad al gélido aire nocturno. Erik sigue avanzando hasta que solo veo su silueta a la luz de la luna. Lo contemplamos abriéndose camino por la ciudad, más allá de nosotros; Jost me rodea con el brazo.

Tiemblo bajo su abrazo, mientras contemplo los restos abandonados de la Tierra. Parece que el tiempo no avanza y a mi alrededor distingo signos de deterioro —la erosión natural de un lugar abandonado por los hombres—. Nos encontramos en un instante suspendido al borde de la posibilidad y la perdición. Pero antes de que pueda alargar los brazos para romper sus misteriosas hebras, aparece en el horizonte un objeto hinchado, una embarcación que surca el aire a poca altura, y lanza un intenso haz de luz, como si nos diera la bienvenida a casa.

AGRADECIMIENTOS

Como esto es lo más próximo al discurso de aceptación de un Oscar que jamás viviré, me gustaría que, mientras lees, me imaginaras con un bonito vestido y sujetando este libro. Ahora que hemos creado el ambiente adecuado, procedamos.

Muchas gracias a mi extraordinaria agente, Mollie Glick, cuya pasión nunca cesa de sorprenderme. Gracias por subirte a aquel avión. Tengo una deuda similar de gratitud con Janine O'Malley, que comprendió el libro desde el primer día y es la mejor editora que se podría desear. Y con Beth Potter, que me ayudó a hacer parte del viaje editorial. Esta novela es infinitamente mejor gracias a ustedes tres.

Mi sincero agradecimiento a Simon Boughton y Jon Yaged, que me ayudaron a sentirme como en casa en mi nueva casa. No puedo expresar lo agradecida que estoy al equipo de Farrar Straus Giroux and Macmillan.

Me siento orgullosa de proclamar que Foundry Literary + Media es mi agencia. Gracias a Hannah Brown Gordon y Katie Hamblin por responder todos mis correos electrónicos.

Habría sido una chica solitaria de no haber sido por mis amigos de escritura, que han permanecido a mi lado en cada paso de esta loca aventura. Gracias a Bethany Hagen y Robin Lucas por reír, llorar y gritar conmigo, y a Kalen O'Donnell, que llegó tarde a la fiesta, pero decidió quedarse.

Mi marido me informa que está sonando la música que indica que debo terminar y que no puedo darle las gracias a cada profesor de literatura inglesa que he tenido, así que iré al grano. Doy las gracias a Bob Brennan y Alan Hunter, que me animaron a leer durante los años perdidos, es decir, durante la preparatoria. A la doctora Miriam Fuller, que me enseñó a mirar las historias con mayor atención. Y a los doctores Devoney Looser y George Justice, que de algún modo supieron en todo momento que lo llevaba dentro, a pesar de que las señales indicaban lo contrario.

Y lo más importante, gracias a mi familia, que nunca se rió cuando yo aseguraba que quería escribir libros, sino que me animó desde la barrera. A mis hijos, que aceptaron rápidamente mi «trabajo» y decían con orgullo a los desconocidos: «Mi madre escribe libros». Y a Josh —mi primer lector, mi primer todo—, gracias.

Este libro se terminó de imprimir en abril de 2013
en Quad/Graphics Querétaro, S. A. de C. V.,
Fracc. Agro Industrial La Cruz El Marqués
Querétaro, México.